D0358448

Eveneens van Isabel Wolff:

Villa Vintage

ISABEL WOLFF

Op het tweede gezicht

Oorspronkelijke titel *The Very Picture of You*
Originally published in Great Britain in 2011 by Harper, an imprint of HarperCollins Publishers, London

De Kern, een imprint van Uitgeverij De Fontein, Utrecht
Vertaling Ans van der Graaff
Omslagontwerp Oranje Vormgevers
Omslagillustratie Stockbyte
Auteursfoto omslag © Jerry Bauer
Opmaak binnenwerk ZetSpiegel, Best

De dichtregels uit 'De ochtendgroet' van John Donne komen uit de bundel *John Donne, gedichten*, samengesteld door Odin Dekkers, uitgegeven door Ambo, 1993. Vertaling van *The good morrow* door Rudy Bremer
ISBN 978 90 325 1296 5
ISBN e-book 978 90 325 1358 0
NUR 302

www.dekern.nl

Voor mijn schoonouders, Eva en John

Moeten wij schilderen wat op het gezicht zit, wat in het gezicht zit of wat erachter zit?

–Pablo Picasso

Proloog

Richmond, Engeland, 23 juli 1986

'Ella...? El-la?' Mijn moeders stem zweeft de trap op terwijl ik over mijn schetsblok gebogen zit en mijn hand snel over het tekenpapier gaat. 'Waar zit je toch?' Met het potlood stevig in mijn hand maak ik de neus iets krachtiger en dan teken ik schaduw onder de wenkbrauwen. 'Kun je geen antwoord geven?'

En nu de haren. Een pony? Naar achteren gekamd? Ik kan het me niet herinneren.

'Gabri-él-la?'

En ik weet dat ik het niet kan vragen.

'Zit je in je kamer, lieverd?'

Terwijl ik mijn moeder de trap op hoor komen, teken ik een lichte pony over het voorhoofd. Ik smeer hem uit om hem wat meer zwaarte te geven en maak dan snel de kaak donkerder. Ik beoordeel de tekening en besluit dat het een goede gelijkenis is. Dat denk ik tenminste. Hoe kan ik dat weten? Zijn gezicht is inmiddels zo schimmig dat ik het misschien alleen maar in een droom heb gezien, maar dan doe ik mijn ogen dicht en is het géén droom. Ik kan hem zien. Het is een zonnige dag en ik loop naast hem; ik voel de warmte die van de bestrating opstijgt en de zon op mijn gezicht, en zijn grote, droog aanvoelende hand om de mijne. Ik hoor het klepperen van mijn sandalen en het klikklak van mijn moeders hakken en ik zie haar witte rok met rode bloemen erop.

Hij glimlacht naar me. 'Klaar, Ella?' Ik voel een golf van plezier als zijn vingers zich steviger om de mijne sluiten. 'Daar gaan we. Een, twee, drie...' Mijn maag keert zich om als ik omhoog wordt gezwierd. 'Jeeeee...!' roepen ze allebei als ik door de lucht zweef. 'Een, twee, drie... En daar gaat ze weer! Jeeeee...' Ik hoor hen lachen wanneer ik neerkom.

'Nog een keer!' Ik stamp met mijn voet op de grond. 'Nog een keer! Nog een keer!'

'Oké. Nu gaat-ie heel hoog.' Hij pakt mijn hand weer vast. 'Klaar, schatje?'

'Klaar!'

'Goed dan. Een, twee, drie en... hoooooog!'

Mijn hoofd gaat achterover en het blauwe hemelgewelf zwaait boven me als een klok. Maar terwijl ik terugval naar de aarde, voel ik zijn vingers wegglippen en als ik me naar hem omdraai is hij verdwenen...

'Daar ben je,' zegt mam vanuit de deuropening van mijn slaapkamer.

Ik kijk naar haar op en schuif snel mijn hand over de schets.

'Wil je even met Chloë gaan spelen? Ze is in het speelhuisje.'

'Ik ben... ergens mee bezig.'

'Alsjeblieft, Ella.'

'Ik ben te oud voor het speelhuisje... Ik ben elf.'

'Dat weet ik, lieverd, maar het zou fijn zijn als je je zusje even bezig kunt houden, en ze vindt het heerlijk als je met haar speelt.' Terwijl mijn moeder een lok van haar witblonde haar achter haar oor strijkt, bedenk ik hoe bleek en kwetsbaar ze eruitziet, als porselein. 'En ik heb liever dat je naar buiten gaat met zulk warm weer.' Ik hoop dat ze naar beneden gaat, maar tot mijn schrik komt ze naar me toe, haar ogen op het schetsblok gericht. Ik sla snel om naar een nieuwe bladzijde.

'Dus je bent aan het tekenen?' Mijn moeders stem klinkt zacht en laag als altijd. 'Mag ik eens kijken?' Ze steekt haar hand uit.

'Nee... Nu niet.' Ik wou dat ik de schets eruit had gescheurd voor ze binnenkwam.

'Je laat me nooit je tekeningen zien. Toe, laat eens kijken, Ella.' Ze steekt haar hand uit naar het schetsblok.

'Dat is privé, mam... Niet doen.'

Ze slaat de in spiraal gebonden bladzijden echter al om. 'Wat een prachtig vingerhoedskruid,' mompelt ze. 'En die klimopbladeren zijn volmaakt. Ze glanzen gewoon; en die van de kerk is geweldig. Het glas in lood is vast lastig geweest, maar je hebt het fantastisch gedaan.' Mijn moeder schudt verbijsterd haar hoofd en glimlacht dan naar me, maar haar gezicht betrekt wanneer ze de volgende bladzijde omslaat.

Door het open raam hoor ik een vliegtuig. Het verre gebulder klinkt als scheurend papier.

'Het is een studie,' leg ik uit. 'Voor een portret.' Mijn hart gaat tekeer.

'Nou...' Mam knikt. 'Het is... heel goed.' Haar hand trilt als ze het schetsblok dichtklapt. 'Ik had geen idee dat je zo goed kon tekenen.' Ze legt het terug op de tafel. 'Je weet het heel goed weer te geven,' voegt ze er zacht aan toe. Bij haar mondhoek trilt even een spiertje, maar dan glimlacht ze weer. 'Nou...' Ze klapt in haar handen. 'Ik ga zelf wel met Chloë spelen als jij het druk hebt, dan kijken we daarna naar het koninklijk huwelijk. Ik heb de tv al aangezet, zodat we het begin niet missen. Je zou Fergies jurk kunnen tekenen.'

Ik haal mijn schouders op. 'Misschien.'

'We eten wel een boterham voor de lunch terwijl we kijken. Is kaas en ham goed?'

Ik knik.

'Ik kan ook *coronation chicken* maken, dat is pas echt toepasselijk!' voegt ze er plotseling opgewekt aan toe. 'Ik roep je wel als het begint.' Ze loopt naar de deur.

Ik adem diep in. 'Heb ik hém goed weergegeven?' Mijn moeder

lijkt me niet te hebben gehoord. 'Lijkt het op hem?' probeer ik weer. Ze verstart zichtbaar. Het geluid van het vliegtuig is verdwenen. 'Lijkt mijn tekening op mijn vader?'

Ik hoor haar inademen, dan zakken haar smalle schouders omlaag en zie ik plotseling hoe expressief iemands rug kan zijn. 'Ja, die lijkt op hem,' antwoordt ze zacht.

'O, nou,' zeg ik wanneer ze zich naar me omdraait, 'dat is mooi. Vooral omdat ik me hem niet echt meer herinner. En ik heb niet eens een foto van hem, of wel?' Ik hoor mussen kwetteren in de bloembedden. 'Zijn er eigenlijk wel foto's, mam?'

'Nee,' zegt ze vlak.

'Maar...' Mijn hart bonkt. 'Waarom niet?'

'Omdat die er gewoon... niet zijn. Het spijt me Ella. Ik weet dat het niet gemakkelijk is.' Ze haalt haar schouders op, alsof ze er net zo gefrustreerd door is als ik. 'Maar het is nou eenmaal zo.' Ze zwijgt even als om zich ervan te vergewissen dat het gesprek voorbij is. 'En... Wil je tomaat op je boterham?'

'Maar je hebt toch zeker wel een paar foto's van hem?'

'Ella...' Mijn moeder blijft zacht praten, maar ze verheft eigenlijk zelden haar stem. 'Ik heb toch al gezegd dat ik die niet heb. Het spijt me, lieverd. En nu moet ik echt –'

'Ook niet van toen jullie trouwden?' Ik stel me een witleren album voor waarin mijn ouders op elke foto glimlachen, mijn vader donker en knap in een grijs pak, mijn moeder met een sluier rond haar porseleinen gezicht.

Ze sluit even haar ogen. 'Ik heb wel foto's gehad, ja... Maar die heb ik niet meer.'

'Maar er moet toch nog wel iets zijn? Ik heb er maar één nodig.' Ik pak mijn hartvormige gum en knijp erin met mijn duim en wijsvinger. 'Ik zou graag zijn foto op het dressoir willen zetten. Er is nog een leeg zilveren lijstje dat ik kan gebruiken.'

Haar grote blauwe ogen worden nog groter. 'Maar... Dat kan gewoon niet.'

'O. Dan koop ik zelf wel een lijstje. Ik heb nog zakgeld. Of ik kan er een maken, of jij kunt me er een geven voor mijn verjaardag.'

'Het gaat niet om het lijstje, Ella.' Mijn moeder lijkt plotseling hulpeloos. 'Ik bedoel dat ik zijn foto niet op het dressoir wil. Nergens trouwens.'

Mijn hart bonkt weer. 'Waarom niet?'

'Omdat...' Ze steekt haar handen omhoog. 'Hij maakt geen deel uit van ons leven, Ella, zoals je heel goed weet. En hij is hier al heel lang niet meer geweest, dus zou het alleen maar verwarrend zijn, vooral voor Chloë. Hij was immers niet haar vader, en het zou niet erg aardig zijn tegenover Roy,' haast ze zich verder. 'En híj is een vader voor je, nietwaar? Een fantastische vader.'

'Ja, maar niet mijn échte.' Mijn gezicht gloeit. 'Ik heb een échte vader, mam, en hij heet John, maar ik weet niet waar hij is of waarom ik hem nooit zie en ik weet niet waarom je zelfs niet over hem wilt praten.' Haar lippen zijn tot een dunne streep samengeknepen, maar ik ben niet van plan op te houden. 'Ik heb hem niet meer gezien sinds ik... Ik weet niet eens hoe oud ik was. Was ik drie?'

Mijn moeder slaat haar dunne armen over elkaar en haar gouden armband tikt zachtjes tegen haar horloge. 'Je was bijna vijf,' antwoordt ze zacht. 'Maar weet je, Ella, ik zou zeggen dat degene die zich als een vader gedraagt de vader ís, en Roy doet alles wat een vader ook maar zou kunnen doen, terwijl John... Nou...' Ze laat de zin wegsterven.

'Maar ik wil toch graag een foto van hem. Ik kan hem hier neerzetten, op mijn kamer, zodat niemand anders hem hoeft te zien... Het is alleen voor mij. Mooi,' voeg ik er snel aan toe. 'Dat is dan geregeld.'

'Ella... Ik heb je al verteld dat ik geen foto's van hem héb.'

'Waaróm niet?'

Ze slaakt een gekwelde zucht. 'Ze zijn... kwijtgeraakt.' Ze kijkt naar buiten. 'Toen we hierheen verhuisd zijn.' Ze draait zich weer naar mij om. 'We hebben niet alles meegebracht.'

Ik kijk haar aan. 'Maar die foto's had je wel mee moeten brengen,' zeg ik boos. 'Het is gemeen dat je er niet één voor me hebt bewaard!' Ik ben opgestaan, leun met een hand op mijn stoel om mezelf overeind te houden met dat geraas in mijn borstkas. 'En waarom praat je nooit over hem? Je praat helemaal nóóit over hem!'

Mijn moeders bleke wangen zijn plotseling roze, alsof ik er met een penseel rode kleurstof op heb aangebracht. 'Dat is... te moeilijk voor me, Ella.'

'Waaróm?' Ik probeer te slikken, maar er steekt een mes in mijn keel. 'Je zegt altijd alleen maar dat hij uit ons leven verdwenen is en dat dat maar beter is ook, en dus weet ik niet wat er is gebeurd.' Tranen van frustratie prikken in mijn ogen. 'Of waarom hij ons in de steek heeft gelaten.' Ik zie mijn moeder door een waas. 'En of ik hem ooit nog terug zal zien.' Er loopt een traan over mijn wang. 'Dus daarom heb ik... Dáárom heb ik...' Ik zit plotseling op mijn knieën op de vloer, steek mijn hand onder het bed en haal er mijn doos onderuit. Er staat RAVEL op en mams beste laarzen hebben erin gezeten. Ik kom overeind en zet de doos op mijn bed. Mijn moeder kijkt ernaar, kijkt me dan gespannen aan, gaat zitten en haalt het deksel eraf.

De eerste tekening is recent, een pentekening met wit pastel op zijn neus, haar en jukbeenderen. Ik was er trots op omdat ik net die techniek onder de knie had om iets naar voren te halen. Daarna haalt ze er drie potloodschetsen van hem uit die ik in het voorjaar heb gemaakt en waarin ik er door zorgvuldige kruisarcering in ben geslaagd diepte en uitdrukking in de ogen aan te brengen. Daaronder liggen tien of twaalf oudere tekeningen waarin de verhoudingen niet goed zijn: zijn mond te klein, zijn voorhoofd te breed of de aanzet van zijn oor te hoog. Daarna volgen vijf schetsen waarin niets van contouren te zien is en zijn gezicht zo rond en plat is als een bord. Mam haalt er een aantal viltstifttekeningen uit van mijn vader, haar en mij voor een roodstenen huis waar een zwarte trap naar de donkergroene voordeur leidt. Dan volgen een paar schilderijen in plakkaatverf waarop hij in een grote blauwe auto rijdt. Nu haalt mam er een collage uit waarin hij pijpenragers als ledematen heeft, mauve vilt voor zijn overhemd en broek, een toefje bruine wollen haren die stijf staan van de lijm. In de laatste paar tekeningen is pap weinig meer dan een stokpoppetje. Daaronder heb ik *dad* geschreven, maar bij eentje heb ik de eerste 'd' omgedraaid, zodat er *bad* staat.

'Wat veel,' prevelt mam. Ze legt de tekeningen terug in de doos en pakt dan mijn hand vast. Ik ga naast haar zitten en hoor haar slikken. 'Ik had het je moeten vertellen,' zegt ze zacht. 'Maar ik wist niet hoe...'

'Maar... Waarom heb je het me niet verteld? Me wát niet verteld?'

'Omdat het zo... afschuwelijk was.' De spanning veroorzaakt putjes in haar kin. 'Ik had gehoopt ermee te kunnen wachten tot je ouder was, maar nu... nu kan ik niet anders.' Ze drukt haar vingertoppen tegen haar lippen, knippert een paar keer met haar ogen en blaast dan met een triest, ruisend geluid haar adem uit. 'Goed dan,' fluistert ze. Ze laat haar hand in haar schoot vallen, ademt diep in en terwijl vanuit Westminster Abbey de 'Bruiloftsmars' weerklinkt, praat ze eindelijk met me over mijn vader. En als ze me vertelt wat hij heeft gedaan, voel ik mijn wereld plotseling verschuiven, alsof er iets heel groots en zwaars tegen aangebotst is.

We blijven een poos zitten en ik stel haar wat vragen, die zij beantwoordt. Dan stel ik haar dezelfde vragen nog een keer. Daarna gaan we naar beneden, haal ik Chloë uit de tuin naar binnen en gaan we voor de televisie zitten om ons te vergapen aan Sarah Fergusons wijd uitlopende jurk met een vijf meter lange sleep met bijen erop geborduurd. De volgende dag neem ik mijn doos mee naar de keuken, haal de tekeningen eruit en stop ze diep in de vuilnisbak, allemaal.

I

'Sorry daarvoor,' zei Clare, de radioverslaggeefster eerder vanavond tegen me toen ze met haar kleine geluidsrecorder zat te rommelen. Ze duwde een streng kastanjebruin haar achter haar oor. 'Ik moet even kijken of het apparaat alles heeft opgenomen. Het lijkt niet goed te gaan...'

'Maak je niet druk.' Ik wierp een gespannen blik op de klok. Ik moest zo weg.

'Ik waardeer het dat je de tijd voor me neemt.' Clare haalde met haar perfect gemanicuurde vingers de batterijtjes uit het apparaatje. Ik keek naar mijn gevlekte vingers. 'Maar met radio moet je veel opnemen.'

'Natuurlijk.' Hoe oud was ze? Ik vond het eerst moeilijk te zeggen, want ze was nogal zwaar opgemaakt. Vijfendertig, besloot ik nu – mijn leeftijd. 'Ik ben blij dat ik hieraan mee kan werken,' vervolgde ik terwijl ze de batterijen er weer in stopte en het klepje sloot.

'Tja, ik had al van je gehoord en toen las ik vorige maand dat stuk over je in *The Times*...'

Ik voelde mijn maag samentrekken.

'En toen dacht ik dat je perfect zou zijn voor mijn programma... Als ik dat verdraaide ding tenminste aan de praat kan krijgen.'

Zelfs door de foundation heen zag ik haar wangen rood kleuren toen ze op de knopjes drukte. *En wanneer realiseerde je je voor het eerst dat je schilderes zou worden?* 'Poe...' Ze drukte haar handen tegen haar borst. 'Het staat er nog op.' *Ik wist al vanaf mijn achtste of negende dat ik schilderes wilde worden...* Ze glimlachte. 'Ik was bang dat ik het gewist had.' *Ik zat altijd te tekenen of te schilderen...* Toen ze op FAST FORWARD drukte kreeg ik even een Minnie Mouse-stemmetje, maar dat werd al snel weer normaal. *Schilderen is in zekere zin altijd mijn... troost geweest.* 'Geweldig,' zei ze terwijl ik een klodder opgedroogd Pruisisch blauw van mijn schort krabde, die stijf stond van de verf. 'We kunnen verder.' Ze keek op haar horloge. 'Heb je nog twintig minuten voor me?'

De moed zonk me in de schoenen. Ze was al anderhalf uur hier, waarvan ze het grootste deel zinloos had zitten kletsen of met haar geluidsrecorder had zitten rommelen. Maar een documentaire op Radio 4 zou nieuwe opdrachten kunnen opleveren, dus verbeet ik mijn frustratie. 'Dat is prima.'

Ze pakte haar microfoon op en keek toen mijn atelier rond. 'Het moet heerlijk zijn om hier te werken.'

'Dat klopt... Dat is de reden dat ik dit huis heb gekocht, vanwege de grote zolder. En het licht is perfect; het huis staat op het noordoosten.'

'En je hebt een prachtig uitzicht!' Clare lachte. De twee grote dakkapellen keken uit op de grote roestkleurige ronde silo van Fulham's Imperial Gas Works. 'Ik hou wel van industriële architectuur,' voegde ze er snel aan toe, alsof ze bang was dat ze iets verkeerds had gezegd.

'Ik ook... Ik vind gassilo's een zekere grandeur hebben. En aan de andere kant heb ik de oude krachtcentrale aan Lots Road. De wijk is niet bepaald groen en mooi, maar ik zit hier graag en er wonen veel kunstenaars en ontwerpers in de buurt, dus ik voel me hier thuis.'

'Het is wel een beetje niemandsland,' merkte Clare op. 'Je moet King's Road helemaal af rijden om hier te komen.'

'Dat is zo, maar ik ben zo op Fulham Broadway. Ik doe trouwens bijna alles op de fiets.'

'Dat is dapper. Maar goed...' Ze bladerde de aantekeningen op de lage glazen tafel door. 'Waar waren we gebleven?'

Ik schoof de pot met hyacinten opzij om haar meer ruimte te geven.

'We zijn begonnen met je achtergrond,' zei ze. 'De zaterdagen die je als tiener in de National Gallery doorbracht met het kopiëren van oude meesters, de basiscursus die je aan de Slade School of Fine Arts hebt gevolgd. We hebben het gehad over de schilders die je het meest bewondert – Rembrandt, Velázquez en Lucian Freud... Ik ben dol op Lucian Freud.' Ze rilde even van bewondering. 'Zo mooi en zo... vlezig.'

'Erg vlezig,' stemde ik in.

'Toen hadden we het over je grote doorbraak met de BP Portrait Award vier jaar geleden –'

'Die heb ik niet gewonnen,' onderbrak ik haar. 'Ik werd tweede. Maar mijn schilderij werd wel gebruikt op de poster over de competitie, wat tot diverse nieuwe opdrachten leidde. Daardoor kon ik stoppen met lesgeven en fulltime gaan schilderen. Dus ja, dat was een hele vooruitgang.'

'En nu heeft de hertogin van Cornwall je echt op de kaart gezet!'

'Ik... neem aan van wel. Ik vond het fantastisch toen de National Portrait Gallery me vroeg haar te schilderen.'

'En dat heeft aardig wat publiciteit opgeleverd.' Ik verstijfde. 'Heb je veel beroemde modellen gehad?'

Ik schudde mijn hoofd. 'De meesten zijn gewone mensen die het een leuk idee vinden een portret te laten maken van zichzelf of een dierbare. De rest heeft ofwel een openbare functie of heeft een belangrijke carrière gehad, waaraan het portret moet herinneren.'

'We hebben het dus over de groten en machtigen.'

Ik haalde mijn schouders op. 'Zo zou je ze kunnen noemen. Professoren en politici, grootindustriëlen, zangers, dirigenten... een paar acteurs.'

Clare knikte naar een klein schilderij zonder lijst dat naast de deur hing. 'Ik vind die van David Walliams erg mooi, zoals zijn gezicht opdoemt uit de duisternis.'

'Dat is niet het voltooide portret,' legde ik uit. 'Dat heeft hij natuurlijk zelf. Dit is de voorstudie die ik heb gemaakt om zeker te zijn dat de close-upcompositie goed zou uitkomen.'

'Het doet me aan Caravaggio denken,' mijmerde ze.

Ik wou dat ze opschoot.

'Hij lijkt een beetje op de jonge Bacchus –'

'Het spijt me, Clare,' onderbrak ik haar. 'Maar kunnen we...?' Ik knikte naar de recorder.

'O... Ik blijf maar kletsen, hè? Laten we doorgaan.' Ze zette haar koptelefoon op haar koperkleurige haardos en hield me de microfoon voor. 'Waarom schilder je portretten, Ella, waarom geen landschappen, bijvoorbeeld?'

'Nou... landschappen schilderen is nogal eenzaam,' antwoordde ik. 'Niets dan jij en het uitzicht. Met portretten werk je samen met iemand anders en dat heeft me altijd gefascineerd.'

Clare knikte en glimlachte, waarmee ze me vroeg uit te weiden.

'Ik voel me opgetogen wanneer ik iemand voor de allereerste keer bestudeer. Ik ga tegenover diegene zitten en neem al het mogelijke van hem of haar in me op. Ik bestudeer de kleur en vorm van de ogen, de lijn van de neus, de kleur en structuur van de huid, de vorm van de mond. Ik registreer ook hoe de persoon fysiek is.'

'Je bedoelt de lichaamstaal?'

'Ja. Ik kijk hoe de mensen hun hoofd schuin houden en hoe ze glimlachen; of ze me recht in de ogen kijken of telkens hun blik afwenden; ik kijk naar hoe ze hun armen of benen over elkaar slaan, of ze goed op de stoel zitten, voorover hangen of onderuitgezakt zitten. Dat alles vertelt me wat ik moet weten om een waarachtig portret van die persoon te maken.'

'Wat...' Beneden op straat raasde een motor voorbij. Clare wachtte tot het geluid wegstierf. 'Wat betekent "waarachtig"... dat het portret op de persoon lijkt?'

'Dat zou wel moeten.' Ik poetste een veeg chroomgroen van mijn handpalm. 'Maar een goed portret dient ook aspecten van het karakter van het model te laten zien. Er moet zowel een uiterlijke als een innerlijke gelijkenis zijn.'

'Lichaam en ziel, bedoel je?'

'Ja... Het moet lichaam en ziel van de persoon laten zien.'

Clare keek weer naar haar aantekeningen. 'Werk je vanaf foto's?'

'Nee. Ik moet de levende persoon tegenover me hebben. Ik wil vanuit elke hoek naar mijn model kunnen kijken en de verhoudingen tussen de verschillende delen van het gezicht kunnen zien. Maar bovenal moet ik zien hoe het licht op hun gelaatstrekken valt, omdat ik daaruit de vorm en proporties kan opmaken. Het draait bij schilderen allemaal om licht. Dus werk ik alleen met levende modellen en ik vraag zes sessies van twee uur van ze.'

Clare sperde haar groene ogen open. 'Dat is een hele opgave... voor jullie allebei.'

'Dat klopt. Maar een portret maken is dan ook een hele onderneming, waarin de schilder en het model samenwerken... als medeplichtigen.'

Ze hield de microfoon iets dichterbij. 'En geven je modellen zich aan je bloot?'

Ik gaf geen antwoord.

'Ik bedoel, je zit urenlang met hen alleen. Nemen ze je in vertrouwen?'

'Eh...' Ik wilde liever niet zeggen dat mijn modellen me de meest bijzondere dingen toevertrouwden. 'Ze praten soms wel over hun huwelijk of relatie,' antwoordde ik voorzichtig. 'Ze vertellen me zelfs over tragedies, of dingen waar ze spijt van hebben. Maar ik beschouw wat er tijdens de sessie gebeurt niet alleen als vertrouwelijk, maar bijna als heilig.'

'Het heeft dus wel iets van een biecht?' opperde Clare plagend.

'In zekere zin. Een portretteersessie is heel bijzonder. Die heeft iets... intiems: een ander mens schilderen ís een daad van intimiteit.'

'Enne... ben je weleens verliefd geworden op een van je modellen?'

Ik glimlachte. 'Nou, ik ben weleens verliefd geworden op een teckel die ook op het schilderij wilde, maar nooit op een menselijk model, nee.' Ik voegde er niet aan toe dat de meeste van mijn mannelijke modellen getrouwd en dus verboden terrein waren. Ik dacht aan de ellende waarin Chloë terecht was gekomen.

'Is er een bepaalde soort persoon die je graag schildert?' vroeg Clare.

Ik dacht even over de vraag na. 'Ik neem aan dat ik me als kunstenares aangetrokken voel tot mensen die een beetje duister zijn, mensen wier leven niet altijd gemakkelijk en gelukkig is geweest. Ik schilder graag mensen die naar mijn gevoel... complex zijn.'

'Waarom is dat, denk je?'

'Ik vind het interessant om in het gezicht dat gevecht te zien tussen de tegenstrijdige delen van iemands persoonlijkheid.' Ik keek op de klok. Het was halfzeven. Ik móést weg. 'Maar heb je nu genoeg materiaal?'

Clare knikte. 'Ja, zat.' Ze zette haar koptelefoon af en streek haar haren glad. 'Maar zou ik snel even je werk mogen bekijken?'

'Natuurlijk.' Ik onderdrukte een zucht. 'Ik pak even mijn portfolio.'

Terwijl ik aan de andere kant van mijn atelier de zware zwarte map ging halen, liep Clare naar mijn grote ezel om het doek te bestuderen dat erop stond. 'Wie is dit?'

'Dat is mijn moeder.' Ik legde het portfolio op de tafel en liep toen naar haar toe. 'Ze kwam vanmorgen langs, en toen heb ik er nog wat aan gewerkt. Het is voor haar zestigste verjaardag later dit jaar.'

'Wat een knappe vrouw.'

Ik keek naar mijn moeders ronde blauwe ogen en grote oogleden onder perfect gevormde wenkbrauwen, naar haar opvallende jukbeenderen en haviksneus en naar haar rechterhand, die elegant tegen haar borstbeen rustte. Ze had wat rimpels, maar verder was de tijd haar goedgezind geweest. 'Het is bijna klaar.'

Clare hield haar hoofd een beetje schuin. 'Ze straalt... zelfvertrouwen uit.'

'Ze is balletdanseres geweest.'

'Aha.' Ze knikte peinzend. 'Ik weet het weer, het stond in dat artikel over jou.' Ze keek me aan. 'Was ze succesvol?'

'Ja. Ze heeft bij het English National Ballet gedanst en daarna bij het Northern Ballet Theatre in Manchester. Dat was in de jaren zeventig. Dat is ze ook, daarginds aan de muur.'

Clare volgde mijn blik naar een ingelijste poster van een ballerina in een lange witte tutu en bruidssluier. 'Giselle,' mompelde Clare. 'Wat mooi... Het is een ontroerend verhaal, vind je niet? Verraden onschuld...'

'Het was mijn moeders lievelingsrol... Dat was in 1979. Helaas moest ze er een paar maanden daarna mee stoppen.'

'Waarom?' vroeg Clare. 'Omdat ze kinderen kreeg?'

'Nee... Ik was toen bijna vijf. Het kwam doordat ze geblesseerd raakte.'

'Tijdens een repetitie?'

Ik schudde mijn hoofd. 'Nee, thuis. Ze viel en brak haar enkel.'

Clare fronste van medeleven. 'Wat vreselijk.' Ze keek weer naar het portret, alsof ze naar tekenen van teleurstelling in mijn moeders gezicht zocht.

'Het was moeilijk...' Ik herinnerde me plotseling mijn moeder, met haar hoofd in haar handen aan de keukentafel. Ze bleef vaak heel lang zo zitten.

'Wat deed ze toen?' hoorde ik Clare vragen.

'Ze besloot naar Londen te verhuizen en toen ze voldoende hersteld was, begon ze een carrière als balletlerares.'

Clare keek me vragend aan.

'Dat doen veel oudere of geblesseerde danseressen. Ze gaan bij een balletschool of -gezelschap werken en frissen de choreografie op of helpen met het instuderen van bepaalde rollen. Mijn moeder deed dat een paar jaar bij het Festival Ballet en daarna bij Ballet Rambert.'

'Doet ze dat werk nog steeds?'

'Nee... Ze is min of meer met pensioen. Ze geeft nog een dag per week les aan de English National Ballet School, maar verder doet ze vooral liefdadigheidswerk. Ze organiseert vanavond een grote galaveiling voor Save the Children, daarom heb ik zo weinig tijd, omdat ik daarheen moet, maar hier' – ik liep naar de tafel en sloeg de map open – 'zijn de foto's van al mijn portretten. Het zijn er een stuk of vijftig.'

'Dus dit is je smoelenboek,' merkte Clare glimlachend op. Ze ging weer op de bank zitten en begon de afbeeldingen door te bladeren. '*Visser*...' mompelde ze. 'Die staat op je website, nietwaar? *Ursula in slaap*... *Emma*, *Polly's gezicht*...' Clare keek me verbaasd aan. 'Waarom heb je deze *Polly's gezicht* genoemd? Het is toch een portret?'

'O, omdat Polly mijn beste vriendin is. We kennen elkaar al sinds we zes waren. Ze is een hand- en voetmodel en beklaagt zich er voor de grap weleens over dat niemand ooit belangstelling voor haar gezicht heeft, dus zei ik dat ik het zou schilderen.'

'Aha...'

Ik wees naar de volgende afbeelding. 'Dat is barones Hale, de eerste vrouwelijke Law Lord* en dit is Sir Philip Watts, een voormalige bestuursvoorzitter van Shell.'

Clare sloeg weer een bladzijde om. 'En daar hebben we de hertogin van Cornwall. Ze lijkt vol humor.'

'Dat is ze ook, en dat is de eigenschap die ik het meest tot uiting wilde brengen.'

'En vond de prins het mooi?'

Ik haalde mijn schouders op. 'Daar leek het wel op. Hij zei er

---

*Law Lord: Hogerhuislid met juridische bevoegdheden. (vert.)

aardige dingen over toen hij vorige maand naar de onthulling in de National Portrait Gallery kwam.'

Clare ging verder naar de volgende foto. 'En wie is dit meisje met die korte haren?'

'Dat is mijn zus Chloë. Ze werkt voor een ethische PR-firma die PRoud heet. Ze doen alles wat te maken heeft met fair trade, groene technologie, biologisch voedsel en biologische teelt, dat soort dingen.'

Clare knikte peinzend. 'Ze lijkt erg op je moeder.'

'Dat klopt... Ze heeft haar lichte huidskleur en ballerinapostuur.' Terwijl ik donker en stevig ben, dacht ik enigszins mismoedig, meer Paula Rego dan Degas.

Clare tuurde naar het portret. 'Maar ze ziet er zo... triest uit, van streek zelfs.'

Ik aarzelde. 'Haar relatie was net beëindigd. Het was een moeilijke tijd, maar het gaat nu weer goed met haar,' vervolgde ik resoluut. Ook al is haar nieuwe vriendje walgelijk, voegde ik er niet aan toe.

Mijn telefoon ging en ik nam op.

'Waar blijf je?' vroeg mam zacht maar dringend. 'Het is tien voor zeven... Bijna iedereen is er al.'

'Ja, sorry, maar ik ben nog niet helemaal klaar.' Ik keek naar Clare, die nog steeds mijn portfolio doorbladerde.

'Je had gezegd dat je er vroeg zou zijn.'

'Ik weet het... Ik ben er over twintig minuten, echt waar.' Ik hing op en keek Clare aan. 'Ik ben bang dat ik nu echt moet gaan...' Ik liep naar mijn werktafel en doopte wat gebruikte penselen in een potje terpentine.

'Natuurlijk,' zei ze zonder op te kijken. 'Dat is de zangeres Cecilia Bartoli.' Ze keek naar de laatste afbeelding. 'En wie is die vriendelijk ogende man met het vlinderdasje?'

Ik haalde de penselen door een vel krantenpapier om de verf eruit te knijpen. 'Dat is mijn vader.'

'Je vader?'
'Ja.' Ik deed mijn best om de verbazing in haar stem te negeren. 'Roy Graham. Hij is orthopedisch chirurg, semigepensioneerd.' Ik liep naar de wasbak, me bewust van Clares verbaasde blik op mijn rug.
'Maar in *The Times* –'
'Hij speelt veel golf.' Ik wreef afwasmiddel in de haren van de penselen. 'Op de Royal Mid-Surrey-baan. Dat is niet ver van waar ze wonen, in Richmond.'
'In *The Times* stond dat –'
'Hij speelt ook bridge.' Ik draaide de kraan open. 'Ik heb het nooit gespeeld, maar ze zeggen dat het leuk is als je het eenmaal doorhebt.' Ik spoelde de penselen uit, maakte ze droog en legde ze op mijn werktafel, klaar voor de volgende dag. 'Juist...' Ik keek naar Clare en wou dat ze wegging.
Ze stopte de recorder en haar aantekeningen in haar tas en stond op. 'Ik hoop dat je het niet vervelend vindt dat ik ernaar vraag,' zei ze. 'Maar aangezien het in de krant stond, neem ik aan dat je erover praat.'
Mijn vingers trilden toen ik het dopje op een tube titaniumwit schroefde. 'Waarover?'
'Nou... in het artikel stond dat je op je achtste geadopteerd bent.'
Mijn gezicht begon te gloeien.
'En dat je naam is veranderd.'
'Ik weet niet hoe ze daarbij komen.' Ik trok mijn schort uit. 'En nu moet ik echt –'
'Er stond dat je echte vader je in de steek heeft gelaten toen je vijf was.'
Mijn hart bonkte tegen mijn ribbenkast. 'Mijn echte vader is Roy Graham,' zei ik zacht. 'En meer is er niet over te zeggen.' Ik hing mijn schort aan een haakje. 'Bedankt voor je komst.' Ik opende de deur van mijn atelier. 'Je komt er zelf wel uit, hè?'
Clare keek me verbaasd aan. 'Natuurlijk.'

Zodra ze weg was boende ik met een in terpentine gedrenkte doek de verf van mijn vingers, waste mijn handen, deed wat make-up op en bracht mijn haren in fatsoen. Ik trok een zwarte broek en mijn groene jas aan en wilde net mijn fiets van het slot halen toen ik bedacht dat het voorlicht kapot was. Ik kreunde. Nu moest ik de bus pakken, of een taxi... welke van de twee er het eerst was. Gelukkig was het oude stadhuis van Chelsea niet ver.

Ik holde naar King's Road en kwam net bij de halte toen lijn 11 stopte, de ramen gele rechthoeken in de toenemende duisternis.

Toen we over de brug reden, dacht ik boos terug aan de opdringerigheid van Clare, maar ze had in feite alleen herhaald wat ze in *The Times* had gelezen. Ik werd opnieuw kwaad omdat iets wat zo persoonlijk was nu op internet stond.

'Wilt u die alinea er alstublieft uithalen?' had ik verslaggever Hamish Watt gevraagd toen ik hem een uur nadat ik het artikel voor het eerst had gelezen te pakken had gekregen. Ik kneep zo hard in de telefoon dat mijn knokkels wit werden. 'Ik vond het afgrijselijk om te lezen... Haal het er alstublieft uit.'

'Nee,' antwoordde hij. 'Het maakt deel uit van het verhaal.'

'Maar u hebt me er niet naar gevraagd,' protesteerde ik. 'Toen u me vorige week in de National Portrait Gallery interviewde, had u het alleen maar over mijn werk.'

'Ja, maar ik had al wat achtergrondinformatie over u. Dat uw moeder danseres is geweest, bijvoorbeeld. Ik wist ook het een en ander over uw familieomstandigheden.'

'Hoe dan?'

Het bleef even stil. 'Ik ben journalist,' antwoordde hij, alsof dat alles verklaarde.

'Haal dat stukje er alstublieft uit,' smeekte ik hem nog eens.

'Dat kan ik niet,' hield hij vol. 'En u vond het toch prima om te worden geïnterviewd, of niet?'

'Ja,' gaf ik zwakjes toe. 'Maar als ik had geweten wat u ging schrijven, had ik geweigerd. U zei dat het artikel over mijn schilderij zou gaan, maar zeker een derde ervan was heel persoonlijk en daar voel ik me niet prettig bij.'

'Nou, het spijt me dat u er niet blij mee bent,' zei hij schijnheilig. 'Maar aangezien publiciteit ongetwijfeld nuttig is voor kunstenaars, stel ik voor dat u dat soort dingen leert accepteren.' En toen had hij opgehangen.

Het zou voor eeuwig op internet blijven staan, dacht ik nu troosteloos, voor iedereen zichtbaar. Iedereen. Bij de gedachte alleen al voelde ik me beroerd, maar ik zou een manier moeten vinden om ermee om te gaan, dacht ik toen we langs café World's End reden.

Mijn vader is Roy Graham.

Mijn vader is Roy Graham en hij is een fantastische vader.

Ik heb een vader, dank u. Hij heet Roy Graham...

Ter afleiding dacht ik aan mijn werk. Ik zou de volgende ochtend aan een nieuw portret beginnen. Op donderdag kwam parlementslid Mike Johns voor zijn vierde sessie. De vorige was een hele tijd geleden omdat hij het te druk had gehad. En de vorige dag had ik een aanvraag gehad om een zekere mevrouw Carr te schilderen. Haar dochter Sophia had via mijn website contact met me opgenomen. Verder zou er deze avond ook een opdracht uit rollen, al zou die me geen cent opleveren, dacht ik wrang toen we langs Heal's kwamen. Ik stond op en drukte op het stopknopje.

Ik stapte uit, stak over en liep achter een kluwen keurig geklede mensen aan de trap op naar het oude stadhuis. Ik liep de zwart-wit betegelde gang door, liet mijn uitnodiging zien en duwde de deuren van de grote zaal open, waarnaast een groot bord hing: SAVE THE CHILDREN – GALAVEILING.

De barokke, blauw met rode zaal was al vol en het dapper spelende trio strijkers aan de zijkant van het podium werd bijna overstemd door het luide gepraat. Kelners met een schort voor liepen rond met dienbladen vol hapjes en drankjes. De lucht was vervuld van geuren.

Ik pakte een programmablaadje op en las stukjes van de inleiding. *Vijf miljoen kinderen in gevaar in Malawi... Honger in Kenia... Voortdurende crisis in Zimbabwe... Wanhopige behoefte aan hulp...* Daarna volgde de lijst met kavels. Twintig daarvan zaten in de Stille Veiling, maar de tien 'ster-kavels' zouden live worden geveild. Daarbij hoorden een week in een Venetiaans palazzo, een luxeverblijf in het Ritz, kaartjes voor de eerste avond van *Het Zwanenmeer* in Convent Garden met Carlos Acosta, shoppen bij Harvey Nichols met Gok Wan, een etentje voor acht, klaargemaakt door Gordon Ramsay en een door Maria Grachvogel ontworpen avondjapon. Ook was er een door Paul McCartney gesigneerde elektrische gitaar en een door de huidige spelers gesigneerd shirt van Chelsea FC. De laatste kavel was 'een portret gemaakt door Gabriella Graham, met dank aan de kunstenares'. Ik keek naar de menigte en vroeg me af wie van hen ik uiteindelijk zou schilderen.

Opeens zag ik Roy staan zwaaien. Hij kwam naar me toe. 'Ella-Bella!' Hij drukte een vaderlijke kus op mijn wang.

Verdorie, Clare, dacht ik. Dít is mijn vader.

'Hallo, Roy.' Ik gaf een knikje naar zijn met narcissen bespikkelde vlinderdasje. 'Leuke halsversiering. Die heb ik volgens mij nog niet eerder gezien.'

'Hij is nieuw. Ik wilde hem vandaag maar inwijden, om het voorjaar te vieren. En jij hebt behoefte aan bubbels.' Hij keek om zich heen op zoek naar een kelner.

'Dat lijkt me heerlijk. Het is een lange dag geweest.'

Roy regelde een glas champagne voor me en reikte het me met een onderzoekende blik aan. 'En hoe is het met onze topmeid?'

Ik glimlachte om de vertrouwde, liefdevolle benaming. 'Goed, dank je. Sorry dat ik zo laat ben.'

'Je moeder begon een beetje zenuwachtig te worden, maar dit is ook wel een belangrijke avond. Ah, daar komt ze...'

Mijn moeder kwam door de menigte naar ons toe, haar tengere gestalte in amethistkleurige chiffon gehuld, haar asblonde haar in een volmaakte Franse wrong.

Ze stak haar armen naar me uit. 'El-la.' Haar toon suggereerde eerder een uitbrander dan een begroeting. 'Ik dacht al bijna dat je niet meer zou komen, lieverd.' Ik rook de vertrouwde geur van haar Fracas toen ze me kuste. 'Nu wil ik dat je in de buurt blijft, om met de mensen over de portretteeropdracht te praten. We hebben de ezel daar in het presentatiegedeelte gezet, zie je, en ik heb een naamkaartje gemaakt zodat de mensen kunnen zien wie je bent.' Ze opende haar zachtpaarse satijnen enveloptas, haalde er een gelamineerd naamkaartje uit en had het al op mijn revers gespeld voordat ik kon protesteren dat ze daardoor het fluweel kon beschadigen. 'Ik hoop dat het portret een flink bedrag zal opbrengen. De doelstelling van vanavond is om vijfenzeventigduizend pond bijeen te krijgen.'

'Ik zal duimen.' Ik duwde het naamkaartje recht. 'Je hebt een aantal fantastische items.'

'En allemaal gedoneerd,' zei ze verbaasd. 'We hebben helemaal niets hoeven kopen. Iedereen is vreselijk vrijgevig geweest.'

'Alleen omdat jij zo overtuigend bent,' zei Roy. 'Ik denk vaak dat je de regen nog zou kunnen overhalen niet te vallen, Sue, echt waar.'

Mam glimlachte toegeeflijk naar hem. 'Ik ben gewoon doelgericht en goed georganiseerd. Ik weet hoe ik het hebben wil.'

'Je bent formidabel,' zei Roy gemoedelijk, 'zowel in de Engelse als de Franse betekenis van het woord.' Hij hief zijn glas. 'Op jou, Sue... En op een succesvolle avond.'

Ik nipte van mijn champagne en knikte toen naar het lege podium. 'Wie hanteert de hamer?'

Mam trok haar omslagdoek recht. 'Tim Spiers. Hij heeft bij Christie's gewerkt en is er een kei in om mensen over te halen hun geld uit te geven. Dat gezegd hebbende: ik heb de kelners opdracht gegeven ervoor te zorgen dat de glazen gevuld blijven.'

Roy lachte. 'Groot gelijk... Laat het publiek zich bezuipen.'

'Nee, ze moeten alleen in de stemming komen,' corrigeerde

mam hem. 'Dan zijn ze veel meer geneigd te bieden,' voegde ze eraan toe. 'Maar als het niet goed genoeg loopt' – ze ging steeds zachter praten – 'dan wil ik graag dat wíj een beetje strategisch bieden.'

Het hart zonk me in de schoenen. 'Liever niet.'

Mam schonk me weer zo'n teleurgestelde blik. 'Het is gewoon om de boel aan de gang te krijgen... Je hoeft niet echt iets te kopen, Ella.'

'Als niemand me overbiedt misschien wel. Het zijn dure kavels, mam, en ik heb een reusachtige hypotheek. Het is mij te riskant.'

'Je doneert al een portret,' zei Roy. 'Dat is meer dan genoeg.'

Ik was het helemaal met hem eens.

'Ik zal wel wat bieden, Sue,' voegde hij eraan toe. 'Tot een zekere limiet, natuurlijk.'

Mam legde haar handpalm tegen zijn wang, een typerend gebaar. 'Dank je! Ik weet zeker dat Chloë ook wel zal bieden.'

Ik keek de menigte rond. 'Waar is Chloë eigenlijk?'

'Ze is onderweg,' antwoordde Roy. 'Met Nate.'

Ik kreunde.

Mam schudde haar hoofd. 'Ik snap niet waarom je nou zo moet doen, Ella. Nate is geweldig.'

'O ja?' Ik nipte weer van mijn champagne. 'Ik kan niet zeggen dat het me is opgevallen.'

'Je kent hem amper,' pareerde ze snel.

'Dat is waar. Ik heb hem maar één keer ontmoet.'

Maar die ene keer was meer dan genoeg geweest. Dat was tijdens een feestje dat Chloë in november had gegeven.

'Heb je een speciale reden voor dat feestje?' had ik haar aan de telefoon gevraagd nadat ik de elegante uitnodiging had geopend.

'Omdat ik al lang geen feestje meer heb gegeven... Omdat ik mijn vriendinnen heb verwaarloosd. En ook omdat ik me op het moment een stuk opgewekter voel, omdat...' Ze ademde in. 'Ella... Ik heb iemand ontmoet.'

Ik werd overspoeld door opluchting. 'Dat is geweldig. Vertel... Wat is het voor iemand?'

'Hij is zesendertig,' had ze geantwoord. 'Lang, met heel kort zwart haar en prachtige groene ogen.'

Ik moest tot mijn verbazing een steek van afgunst onderdrukken. 'Dat klinkt geweldig.'

'Dat is hij ook... En hij is niet getrouwd.'

'Zo... Dat is mooi.'

'O, en hij komt uit New York. Hij is nu ongeveer een jaar in Londen.'

'En wat doet die geweldige kerel voor de kost?'

'Hij belegt in niet-beursgenoteerde bedrijven.'

'Dus hij kan je gerust uitnodigen voor een etentje?'

'Ja... Maar ik laat hem niet alles betalen.'

'Dus zijn jullie... een stel?'

'Min of meer... We zijn vijf keer uit geweest. Maar hij heeft gezegd dat hij zich op het feestje verheugde, dus dat is een goed teken. Ik weet gewoon dat je hem fantastisch zult vinden,' voegde ze er verheugd aan toe.

Dus was ik veertien dagen later door de mist naar Putney gefietst. En ik stond voor Chloës flat aan het eind van Askill Drive mijn fiets op slot te zetten toen ik net om de hoek van Keswick Road een taxi hoorde stoppen. Ik hoorde de passagier in zijn telefoon praten toen het portier opengíng. Hij praatte zacht, maar op de een of andere manier droeg zijn stem ver door de mist en de duisternis.

'Het spijt me, maar ik kan niet,' hoorde ik hem zeggen. Hij was Amerikaans. Ik realiseerde me dat hij best Chloës nieuwe vriend kon zijn en bleef luisteren.

'Ik kan echt niet,' zei hij weer toen het portier van de taxi dichtsloeg. 'Omdat ik net in Putney ben aangekomen voor een feestje, daarom...' Hij was het dus inderdaad. 'Nee, ik heb niet veel zin.'

Mijn maag keerde zich om.

'Maar ik ben nu hier, *honey*, en dus... Gewoon een meisje,' zei hij toen de taxi wegreed. 'Nee, nee... Ze is niets bijzonders,' voegde hij er snel aan toe, en mijn gezicht begon te gloeien. 'Ik kan er niet onderuit,' protesteerde hij. 'Omdat ik het beloofd heb, daarom... En ze bleef er maar over aan de gang.'

Mijn hand beefde toen ik mijn voorlicht van mijn fiets haalde.

'Oké, *honey*... Ik kom straks langs. Ja, dat beloof ik. Nee, ik kom er zelf wel in... Jij ook.'

Ik bleef vervuld van walging staan en verwachtte dat de ellendeling de hoek om zou komen en Chloës pad op zou lopen. Ik vroeg me af wat ik dan zou doen, maar realiseerde me dat hij de andere kant op ging, dat zijn voetstappen op het trottoir steeds zachter werden.

Hij was het dus niet. Ik ademde opgelucht uit, liep naar Chloës voordeur en belde aan.

'Ella!' riep ze toen ze opendeed. Ze zag er prachtig uit in een zwarte hemdjurk van crêpe georgette die van mam was geweest en met een kort snoer grote parels aan haar hals. 'Ik ben blij dat jij er als eerste bent,' zei ze. 'Ik heb net de champagne ingeschonken, maar als je me zou kunnen helpen met de hapjes, zou dat...'

Ik hoorde voetstappen achter me en zag Chloë over mijn schouder heen kijken. Haar gezicht begon te stralen. 'Nate!'

Ik draaide me om en zag een lange, goed geklede man het pad op komen.

'Hé, Chloë.' Het hart zonk me in de schoenen toen ik zijn stem hoorde. 'Ik liep net helemaal de verkeerde kant op. Ik was al halverwege Keswick Road voor ik het in de gaten had. Ik had mijn tomtom moeten gebruiken,' voegde hij er lachend aan toe.

'Nou, het is ook wel mistig,' antwoordde ze opgewekt.

Ik liep langs haar heen naar binnen zodat ze mijn gezicht niet zou zien.

'Wat leuk dat je er bent, Nate,' hoorde ik haar zeggen.

'Nou, ik heb me er ook erg op verheugd.'

Ik deed mijn best mijn minachting te verbergen toen ik naar hem keek.

Chloë trok hem naar binnen en pakte toen, terwijl ze zijn hand nog vasthield, ook de mijne vast zodat we, met elkaar verbonden, verlegen in de gang stonden. 'Ella,' zei ze blij, 'dit is Nate.' Ze wendde zich tot hem. 'Nate, dit is mijn zus Ella.'

Hij was precies zoals Chloë hem had beschreven. Hij had heel kort donker haar dat iets begon te wijken boven zijn hoge voorhoofd, en mosgroene ogen. Hij had een sensuele mond met kuiltjes bij de mondhoeken en een lange, rechte neus met een smalle brug, alsof iemand die plat had geknepen.

'Fantastisch om kennis met je te maken, Ella.' Hij was zich er duidelijk niet van bewust dat ik hem net had horen praten.

Ik schonk hem een kille glimlach en zag dat hij mijn minachting registreerde.

'Eh...' Hij knikte naar mijn hoofd. 'Leuke helm heb je op.'

'O.' Ik was te zeer afgeleid geweest om hem af te zetten. Ik maakte de sluiting los terwijl Chloë de jas van Nate aannam. Ze hing hem over haar arm. 'Ik leg deze even op mijn bed.' Ze legde haar hand op de trapleuning. 'Pak alvast een glas champagne, Nate... De keuken is daar. Ella wijst je de weg wel.'

'Nee... Ik... moet even mee naar boven.' Ik keerde Nate mijn rug toe en liep achter Chloë aan de trap op. We liepen de overloop af en gingen Chloës slaapkamer binnen. Ze deed de deur half dicht en legde haar vinger tegen haar lippen. 'En... Wat vind je van hem?' Ze legde Nates antracietgrijze kasjmieren jas op haar bed en draaide zich enthousiast naar me om. 'Is hij niet knap?'

Ik trok mijn fietsjack uit. 'Dat is hij zeker.'

'En hij is echt... fatsoenlijk. Volgens mij heb ik de ware gevonden.'

Ik onderdrukte de aandrang om Chloë te vertellen dat ze bijna zeker haar neus zou stoten. Ik legde mijn jack en helm neer, liep naar de grote vergulde spiegel aan de muur en deed mijn tas open.

'Hoe heb je hem leren kennen?' Mijn hand trilde toen ik mijn haren kamde, die vochtig waren door de mist.

Chloë kwam naast me staan. 'Tijdens het tennissen.' Terwijl ze in de spiegel keek viel me weer het lichamelijke verschil tussen ons op. Chloë met de albasten bleekheid van mijn moeder en ik met mijn olijfkleurige huid, donkere haar en donkere ogen. 'Weet je nog dat je tegen me zei dat ik wat vaker uit moest gaan... misschien moest gaan tennissen?'

Ik knikte.

'Nou, ik heb je advies ter harte genomen en wat lessen geboekt bij de Harbour Club.' Chloë likte aan haar ringvinger en streek daarmee over haar linkerwenkbrauw. 'Nate stond op de baan ernaast en ik moest een paar keer mijn bal terughalen van zijn baseline.'

Ik stopte de kam terug in mijn tas. 'O ja?'

'Dus ik zei natuurlijk sorry. Naderhand zag ik hem in de bar en bood ik nog een keer mijn verontschuldigingen aan.'

Ik klikte mijn tas dicht.

'Toen hebben we samen koffiegedronken, en zo is het begonnen. 'Dus eigenlijk moet ik jou bedanken,' zei ze blij.

Het hart zonk me in de schoenen.

'Het is nog pril... Maar hij wil wel.'

Ik keek haar aan. 'Hoe weet je dat?'

'Nou... Omdat hij me heel vaak belt en omdat...' Ze schonk me een verbaasde glimlach. 'Waarom vraag je dat?'

Ik stond op het punt Chloë te vertellen dat Nate een achterbakse, overspelige klootzak was. Maar toen zag ik weerkaatst in de spiegel mijn portret van haar aan de muur hangen; haar gezicht zo mager en bijna star van verdriet, haar blauwe ogen zinderend van pijn en spijt.

'Waarom vraag je dat?' herhaalde ze.

Toen ik Chloës gelukkige, hoopvolle uitdrukking zag, wist ik dat ik het haar niet kon vertellen. 'Zomaar.' Ik ademde uit. 'Ik vroeg het me gewoon af.'

‘Ella?’ Chloë keek me scherp aan. ‘Gaat het wel goed met je?’

‘Ik... voel me prima.’ Ik liep naar het fonteintje in de hoek en waste mijn handen. ‘Eerlijk gezegd reed er bij de brug een vrachtwagen door rood en die had me bijna te pakken. Ik voel me nog een beetje bibberig,’ loog ik terwijl ik mijn handen afdroogde.

‘Ik wíst dat er iets was. Ik wou dat je niet alles op de fiets deed... En in zulke mist is het helemaal gekkenwerk. Je moet voorzichtig zijn.’

Ik legde mijn hand op Chloës arm. ‘Jij ook.’

‘Wat bedoel je?’ Ze lachte. ‘Ik fiets nooit.’

Ik schudde mijn hoofd. ‘Ik bedoel hier voorzichtig zijn.’ Ik tikte op de linkerkant van mijn borst.

‘O.’ Ze zuchtte. ‘Aha. Maak je geen zorgen, Ella. Ik ben niet van plan weer een... vergissing te maken, als dat is waar je aan denkt. Nate heeft godzijdank geen haken en ogen.’ Mijn maag keerde zich weer om. ‘Maar hij zal zich wel afvragen waar we blijven.’ Ze deed de deur open. ‘Laten we met hem gaan praten.’

Dat was wel het laatste wat ik wilde, vooral omdat ik dacht dat ik mijn vijandigheid niet zou kunnen verbergen. Ik vroeg me net af hoe ik daar onderuit zou kunnen komen toen de bel ging, dus ik zei dat ik wel deurdienst zou draaien. Daarna bood ik aan de hapjes warm te maken en ging ik rond met een dienblad met drankjes. Tegen die tijd was Chloës flat bomvol en was het gemakkelijker om Nate te ontlopen. Toen ik vertrok met als smoes dat ik vroeg moest opstaan, zag ik hem in de woonkamer met iemand zitten praten, en ik hoopte dat zijn romance met Chloë niet lang zou duren. Te oordelen naar wat ik had gehoord, leek dat niet waarschijnlijk.

Ik werd dan ook moedeloos toen Chloë me drie dagen later belde om te zeggen dat Nate haar begin december een weekend meenam naar Parijs. Net voor Kerstmis gaven ze een etentje in zijn flat. Chloë wilde dat ik erbij was, maar ik zei dat ik het te druk had. In januari vroegen ze me mee naar het theater, maar ik bedacht een excuus. En vorige maand nodigde mam hen uit voor de zondagse lunch, maar ik zei tegen Chloë dat ik ergens anders heen moest.

'Wat zonde,' had ze gezegd. 'Dat is al de derde keer dat je niet iets met ons samen kunt doen, Ella. Nate zal nog denken dat je hem niet mag,' voegde ze er met een goedmoedige lach aan toe.

'Ach, dat is niet waar,' loog ik.

'Nou, *ík* mag Nate heel graag,' hoorde ik mam zeggen, boven het geroezemoes uit dat voorafging aan de veiling. 'Hij is aantrekkelijk en charmant.' Ze liet haar stem dalen tot een fluistering. 'En we zouden allemaal dankbaar moeten zijn dat hij Chloë zo gelukkig maakt na...' Ze tuitte haar lippen.

'Max,' zei Roy behulpzaam.

Ik knikte. 'Max was inderdaad een beetje een vergissing.'

'Max was een ramp,' zei mam vinnig. 'Ik zei het nog zo tegen Chloë,' vervolgde ze zacht. 'Ik zei tegen haar dat het nooit iets zou worden en ik had gelijk. Zulke situaties brengen niets dan hartenpijn,' voegde ze er plotseling bitter aan toe, en ik wist dat ze aan haar eigen hartenpijn van dertig jaar geleden dacht.

'Maar het gaat nu prima met Chloë,' zei Roy kalm. 'Dus laten we het ergens anders over hebben, oké? We zijn op een feestje.'

'Natuurlijk,' zei mam, en ze herstelde zich. 'En ik moet gaan rondlopen. Roy, ga jij even kijken hoe het bij de Stille Veiling gaat? Ella, jij moet naast de ezel gaan staan, en zorg ervoor dat het idee een portret te laten schilderen aanlokkelijk klinkt, wil je? Ik wil voor elke kavel de hoogst mogelijke prijs zien te krijgen.'

'Ja, hoor,' antwoordde ik lusteloos. Ik had een hekel aan agressieve verkoopmethoden, zelfs als het voor een goed doel was. Ik baande me een weg door de menigte.

De ezel stond tussen twee lange tafels waarop de informatie over de kavels te vinden was. De japon van Maria Grachvogel was om een zilveren etalagepop gedrapeerd, die naast een levensgrote uitgesneden foto van Gordon Ramsay stond. Op een met groen laken bekleed scherm prijkten grote foto's van het Venetiaanse palazzo en van het Ritz en daarnaast stond een poster van *Het Zwanenmeer* in het Royal Opera House, waarnaast twee paar roze balletschoentjes hingen. De gitaar stond op een standaard en ernaast lag het shirt van Chelsea FC met de handtekeningen.

Een vrouw met donker haar in een turquoise jurk kwam naar me toe toen ik naast het portret ging staan. Ze keek op mijn badge. 'Dus u bent de kunstenares?' Ik knikte en de vrouw keek naar het schilderij. 'En wie is dit?'

'Mijn vriendin Polly. Ze heeft het voor vanavond uitgeleend als voorbeeld van mijn werk.'

'Ik heb altijd al een portret van mezelf gewild,' zei de vrouw. 'Maar toen ik jong en knap was, had ik er het geld niet voor en nu ik het wel kan betalen, heb ik het gevoel dat het te laat is.'

'U bent nog steeds een knappe vrouw,' zei ik. 'En het is nooit te laat. Ik schilder ook wel mensen die in de zeventig of tachtig zijn.' Ik nipte van mijn champagne. 'Denkt u erover te bieden?'

Ze trok haar onderlip naar binnen. 'Ik weet het niet zeker. Hoelang duurt het schilderproces?'

Ik legde het uit.

'Twee uur is wel lang om stil te zitten,' zei ze fronsend.

'We pauzeren voor koffie en om even de benen te strekken. Het is dus niet zo zwaar.'

'Flatteert u mensen?' vroeg ze wat gespannen. 'Ik hoop het wel, want kijk...' Ze pakte de slappe huid onder haar kin bevallig vast, alsof het een versnapering was. 'Zou u daar iets aan kunnen doen?'

'Mijn portretten zijn waarachtig,' antwoordde ik voorzichtig. 'Maar tegelijk wil ik dat mijn modellen er blij mee zijn, dus ik zou u van uw voordeligste kant schilderen, en eerst enkele schetsen maken om te kijken of u tevreden bent over de compositie.'

'Nou...' Ze hield haar hoofd schuin en bestudeerde Polly's portret nog eens. 'Ik ga erover nadenken, maar alvast bedankt.'

Terwijl ze wegliep kwam een vrouw van middelbare leeftijd naar me toe. Ze schonk me een oprechte glimlach. 'Ik ga zeer zeker bieden. Ik vind uw stijl geweldig... realistisch maar krachtig.'

'Dank u.' Ik koesterde me even in het compliment. 'En wie zou u willen dat ik schilderde? Uzelf?'

'Nee,' antwoordde ze. 'Het zou om mijn vader gaan. We hebben nooit zijn portret laten schilderen, ziet u.'

'Aha.'

'En daar hebben we nu spijt van.'

Moedeloos besefte ik wat er ging komen.

'Hij is vorig jaar gestorven,' vervolgde de vrouw. 'Maar we hebben wel veel foto's van hem, dus u zou hem daarvan kunnen schilderen.'

Ik schudde mijn hoofd. 'Het spijt me, ik maak geen postume portretten.'

'O.' De vrouw leek beledigd. 'Waarom niet?'

'Omdat het er voor mij bij een portret om draait dat ik de essentie en het karakter van een levende persoon kan vastleggen.'

'O,' zei ze weer, teleurgesteld. 'Ik begrijp het.' Ze aarzelde. 'Zou u misschien een uitzondering willen maken?'

'Ik ben bang van niet. Het spijt me,' voegde ik er machteloos aan toe.

'Nou...' Ze haalde haar schouders op. 'Dan houdt het op, denk ik.'

Terwijl de vrouw wegliep, zag ik mijn moeder aan de zijkant van het podium de trap op lopen. Ze wachtte tot de drie strijkers klaar waren met de sonate van Mozart, stapte toen het podium op en tikte op de microfoon. Het geroezemoes verstomde toen ze naar de menigte glimlachte en vervolgens iedereen met haar zachte, lage stem bedankte voor hun komst en er bij iedereen op aandrong vrijgevig te zijn. Toen ze het publiek eraan herinnerde dat al het geld van de veiling zou worden gebruikt om kinderen te redden, werd de irritatie die ik over haar had gevoeld vervangen door trots. Ze sprak haar dankbaarheid uit jegens de donateurs en haar collega-comitéleden en introduceerde toen Tim Spiers, die haar plaats innam terwijl zij het podium via de linkerkant gracieus verliet.

Hij leunde met een arm op de spreekstoel en keek ons over zijn leesbril heen goedmoedig aan. 'We hebben vanavond enkele prachtige kavels in de aanbieding, en onthoud dat u geen koperstoeslag hoeft te betalen, waardoor het allemaal erg betaalbaar blijft. Dus laten we niet langer dralen en beginnen met de week in het fantastische Palazzo Barbarigo in Venetië.'

Er klonk waarderend gemompel toen een foto van het palazzo op de twee grote schermen aan weerszijden op het podium werd geprojecteerd. 'Het palazzo kijkt uit over het Canal Grande,' legde Spiers uit toen de dia werd vervangen door een van het interieur. 'Het is een van de imposantste palazzo's van Venetië en heeft een verbijsterend *piano nobile*, zoals u hier kunt zien. Het biedt plaats aan acht gasten, heeft uitstekend personeel en in het hoogseizoen betaalt u tienduizend pond voor een week. Ik start het bieden met een ongelooflijk lage drieduizend.' Hij wendde verbazing voor. 'Voor slechts drieduizend pond, dames en heren, kunt u een week in een van de prachtigste particuliere paleizen van Venetië doorbrengen... de ervaring van uw leven. Dus hoor ik drieduizend...?' Hij keek de zaal rond. 'Drieduizend pond, iemand? Aha, dank u, meneer. En drieduizendvijfhonderd... En vierduizend... Dank u, daar achterin... Vijfduizend...'

Terwijl het bieden doorging, kwam een meisje van begin twintig naar me toe. Ze keek naar het portret van Polly. 'Ze is erg knap,' fluisterde ze.

Ik keek naar Polly's hartvormige gezicht, dat werd omgeven door een helm van roodgouden haren. 'Dat is ze zeker.'

'Hoor ik zesduizend?' hoorden we.

'Als u nou iemand moet schilderen die heel gewoontjes is?' vroeg het meisje. 'Of lelijk zelfs? Is dat moeilijk?'

'In feite is dat gemakkelijker dan iemand schilderen met een conventionele schoonheid,' antwoordde ik zacht, 'omdat de gelaatstrekken scherper afgetekend zijn.'

'Zevenduizend nu... Hoor ik zevenduizend? Kom op, mensen!'

Het meisje nipte van haar champagne. 'En wat gebeurt er als u de persoon die u aan het schilderen bent helemaal niet mag... Kunt u die dan toch schilderen?'

'Ja,' fluisterde ik. 'Al denk ik niet dat ik erg van de sessies zou genieten.' Ik zag plotseling de dubbele deuren openzwaaien en Chloë kwam binnen in haar rode vintage trenchcoat, gevolgd door Nate. 'Gelukkig heb ik nog nooit iemand hoeven schilderen die ik niet mocht.'

'Eenmaal,' hoorden we de veilingmeester zeggen. 'Voor achtduizend pond. Andermaal.' Zijn blik ging over ons heen en toen sloeg hij met een vlotte polsbeweging met de hamer op de spreekstoel. 'Verkocht aan de dame in de zwarte jurk, daar.'

Ik keek naar mam. Ze leek redelijk tevreden met het resultaat.

'Een avondjapon van Maria Grachvogel, die jurken ontwerpt voor enkele van 's werelds aantrekkelijkste vrouwen. Cate Blanchett, bijvoorbeeld, en Angelina Jolie. Wie deze kavel weet te verwerven, krijgt een persoonlijk consult en gaat passen bij Maria Grachvogel zelf. Ik begin met een zeer bescheiden vijfhonderd pond. Dank u, mevrouw... De dame daarginds in lichtblauw... En zevenhonderdvijftig?' Hij keek ons allemaal indringend aan. 'Zevenhonderdvijftig pond is nog steeds een schijntje. Dank u, meneer. Hoor ik dan nu duizend?' Hij wees naar een vrouw in limoengroen. 'Het ligt bij u, mevrouw. Twaalfhonderdvijftig? Ja... En vijftienhonderd pond... Dank u. Krijg ik van iemand tweeduizend?'

Ik keek naar rechts. Chloë liep de zaal door met Nate aan haar hand.

Ik weet gewoon dat je hem fantastisch zult vinden, Ella.

Ze had het mis gehad. Ik verafschuwde die man. Ik zag dat ze Roy opmerkte en naar hem zwaaide.

'Is dat tweeduizend pond, daar?' De veilingmeester wees naar Chloë. 'De jongedame in de rode regenjas achterin?'

Chloë verstarde, schudde toen met een geschokte blik haar hoofd, zei zwijgend sorry tegen Spiers en keek toen met ontsteltenis en plezier naar Nate.

'Dus het is nog steeds vijftienhonderd... Maar hoor ik ergens tweeduizend?' Het bleef even stil en toen zag ik dat mijn moeder haar hand opstak. 'Dank je, Sue,' zei de veilingmeester. 'Het bod ligt bij onze organisator, Sue Graham, voor tweeduizend pond.'

De spanning was van mams gezicht af te lezen.

'Geeft iemand me tweeëntwintighonderd? Dank u... De dame in de roze jurk.'

Mams gezicht ontspande toen ze werd overboden.

'Het is dus tweeëntwintighonderd pond... Eenmaal... Andermaal en...' De hamer landde met een *krak* op de spreekstoel. 'Verkocht aan de dame in het roze! Goed gedaan, iedereen,' voegde hij er joviaal aan toe. 'En we gaan verder met kavel drie.'

Toen het bieden op het weekend in het Ritz van start ging, zag ik dat Chloë mam en Roy begroette. Mam schonk Nate een warme glimlach en toen Chloë dichter naar mam toe boog om iets tegen haar te zeggen, sloeg mam verrukt haar handen in elkaar. Toen draaide ze zich om en fluisterde Roy iets in het oor. Ik vroeg me af waar ze het over hadden.

'Dus nu is het drieduizend...' zei Tim Spiers. 'Een weekend in een van de luxesuites van het Ritz, wat een genot. Dank u, meneer. Het bod ligt bij de man met de gele das daar. Eenmaal... Andermaal... En...' Hij sloeg een paar keer op de spreekstoel. 'Verkocht! U hebt er een koopje aan, meneer,' zei Spiers gemoedelijk. 'Als u straks naar de administratie zou willen gaan voor de betaling, heel graag. En nu het etentje voor acht personen, klaargemaakt door Gordon Ramsay zelf. Al het geschreeuw en gescheld meer dan waard. Laten we beginnen met een zeer bescheiden achthonderd pond. Dat is inclusief wijn, overigens...'

Het geluid van de veiling vervaagde terwijl ik Chloë en Nate stilletjes observeerde. Het leek vooral Chloë te zijn die praatte, terwijl

Nate alleen zo nu en dan knikte en haar conversatie in zich opnam zonder daar echt op te reageren. Ik zag hem naar zijn telefoon kijken en vroeg me af of de vrouw die hij had beloofd te zullen opzoeken nog in zijn leven was.

'En dan nu het portret,' hoorde ik de veilingmeester zeggen. Toen mijn schilderij van Polly op de schermen werd geprojecteerd, wees hij met een zwierig gebaar naar mij. 'Dames en heren, Gabriella Graham is een opmerkelijke jonge kunstenares.'

Ik voelde mijn gezicht warm worden.

'U hebt waarschijnlijk wel iets van de publiciteit gezien over het prachtige schilderij dat ze in opdracht van de National Portrait Gallery van de hertogin van Cornwall heeft gemaakt voor de permanente collectie. En nu hebt u de kans u door Ella te laten vereeuwigen. Dus ik open met een erbarmelijk laag bedrag van tweeduizend pond. Hoor ik tweeduizend?' Spiers keek ons over zijn bril heen aan. 'Niet? Laat me u dan vertellen dat Ella's portretten gewoonlijk tussen de zes- en twaalfduizend pond kosten, afhankelijk van de grootte en compositie. Dus wie biedt er een schamele tweeduizend? Dank u, mevrouw!' Hij schonk de vrouw in de turquoise jurk die eerder met me had staan praten een stralende glimlach. 'En vijfentwintighonderd?' hoorde ik Spiers zeggen. 'Tweeënhalfduizend maar... Niemand?' Hij glimlachte goedig. 'Toe nou, mensen. Breng eens een bod uit! Dank je, Sue.' Mijn moeders hand was omhooggegaan. 'Ik heb een bod van vijfentwintighonderd pond van Sue Graham... En drieduizend van de dame in turquoise. Wie biedt vierduizend!'

Ik was geschokt. Dat was een heel verschil.

'Vierduizend pond?' Het bleef stil. 'Helemaal niemand?' zei hij gemaakt ongelovig. Ik voelde een steek van teleurstelling gelardeerd met een vleugje schaamte dat niemand vond dat het dat waard was. Ineens klaarde Spiers' gezicht op. 'Dank u, jongedame!' Hij grinnikte. 'Ik hoop dat u het deze keer meent!'

Ik volgde zijn blik en zag tot mijn verbazing dat zijn opmerking aan Chloë gericht was, die enthousiast knikte. Ze deed dus een bod om mam te helpen.

'Hoor ik nu vierenhalfduizend?' vroeg Spiers. 'Ja, mevrouw.' De vrouw in turquoise deed nog steeds mee. 'En wie geeft me vijfduizend pond voor de kans om door Ella Graham te worden geportretteerd? U krijgt daarmee niet zomaar een portret, maar een erfstuk. Dank u! Weer de jongedame in de rode regenjas.'

Ik keek naar Chloë en hield mijn adem in. Waarom bood ze nog steeds?

'Ik heb een bod van vijfduizend pond van u. Iemand vijfenhalfduizend? Ja? De dame in het turquoise weer.'

Godzijdank, Chloë zat er niet aan vast.

'Dus voor vijfenhalfduizend pond – de dame in de turquoise jurk... Eenmaal... Andermaal... En... zésduizend!' riep Spiers. Hij keek Chloë stralend aan en stak zijn rechterhand naar haar uit. 'Weer een bod van de jongedame in de rode jas, en wel voor zesduizend pond! Iemand meer dan zes?'

Dit was krankzinnig. Chloë kon geen zesduizend pond missen. Waarschijnlijk hád ze niet eens zesduizend pond. Ik was nu kwaad op mam omdat ze haar had gevraagd te bieden.

'Dus voor zesduizend pond, nog steeds de jongedame in het rood,' vervolgde Spiers. 'Eenmaal... Andermaal...' Hij keek de vrouw in de turquoise jurk vragend aan, maar tot mijn afgrijzen schudde ze haar hoofd. De hamer landde met een luide *krak*, alsof er een pistool werd afgeschoten. 'Verkocht!'

Ik had verwacht dat Chloë geschokt zou kijken, maar ze keek opgetogen. Ze kwam door de menigte naar me toe en liet Nate bij mam en Roy achter.

'Wat vind je ervan?' Ze glimlachte triomfantelijk.

'Wat ik ervan vind? Ik vind het idioot! Waarom hield je niet op toen je de kans had?'

'Omdat ik dat niet wilde,' protesteerde ze. 'Ik wilde het hebben... En dat is gelukt!'

Ik staarde haar aan. 'Chloë... Hoeveel champagne heb je op?'

Ze lachte. 'Eén glas bij de lunch, maar ik ben niet dronken. Waarom denk je dat?'

'Omdat je net zesduizend pond hebt betaald voor iets wat je gratis had kunnen krijgen. Wat bezielde je in hemelsnaam?'

'Nou... Ik ben vandaag tot directeur van PRoud benoemd, met een salarisstijging van dertig procent.' Dus daar was mam zo opgetogen over geweest. 'En ik heb net belastingteruggave gehad, én ik wil het goede doel steunen.'

'Dat is heel gul van je,' zei ik. 'Maar het stond al op vijfenvijftighonderd en dat was een prima prijs. Bovendien heb ik al een portret van jou geschilderd, weet je nog?'

'Natuurlijk... Doe niet zo raar, Ella... Maar het punt is...'

Opeens snapte ik het. 'Je wilt dat ik het opnieuw doe.' Ik dacht aan hoe verdrietig Chloë destijds was geweest. Haar relatie met Max was uitgegaan kort nadat ik met het portretteren was begonnen. Ik had erop aangedrongen dat we zouden wachten, maar ze had geweigerd. Ze had erop gestaan dat ik haar in die toestand zou schilderen, zodat ze nooit zou vergeten hoeveel ze voor hem had gevoeld. 'Weet je, Chloë,' zei ik, 'het is misschien inderdaad goed een nieuw portret van je te maken nu –'

'Ella,' onderbrak ze me. 'Daarom heb ik niet geboden. Ik ben niet degene die je gaat schilderen.'

'Niet?'

'Het gaat om Nate.'

Ik voelde me moedeloos worden. Hij stond inmiddels bij ons. Ik schonk hem een flauwe glimlach. 'Eh... Kennelijk moet ik jou gaan schilderen, Nate.'

Hij keek Chloë verward aan.

'Ja, jou,' bevestigde ze opgewekt.

'O... Nou...' Hij was duidelijk net zo ontzet als ik. 'Ik weet niet of ik wel wil dat Ella me schildert... Ik bedoel, ik wil helemaal niet geschilderd worden.' Hij schudde zijn hoofd. 'Sorry, Chloë, maar dat is niets voor mij, dus ik moet bedanken. Het is heel lief, maar nee, bedankt.'

Chloë schonk hem een plagerige glimlach. 'Het spijt me, maar je mag niet weigeren, want het portret is een cadeau van mij voor jou. Een heel bijzonder cadeau.'

'Zijn verjaardagscadeau?' vroeg ik.

'Nee.' Chloë glimlachte verrukt. 'Zijn huwelijkscadeau.' Ze stak haar arm door die van Nate. 'We zijn verloofd!'

2

'Ik ga het in zo min mogelijk sessies doen,' zei ik de volgende morgen tegen Polly toen we in haar slaapkamer met uitzicht op Parsons Green zaten. Ik had haar portret teruggebracht, zorgvuldig in bubbeltjesplastic verpakt. 'Ik verheug me er echt niet op twaalf uur met die gluiperd door te brengen om zijn gezicht te schilderen – of zijn twee gezichten, beter gezegd. Ik zal hem schilderen als de god Janus,' voegde ik er dreigend aan toe.

Polly's nagelvijl stopte midden in een beweging. 'Moet ik daaruit opmaken dat je hem nog steeds niet mag?'

Ik rilde van afschuw. 'Ik heb een gruwelijke hekel aan hem... en ik vertrouw hem niet.' Ik ging op de stoel bij het raam zitten. 'Ik heb je toch verteld wat ik hem vlak voor haar feestje hoorde zeggen?'

'Hm.' Polly bestudeerde de nagel van haar linkerwijsvinger en begon toen weer te vijlen. Het raspen van het vijltje maskeerde het gedreun van het ochtendverkeer.

'Hij sprak erg kleinerend over Chloë. Bovendien was het duidelijk dat hij al een relatie had met de vrouw die hij aan de telefoon had. Om die twee heel goede redenen heb ik iets tegen hem.'

Polly ging verzitten op het bed. 'Oké, maar laten we even aannemen dat hij inderdaad een relatie had met die andere vrouw...'

'Dat had hij zeker.'

'Maar in dat stadium kende hij Chloë nog maar net, dus misschien wedde hij op twee paarden.' Ze haalde haar schouders op. 'Dat doen een hoop mannen.'

'Nou... Oké, maar dat is geen excuus.'

'Maar het kan ook zo zijn dat hij deed alsof Chloë hem niets deed om de gevoelens van die andere vrouw te sparen.' Polly blies over haar vingertoppen. 'Dat kan ik hem nauwelijks kwalijk nemen.'

'Maar als hij de gevoelens van die andere vrouw wilde sparen, had hij haar helemaal niets over Chloës feestje moeten vertellen. Dan had hij maar moeten liegen.'

Polly keek me aan. 'Zeg je nu dat je hem niet vertrouwt omdat hij niet heeft gelogen?'

'Ja. Nee, maar... Stel dat die andere vrouw nog steeds in beeld is?'

Ze begon haar duimnagel te vijlen. 'Aangezien Chloë en hij verloofd zijn, betwijfel ik dat.'

'Maar zo lang is het nog niet geleden, dus het zou best kunnen... En hij is duidelijk onbetrouwbaar. Ik wil niet dat Chloës hart weer wordt gebroken. Dat was vorige keer al erg genoeg.'

Polly pakte de pot handcrème van haar nachtkastje. 'Ella... Hoe oud is Chloë nu?'

'Bijna negenentwintig.'

'Precies... O...' Ze trok een grimas toen ze de pot probeerde open te draaien. 'Maak deze even voor me open, wil je?' Ze boog naar voren en gaf me de pot. 'Ik wil geen nagel breken, want ik moet morgen werken.'

'Wat is het voor klus?' vroeg ik terwijl ik het deksel losdraaide.

'Een hele dag voor een speelfilm. Mijn handen zijn stand-in voor die van Keira Knightley. Ik moet ze tegen haar gezicht houden, zo.' Polly legde haar handpalmen tegen haar wangen. 'Ik zit op mijn knieën achter haar en kan niets zien, dus ik hoop dat ik mijn vinger niet in haar neus steek. Dat heb ik bij Liz Hurley ooit gedaan. Dat was nogal gênant.'

'Dat kan ik me voorstellen.' Ik gaf Polly de geopende pot.

Ze nam er een klodder crème uit en depte die op haar knokkels. 'Chloë moet haar eigen fouten maken.'

'Natuurlijk, het punt is alleen dat ze zulke ernstige fouten maakt, zoals een relatie aangaan met een getrouwde man. Het eerste wat ze van Max wist was dat hij een echtgenote had.'

'Vertel me nog eens hoe ze hem ook weer ontmoet had?'

'Chloë en ik waren bij Waterstone's aan King's Road. We zagen dat Sylvia Shaw haar nieuwe boek signeerde en omdat Chloë haar eerste twee boeken leuk vond, besloten we te blijven. Toen Chloë in de rij stond om haar exemplaar te laten signeren, raakte ze met een man aan de praat – ik kon zien dat ze hem echt leuk vond – die zei dat hij de echtgenoot van Sylvia Shaw was. Dus zo begon het... pal onder de neus van zijn vrouw!'

'En is zijn vrouw er nooit achter gekomen?'

'Nee, Chloë zei dat ze te druk bezig was met schrijven om het op te merken. Maar Chloë was gek op hem. Herinner je je nog hoe ze eraan toe was toen er uiteindelijk een eind aan kwam?'

Polly knikte.

'Ze woog nog maar vijfenveertig kilo! En dan wat ze met haar haren deed!'

'Dat was een beetje... heftig.'

'Het was barbaars! Ze zag eruit alsof ze van het front kwam.'

Polly wreef crème op haar andere hand. 'Dat was anderhalf jaar geleden,' merkte ze rustig op. 'Chloë zit nu weer goed in haar vel.'

'Dat hoop ik, maar ze is altijd al zo kwetsbaar geweest. Ze is niet zoals mam, die een stalen kern heeft.'

'Zo zijn ballerina's gewoon,' zei Polly. 'Ze moeten immers dóór dansen ondanks de pijn, of ze nou een gebroken teennagel of een gebroken hart hebben. Verdorie...!' Ze tuurde naar haar linkerhand, pakte een vergrootglas van het nachtkastje en bestudeerde daarmee haar hand. 'Ik heb een sproet! Waar komt die nou vandaan?' jammerde ze. 'Ik gebruik het hele jaar door factor 50 voor mijn handen. Zelfs mijn achterwerk krijgt nog meer zon. Waar is m'n Fade Out?'

Polly liep naar haar kaptafel en zocht tussen alle handcrème, nagellak en potten met wattenbolletjes. 'Ik kan me geen enkele oneffenheid veroorloven,' prevelde ze. Ze pakte een ingelijste foto op van haar dochter en mijn petekind, Lola. 'Hebbes.' Ze ging weer op het bed zitten en hield mij de pot voor zodat ik hem open kon maken. 'Ik weet dat je altijd op Chloë gepast hebt.'

Ik draaide het deksel los en gaf de pot aan haar terug. 'Ze is natuurlijk een stuk jonger dan ik, dus ja... dat klopt.'

'Dat is mooi, maar nu moet je haar loslaten.' Polly keek me aan. 'Omdat ik je al sinds mijn zesde ken, vind ik dat ik dat wel tegen je kan zeggen.' Ze bracht de vervagingscrème op het bruine plekje aan. 'Chloë is voldoende over Max heen om met Nate te kunnen trouwen. Wees gewoon blij voor haar.'

'Ik zou het fantastisch vinden als Nate iemand was die ik mocht.' Ik kreunde. 'En waarom moet ze hem nou een portret cadeau doen? Als ze zo veel geld wil spenderen, waarom kan ze hem dan niet iets gewoons geven, zoals een gouden horloge of... diamanten manchetknopen of zoiets?'

Polly keek met een schuin oog naar haar hand. 'Waarom schilder je ze niet samen?'

'Dat heb ik ook voorgesteld, maar Chloë wil een schilderij van Nate alleen. Ze wil het hem op de dag van hun huwelijk geven.'

'En wanneer is dat?'

'Op 3 juli... haar verjaardag.'

'Nou, ze heeft altijd al gezegd dat ze voor haar dertigste wilde trouwen.'

'Ja. En misschien verklaart dat de snelle verloving. Alsof het iemand iets zou kunnen schelen op welke leeftijd ze trouwt. Ik bedoel, ik ben vijfendertig en nog single, maar ik hoef echt niet...' Ik maakte de zin niet af.

'Ik ben vijfendertig en gescheiden,' zei Polly. Ze duwde een lok roodgouden haar achter haar oor. ‘Maar ik zit er niet mee. Lola heeft een goede relatie met Ben en dat is het belangrijkste. Hij doet alleen moeilijk over de alimentatie,’ voegde ze er vermoeid aan toe. ‘Lola’s schoolgeld zit met alle extra’s nu op vijftien mille, dus godzijdank brengen mijn vingers wat geld in het laatje.’

Ik keek naar Polly’s handen met hun lange, slanke vingers en glimmende nagelbedden. ‘Ze zijn prachtig. Je duimen zijn fantastisch.’

‘O, dank je. Maar het gaat niet alleen om het uiterlijk. Mijn handen kunnen acteren! Ze kunnen verdrietig of opgewekt zijn.’ Ze wiegelde met haar vingers. ‘Ze kunnen boos zijn...’ Ze maakte een vuist. ‘Of speels.’ Ze liet haar vingers door de lucht wandelen. ‘Ze kunnen vragend zijn...’ Ze draaide haar palmen naar boven. ‘Of smekend.’ Ze sloeg ze als in een smeekbede in elkaar. ‘Het hele scala, in feite.’

‘Er zou een Oscar-categorie voor moeten zijn.’

‘Inderdaad. Maar goed...’ Ze keek weer naar haar handen. ‘Ze zijn klaar, dus nu is het tijd voor m’n pootjes.’

‘Spelen die ook een rol in de film?’

‘Nee, maar ze hebben volgende week een Birkenstock-advertentie, dus ik moet zorgen dat ze tiptop zijn.’

Polly schopte haar oversized schapenvachtsloffen uit en bekeek haar voeten in maat 39 met volmaakt rechte tenen, zachtroze nagels, elegante hoge voetbogen en gladde, roze hielen. Toen ze ervan overtuigd was dat er geen onvolkomenheden waren waar ze iets aan moest doen, dompelde ze haar voeten in het voetbad dat klaarstond en zette het aan.

‘O, heerlijk,’ zei ze zacht toen het water begon te borrelen. ‘En wat vindt je moeder van Chloës verloving?’

‘Ze is verrukt. Maar ze kon Max dan ook niet uitstaan.’

‘Nou ja, hij was natuurlijk wel getrouwd, en je kon moeilijk verwachten dat ze daar blij mee zou zijn.’

‘Dat is waar, maar het ging dieper dan dat. Mam heeft Max maar één keer ontmoet, maar ze leek meteen van hem te walgen, alsof het iets persoonlijks was. Ik weet zeker dat dat kwam door... Nou ja, je kent de achtergrond.'

Polly knikte. 'Ik herinner me nog dat je het me vertelde. We waren elf.'

Het raam was beslagen. Ik maakte een stukje droog en zuchtte. 'Ik wist het zelf toen ook pas.'

'Dan heeft je moeder het lang voor je verzwegen,' merkte Polly zacht op.

Ik haalde mijn schouders op. 'Dat neem ik haar niet echt kwalijk. Ze was vreselijk gekwetst. Ik neem aan dat ze, toen ze eenmaal een nieuw leven had opgebouwd, niet meer aan de afschuwelijke manier wilde denken waarop haar oude leven was geëindigd.'

Je vader had een verhouding met iemand anders, Ella. Ik wist ervan en voelde me er vreselijk ongelukkig door, niet in het minst omdat ik zo veel van hem hield. Maar op een dag zag ik hem met die... andere vrouw; ik kwam hen tegen. Het was een vreselijke schok. Ik smeekte hem niet bij ons weg te gaan, maar hij liet ons in de steek en ging heel ver weg.

'Denk je nog aan hem?' hoorde ik Polly vragen.

'Hm?'

Ze schakelde het voetbad uit. 'Denk je nog veel aan hem, aan je vader?'

'Nee.' Ik zag de verbazing in haar ogen. 'Waarom zou ik, als ik hem sinds mijn vijfde niet meer heb gezien en me hem nauwelijks kan herinneren?'

Een, twee, drie... En daar gaat ze.

'Je moet je toch nog wel íéts herinneren?'

Klaar, schatje? Niet loslaten, hoor!

Ik schudde mijn hoofd. 'Vroeger wel, maar dat is voorbij.'

Ik keek door het beslagen raam naar de spelende kinderen buiten op het gras.

Nog een keer, papa! Nog een keer!

Polly pakte de handdoek van het voeteneind van het bed en depte haar voeten ermee droog. 'En waar in Australië is hij naartoe vertrokken?'

'Dat weet ik niet. Ik weet alleen dat het West-Australië was. Maar ik heb geen idee of het nou Perth, Fremantle, Rockingham, Broome, Geraldton, Esperance, Bunbury of Kalgoorlie was, en het interesseert me ook niet.'

Polly keek me weer aan. 'En heeft hij helemaal geen poging gedaan contact te houden?'

Ik voelde mijn lippen verstrakken. 'Het leek wel of we nooit hadden bestaan.'

'Maar... Stel nou dat hij je zou willen zoeken?'

Ik slaakte een zucht. 'Dat zou niet meevallen –'

'Nee, dat zal wel niet,' onderbrak Polly me. 'Maar weet je, Ella, ik heb altijd gevonden dat je op z'n minst zou moeten proberen om –'

Ik schudde mijn hoofd. 'Het zou voor hém moeilijk te doen zijn, gezien het feit dat hij niet eens mijn achternaam kent.'

'O.' Ze keek ontmoedigd. 'Ik begrijp het. Sorry... Ik dacht dat je bedoelde...' Ze zwierde haar benen van het bed. 'Ik weet nog dat je naam werd veranderd. Ik weet nog dat juf Drake ons tijdens de controle van de presentielijst vertelde dat je voortaan Ella Graham heette. Dat vond ik best verwarrend.'

'Ja. Maar het ging erom dat Chloë en ik hetzelfde zouden zijn. En Roy had me tegen die tijd al geadopteerd, dus ik begrijp wel waarom ze het hebben gedaan.'

Ik herinnerde me plotseling dat mijn moeder de oude naamlabels uit mijn schooluniform tornde en er nieuwe in naaide, waarbij ze de draad steeds nogal driftig omhoogtrok.

Je bent Ella Sharp niet meer...

Nu herinnerde ik me ook weer dat Ginny Parks, die achter me zat, eindeloos vroeg waaróm mijn naam was veranderd en waar mijn échte vader was. Toen ik mam dat huilerig vertelde, zei ze dat Ginny een nieuwsgierig aagje was en dat ik geen antwoord op haar vragen hoefde te geven.

Je bent nu Ella Graham, lieverd.

Maar...

En daarmee is het afgedaan...

'En stel je voor dat hij contact opneemt?' probeerde Polly weer. 'Wat zou je dan doen?'

Ik keek haar aan. 'Ik zou... niets doen. Ik zou niet eens reageren.'

Polly kneep haar ogen iets toe. 'Niet eens uit nieuwsgierigheid?'

Ik haalde mijn schouders op. 'Ik ben niet nieuwsgierig naar hem. Dat was ik wel... Tot mam me vertelde wat hij had gedaan, daarna dacht ik niet meer aan hem. Ik heb zelfs geen idee of hij nog in leven is. Hij zou nu zesenzestig zijn, dus misschien leeft hij wel niet meer, misschien is hij niet...' Er ging een rilling door me heen. Ik keek weer uit het raam, bestudeerde de mensen beneden alsof ik meende dat ik hem tussen hen zou kunnen opmerken.

'Ik vind het triest,' hoorde ik Polly zeggen.

'Dat zal het ook wel zijn. Maar als jouw vader zich zo had gedragen als de mijne, zou je er waarschijnlijk net zo over denken.'

'Ik weet niet wat ik ervan zou vinden,' zei ze zacht.

'En ik zou bovendien mam niet van streek willen maken.'

'Zou ze er nog steeds door van streek raken... Na al die tijd?'

'Ik weet zeker van wel, want ze heeft het nooit over hem. Hij heeft haar hart gebroken. Maar ik weet zeker dat ze het daarom zo op Max gemunt had, omdat zijn verhouding haar aan het bedrog van mijn vader herinnerde. Chloë en zij hadden er gigantische ruzies over, dat heb ik je verteld.'

Polly knikte. 'Ik neem aan dat je moeder Chloë alleen maar wilde beschermen en niet wilde dat ze gekwetst werd.'

'Dat is zo. Ze bleef maar tegen haar zeggen dat Max zijn vrouw nooit zou verlaten. En ze had gelijk, dus uiteindelijk nam Chloë mams advies ter harte en verbrak ze de relatie.' Ik haalde mijn schouders op. 'En nu heeft ze Nate. Ik hoop maar dat hij haar geen verdriet zal doen, maar ik heb het akelige gevoel van wel.'

Polly trok haar sloffen weer aan en stond op. 'Wanneer hebben ze besloten te gaan trouwen?'

'Gisteren, tijdens de lunch. Ze gingen naar Quaglino's om haar promotie te vieren en kwamen verloofd weer naar buiten. Ze vertelden het mam en Roy tijdens de veiling. Mam is zo opgetogen dat ze heeft aangeboden het helemaal voor hen te regelen.'

'Daar heeft ze dan niet veel tijd voor. Maar... Wat was het, drieënhalve maand?'

'Inderdaad, maar ze heeft een geweldig organisatietalent. Dat zal wel door haar ervaring met choreografie komen.' Ik keek op mijn horloge. 'Oeps! Ik moet gaan.' Ik schoot overeind. 'Ik moet naar Barnes voor een portretteersessie.'

'Een belangrijk iemand?' vroeg Polly toen we naar de overloop liepen.

'Niet echt... Een Franse vrouw die met een Brit getrouwd is. Haar echtgenoot heeft me gevraagd haar te schilderen voor haar veertigste verjaardag. Hij klinkt zelf een stuk ouder, maar hij bleef me maar vertellen hoe mooi ze is. Ik kreeg bijna geen eind aan het gesprek gemaakt.'

Polly slaakte een diepe, verlangende zucht. 'Ik zou willen dat iemand mij zo waardeerde.'

'Nog vorderingen op dat gebied?' vroeg ik terwijl we de trap af liepen.

'Ik vond de fotograaf bij de fotoshoot voor WC-Eend vorige week wel leuk. Hij heeft mijn kaartje meegenomen... Maar hij heeft me niet gebeld,' voegde ze er mismoedig aan toe toen ik de kast opende en mijn parka eruit haalde. 'En jij?'

Ik stak mijn armen in de mouwen. 'Niks... Afgezien van wat geflirt bij de lijstenmaker.' Ik keek naar de kale plek aan de muur waar Polly's portret meestal hangt. 'Zal ik je nog even ophangen voor ik wegga?'

Ze knikte. 'Graag. Ik durf helemaal niets te doen voor die fotoshoot achter de rug is. Het kleinste krasje en de klus gaat niet door. Er staat twee mille op het spel en ik zit krap bij kas.'

Ik haalde het bubbeltjesplastic van het schilderij. 'Ik ook.'

Polly leunde tegen de muur. 'Maar je lijkt het wel druk te hebben.'

Ik hing het portret aan het haakje. 'Niet druk genoeg, en mijn hypotheek is gigantisch.' Ik hing de onderkant van de lijst recht. 'Misschien kan ik de voorzitter van de Halifax-bank schilderen in ruil voor een jaar aan aflossingen.'

'Misschien vraagt een van de vriendinnen van Camilla Parker Bowles je wel.'

Ik pakte mijn tas op. 'Dat zou geweldig zijn. Ik ben ook bij de RSPP gegaan, het koninklijk genootschap voor portretschilders, dus ik sta op hun website. En ik heb nu een Facebook-pagina.'

'Dat is mooi. En dan heb je nog dat stuk in *The Times*. Ik weet dat je het niet leuk vond,' ging Polly snel verder, 'maar het is fantastische publiciteit en het staat op internet. Dus...' Ze deed de deur open. 'Wie weet wat daaruit voorkomt?'

Ik voelde mijn maag verkrampen. 'Wie weet.'

Er stond een stevige wind toen ik naar huis liep, dus ik zette mijn capuchon op en stak mijn handen in mijn zakken. Toen ik door Eel Brook Common liep, met zijn strook felgele narcissen, belde mijn moeder.

'El-la!' Ze klonk opgetogen. 'Ik heb net de definitieve cijfers van gisteravond doorgekregen. We hebben tachtigduizend pond opgehaald, vijfduizend meer dan ons doel was, en een record voor de Richmond-tak van de liefdadigheidsinstelling.'

'Dat is fantastisch, mam. Gefeliciteerd.'

'Dus ik wilde je nogmaals bedanken voor het portret.'

Ik weerstond de aandrang te zeggen dat ik het niet zou hebben aangeboden als ik had geweten wie ik zou moeten schilderen.

'Maar wat grappig dat je Nate nu gaat schilderen.'

'Ja... Buitengewoon amusant.'

'Het zal je de kans geven hem te leren kennen voor hun huwelijk. Ik heb trouwens net de kerk geboekt.'

'Mam... Ze zijn nog geen vierentwintig uur verloofd.'

'Dat weet ik... Maar 3 juli is helemaal niet zo ver weg! Dus heb ik vanmorgen meteen de dominee van St Matthew's gebeld en door een wonder is er om twee uur die middag een uur vrijgekomen. De bruidegom heeft zich kennelijk bedacht.'

'O hemeltje.'

Er viel een verbijsterde stilte. 'Nee, niet "o hemeltje", Ella, maar "o geweldig"! Ik had niet verwacht dat we op zo korte termijn een kerk in de omgeving zouden kunnen vinden... Welke kerk dan ook, laat staan de onze.'

'En waar wordt de receptie gehouden?'

'Thuis. Dan komen we uit de kerk en wandelen we door de laan naar huis door een wolk van margrieten.'

'Er staan geen margrieten in de laan, mam.'

'Nee, maar dán wel, want ik ga ze planten. En we hebben een grote feesttent nodig,' vervolgde ze. 'Minstens tien bij vijfentwintig meter. Daar is de tuin net groot genoeg voor, dat heb ik vanmorgen opgemeten. Ik vind dat we er een in traditionele stijl moeten nemen, die is veel mooier dan zo'n hedendaagse partytent. En ik denk dat ik de cateraars van gisteravond neem, al wil ik nog wel wat meer offertes aanvragen.'

'Je pakt het resoluut aan, zo te horen.'

'Inderdaad... Maar voor de meeste bruiloften is een jaar tijd nodig om ze te plannen, en ik heb amper vier maanden om die van Chloë te organiseren!'

'Wil ze helemaal niets zelf doen?'

'Nee, ze krijgt het erg druk op haar werk na die promotie, en het betekent dat ze zonder al te veel stress naar haar grote dag toe kan leven. Zij neemt natuurlijk de belangrijke beslissingen, maar ik doe al het draafwerk.'

'Kan ik iets doen?'

'Nee, dank je, lieverd. Hoewel... Toch wel. Chloë denkt erover een vintage trouwjurk te kopen. Kun jij haar daar een beetje bij helpen? Ik weet niet eens waar ze die verkopen.'

'Natuurlijk. Steinberg and Tolkien's is weg, geloof ik, maar je hebt Circa nog, of Dolly Diamond, en ik geloof dat er een goeie in Blackheath zit... Of wacht even, wat denk je van...'

'Ja?'

'Nou...' Ik beet op mijn lip. 'Wat denk je van de jouwe?'

'Maar... Roy en ik zijn op het kantoor van de burgerlijke stand getrouwd, Ella. Ik droeg een lichtblauw zijden broekpak.'

'Dat weet ik... Maar wat droeg je dan toen je de eerste keer trouwde?' Tijdens de stilte die volgde probeerde ik me voor te stellen wat mijn moeder had aangehad toen ze begin jaren zeventig met mijn vader trouwde. Een lief, getailleerd jurkje in Laura Ashley-stijl misschien, met een witte fluwelen kraag. Of misschien juist een onconventioneel wijde jurk van Ossie Clark. 'Hij zou Chloë waarschijnlijk wel passen,' vervolgde ik. 'Maar... Misschien heb je hem niet bewaard,' voegde ik er zwakjes aan toe toen de stilte voortduurde. Waarom zou ze ook, dacht ik, als ze niet eens een foto van de bruiloft had bewaard? Ik zag plotseling voor me hoe de jurk uit een vuilnisbak puilde. 'Sorry,' zei ik toen ze nog steeds niet reageerde. 'Kennelijk geen goed idee... Vergeet maar dat ik erover begonnen ben.'

'Ik moet ophangen,' zei mam uitermate vriendelijk. 'Ik hoor het piepje van een ander telefoontje. Ik denk dat het Top Tents is. We spreken elkaar gauw weer, lieverd.'

Toen ze de verbinding had verbroken, verbijsterde ik me over mijn moeders vermogen zich af te sluiten voor dingen waar ze niet over wil praten. Ik stuur een gesprek over een vervelend onderwerp in een andere richting, maar mijn moeder doet gewoon alsof het hele gesprek niet plaatsvindt.

Thuisgekomen boekte ik een taxi naar Barnes en pakte snel mijn verf, palet en draagbare kistezel. Ik trok drie doeken uit het rek, nam mijn schort van het haakje en zette alles bij de voordeur klaar.

Terwijl ik op de taxi wachtte, liep ik naar mijn computer om te kijken of er nieuwe mail was. Er was er een van parlementslid Mike Johns, om zijn afspraak voor donderdagochtend negen uur te bevestigen – zijn eerste in twee maanden. Ik verheugde me erop, want hij was een heel gezellige man. Er was wat spam over geld lenen, die ik meteen wiste, en een wekelijkse update van het aantal bezoekers op mijn officiële Facebook-pagina. Het laatste bericht was van de dochter van mevrouw Carr, die bevestigde dat de eerste sessie met haar moeder op maandag zou plaatsvinden, in mevrouw Carrs appartement in Notting Hill.

Ik hoorde buiten een claxon, trok de jaloezieën iets uit elkaar en zag een rode Volvo van Fulham Cars stoppen. Ik pakte mijn spullen en liep naar buiten.

'Ik heb u al vaker gereden, toch?' vroeg de chauffeur toen hij mijn spullen in de kofferbak legde.

'Dat klopt. Ik maak vaker gebruik van jullie bedrijf.'

'Kunt u zelf niet rijden?'

'Jawel. Maar ik heb geen auto.'

Toen we door Waterford Road reden, kwamen we langs de Wedding Shop. Bij het zien van al het porselein en bewerkte glas in de etalages vroeg ik me af hoeveel gasten Chloë en Nate zouden hebben. Ik speculeerde over waar ze op huwelijksreis zouden gaan, maar moest toen weer denken aan de vrouw die Nate *honey* had genoemd. Vervolgens probeerde ik te raden waar Chloë en Nate zouden gaan wonen. Ik bedacht plotseling dat ze misschien wel naar New York zouden verhuizen, een vooruitzicht dat me nog meer deprimeerde.

'Zonde,' hoorde ik de chauffeur zeggen toen we stilstonden voor de verkeerslichten op Fulham Broadway.

'Pardon?'

'Het is zonde.' Hij gaf een knikje naar rechts.

'O. Ja,' zei ik vol sympathie.

De reling bij het kruispunt hing vol bloemen. Er waren misschien wel twintig boeketten aan vastgebonden, het cellofaan als ijs in het zonlicht. Sommige waren vers, maar de meeste zag er slap en verwelkt uit, de bladeren bruin verkleurd, de linten wapperend in de wind.

'Arme meid,' mompelde hij.

Boven aan de reling hing een grote, gelamineerde foto van een erg knappe vrouw, iets jonger dan ik, met kort blond haar en een stralende glimlach. *Grace* stond eronder.

'De bloemen blijven komen,' merkte ik stilletjes op.

De chauffeur knikte. 'Er hangen altijd weer verse.' Vandaag stond er ook een grote teddybeer op een fiets. Hij droeg een blauwe fietsbroek, een zilverkleurige helm en een reflecterend hesje.

Twee maanden na dato hing het gele bord er nog steeds.

Getuigen gezocht. Fataal ongeval, 20 jan, 06:15. Kunt u helpen?

'Dus ze weten nog steeds niet wat er is gebeurd?' prevelde ik.

'Nee,' antwoordde de chauffeur. 'Het is heel vroeg gebeurd, het was nog donker. Een van onze chauffeurs zei dat hij een zwarte BMW hard weg zag rijden, maar hij had het kenteken niet gezien en de verkeerscamera werkte niet goed... Dat zul je net zien.' Hij schudde zijn hoofd weer. 'Het is zonde.' De lichten sprongen op groen en we reden door.

De rest van de rit verliep in stilte, afgezien van de stugge bevelen van de tomtom, die ons over Hammersmith Bridge naar Barnes dirigeerde.

Mevrouw Burke woonde halverwege Castlenau, in een van de imposante victoriaanse huizen die in die straat staan. De taxi reed tussen de met leeuwen getooide hekpalen door en de chauffeur stapte uit en opende de kofferbak.

Hij gaf me de ezel aan. 'Gaat u mij ooit ook nog eens schilderen?'

Ik glimlachte. 'Wie weet, misschien wel.'

Ik belde aan en de deur werd geopend door een vrouw van achter in de vijftig, die zei dat ze de huishoudster was.

'Mevrouw Burke komt zo naar beneden,' zei ze toen ik naar binnen stapte. De hal was groot en vierkant, met marmeren tegels op de vloer en grote architectuurposters in zwarte en goudkleurige lijsten. Op het dressoir stond een grote aardewerken kruik met enkele takken vroege kersenbloesem.

De huishoudster vroeg me in de studeerkamer, rechts van ons, te wachten. Er stonden boekenkasten van de vloer tot het plafond, een antieke chesterfield die glom als een kastanje en een groot mahoniehouten bureau waarop diverse familiefoto's in zilveren lijstjes gerangschikt stonden. Ik ging ze bekijken. Er waren er twee van mevrouw Burke alleen, een paar van de zoon van het stel, van zijn baby- tot zijn tienerjaren en drie van haar met een man van wie ik aannam dat het haar echtgenoot was. Hij was een aristocratisch uitziende man met een trotse, bezitterige houding en, zoals ik al had vermoed, minstens tien jaar ouder dan zijn vrouw. Zij had grote grijze ogen, een lange, volmaakt rechte neus en een gordijn van zwarte haren die in golven van haar hoge voorhoofd omlaag hingen. Ze was inderdaad erg knap. In gedachten gaf ik haar wangen en kaaklijn al op het doek aan.

We hadden afgesproken om elf uur, maar om twintig over elf stond ik nog steeds te wachten. Ik liep de hal in om te zien of ik erachter kon komen wat er aan de hand was. Toen ik de trap hoorde kraken, keek ik omhoog en zag mevrouw Burke naar beneden komen. Ze was slank en klein en droeg een roze zijden overhemdjurk met een heel brede zwarte lakleren ceintuur strak eromheen. Het irriteerde me enigszins dat ze helemaal geen haast leek te hebben.

'Het spijt dat ik u heb laten wachten,' zei ze mat toen ze de onderste trede had bereikt. 'Ik was aan de telefoon. Dus...' Ze schonk me een ingetogen glimlach. 'U bent hier om me te schilderen.'

'Ja,' zei ik, verrast door haar duidelijke gebrek aan enthousiasme. 'Uw man zei dat het ter ere van uw verjaardag is.'

'Dat klopt.' Ze slaakte een diepe zucht. 'Als je het een eer wilt noemen om veertig te worden.'

'Nou, veertig is nog best jong.'

'Is dat zo?' zei ze bot. 'Ik weet alleen dat het leven geacht wordt dan te beginnen. Nou...' Ze zoog lucht tussen haar tanden door naar binnen. 'We kunnen maar beter beginnen.' Je zou haast denken dat ze zich opmaakte voor een wortelkanaalbehandeling.

'Mevrouw Burke...'

'Alsjeblieft.' Ze stak een hand op. 'Celine.'

'Celine, we kunnen niet beginnen voor je het formaat van het doek hebt gekozen. Ik heb er drie meegebracht...' Ik knikte naar de doeken, die tegen de plint stonden. 'Als je weet waar het portret moet komen te hangen, maakt dat de keuze gemakkelijker.'

Ze keek ernaar. 'Ik heb geen flauw idee.' Ze draaide zich naar me om. 'Mijn man heeft me hiermee overvallen... Ik zou nooit op het idee zijn gekomen mezelf te laten schilderen.'

'Nou... Een portret is leuk om te hebben. En het zal nog generaties lang worden gekoesterd. Denk maar aan de Mona Lisa,' voegde ik er opgewekt aan toe.

Celine haalde fijntjes haar schouders op en wees toen naar het kleinste doek. 'Dat is meer dan groot genoeg.'

Ik pakte het op. 'Dan moeten we nu de achtergrond kiezen, een plek waar jij je ontspannen en op je gemak voelt.'

Ze blies haar wangen op. 'In de salon dan, denk ik. Die is deze kant op...'

Ik liep achter haar aan door de hal naar een grote kamer met geel behang, een roomwit vloerkleed en dubbele deuren die naar een lange, ommuurde tuin leidden, waar achterin een reusachtige rode camelia uitbundig stond te bloeien.

Ik keek de kamer rond. 'Dit is prima. De kleur is erg mooi en het licht is prachtig.'

Links van ons stond een antiek groen Knole-bankstel met donkergroen damast. De zijkanten waren erg hoog, bijna recht en met de rugleuning verbonden door een dik, gedraaid goudkleurig koord.

Celine gingen links op de bank zitten en streek haar rok glad over haar knieën. 'Hier wil ik zitten.'

Ik keek even naar haar. 'Het spijt me, maar dat ziet er niet goed uit.'

Haar gezicht betrok. 'Je zei dat ik me op mijn gemak moest voelen, en dat doe ik hier.'

'Maar door de hoge zijkanten lijk je erg... ingesloten.'

'O.' Ze keek naar de zijkanten. 'Ik begrijp het. Ja, ik ben inderdaad ingesloten, zoals je zegt. Je hebt helemaal gelijk.' Ze stond op en keek om zich heen. 'Waar moet ik dán gaan zitten?' voegde ze er gemelijk aan toe.

'Misschien hier?' Links van de haard stond een mahoniehouten stoel met prachtig bewerkte armleuningen en een rode fluwelen zitting. Celine ging erin zitten terwijl ik iets achteruitliep om de compositie te beoordelen. 'Kun je iets deze kant op draaien,' vroeg ik haar, 'en je hoofd een beetje optillen? En me nu aankijken...'

Ze schudde haar hoofd. 'Wie had gedacht dat poseren zulk zwaar werk zou zijn?'

'Tja, het is een gezamenlijke inspanning waarin we er beiden naar streven een zo goed mogelijk portret van je te maken.'

Celine haalde haar schouders op alsof het haar volstrekt niet interesseerde. Ik hield mijn handen omhoog en omlijstte haar hoofd en schouders met mijn duimen en wijsvingers. 'Het wordt fantastisch,' zei ik tevreden. 'Nu moeten we alleen nog beslissen wat je zult dragen.'

Haar gezicht betrok. 'Ik wil dít dragen...' Ze wees naar haar outfit.

'Het is heel mooi,' zei ik terwijl ik ernaar keek. 'Maar het is niet geschikt.'

'Waarom niet?'

'Omdat de ceintuur zo groot en glanzend is dat die het hele schilderij zal domineren. Als je iets minder opvallends zou kunnen aantrekken...'

'Bedoel je dat ik me moet omkleden?'

'Dat zou wel beter zijn, ja.'

Ze zuchtte geïrriteerd.

'Zal ik je helpen uitkiezen? Dat doe ik meestal wanneer ik mensen bij hen thuis schilder.'

'Aha,' zei ze kortaf. 'Dus jij bepaalt alles.'

Ik beet op mijn lip. 'Het is niet mijn bedoeling de baas over je te spelen,' antwoordde ik zacht. 'Maar de keus van je outfit is belangrijk, omdat die van grote invloed is op de compositie... Dat heb ik je man ook uitgelegd.'

'O.' Celine wreef ongeduldig haar vingertoppen tegen elkaar. 'Dat is hij vergeten te vertellen. Hij is deze week weg.' Ze stond op. 'Goed dan,' zei ze met tegenzin. 'Kom maar mee.'

Ik liep achter haar aan de kamer uit en de trap op naar de slaapkamer, waarvan de achterwand in beslag werd genomen door een enorme, op maat gemaakte garderobekast. Celine schoof het middelste gedeelte open en keek naar haar kleding.

'Ik weet niet wat ik aan moet trekken.'

'Mag ik eens kijken?'

Ze knikte. Terwijl ik er een paar sets uithaalde, ging haar mobiele telefoon. Ze keek op het schermpje, antwoordde in het Frans en liep de kamer uit, rap pratend op vertrouwelijke toon. Het duurde meer dan tien minuten voordat ze terugkwam.

Terwijl ik mijn best deed mijn irritatie te verbergen, liet ik haar een lichtgroen linnen pak zien. 'Dit zou er prachtig uitzien.'

Celine beet op haar onderlip. 'Dat draag ik nooit meer.'

'Zou je het voor het portret willen dragen?'

Ze schudde haar hoofd. 'Nee. Ik heb het niet graag meer aan.'

'Oké... Wat zeg je hier dan van?' Ik hield een oesterkleurige satijnen jurk van Christian Dior omhoog.

Celine tuitte haar lippen. 'Die past niet goed.' Ze begon nu zelf dingen uit de kast te trekken. 'Die niet,' mompelde ze. 'Nee... Die ook niet... Dit is vreselijk... Dat is veel te klein... Dit zit zó oncomfortabel...' Waarom bewaarde ze al die kleren als ze ze niet meer wilde dragen? Ze wendde zich tot mij. 'Kan ik echt niet aanhouden wat ik aanheb?'

Ik telde in gedachten tot tien. 'De ceintuur zal de compositie verpesten,' antwoordde ik. 'Het zal alle aandacht van je gezicht weg trekken. En hij flatteert je niet bepaald,' voegde ik eraan toe, maar daar had ik meteen spijt van.

Celines gezicht was donkerder geworden. 'Bedoel je dat hij me dik maakt?'

'Nee, nee,' antwoordde ik terwijl ik haar weerspiegeling in de grote spiegel bekeek. 'Je bent heel slank, en erg aantrekkelijk,' voegde ik er machteloos aan toe. 'Je man had dat al gezegd en hij had gelijk.'

Ik had gehoopt dat die laatste opmerking haar zou sussen, maar tot mijn verbazing verhardde haar uitdrukking juist. 'Ik ben gek op deze ceintuur. Hij is van Prada,' zei ze, alsof het mij iets zou kunnen schelen, al had ze hem op de markt gekocht.

Ik had inmiddels moeite mijn kalmte te bewaren. 'Het zal er niet... goed uitzien,' probeerde ik nog eens. 'Het wordt gewoon een groot zwart blok.'

'Nou...' Celine sloeg haar armen over elkaar. 'Ik hou dit aan en daarmee basta.'

Ik wilde net doen alsof ik naar het toilet moest zodat ik een paar minuten de tijd kon nemen om tot rust te komen – of het uit te schreeuwen – toen Celines mobiele telefoon weer ging. Ze liep de kamer uit en voerde weer een lang, heftig klinkend gesprek, waarvan flarden me over de overloop bereikten.

'*Oui, chéri... Je veux te voir aussi... Bientôt, chéri.*'

Ik had intussen besloten te zullen toegeven en stond te bedenken hoe ik de zwarte ceintuur het best zo onopvallend mogelijk kon schilderen toen Celine terugkwam. Tot mijn verbazing leek haar stemming milder te zijn geworden. Ze pakte een eenvoudige, kobaltblauwe linnen jurk uit de kast en hield die voor. 'Wat vind je van deze?'

Ik kon wel janken van opluchting. 'Dat ziet er fantastisch uit.'

Toen ik de volgende ochtend op Mike Johns zat te wachten, keek ik naar het portret van Celine – nog niet veel meer dan een paar okergele penseelstreken. Ze was het lastigste model dat ik ooit had gehad: tegendraads, onredelijk en zonder enig enthousiasme.

Ik vond haar houding bizar. De meeste mensen geven zich helemaal over aan het poseren en beseffen dat het best bijzonder is om geschilderd te worden. Voor Celine was het echter duidelijk iets wat ze moest verduren, niet iets om van te genieten. Ik vroeg me af waarom dat zo was.

Ik heb ooit een succesvol zakenman moeten schilderen, wiens bedrijf het portret wilde laten maken voor de bestuurskamer. Hij zat tijdens de sessies voortdurend op zijn horloge te kijken, alsof hij me duidelijk wilde maken dat hij een zeer drukbezet en belangrijk man was wiens tijd erg kostbaar was. Toen ik Celine echter eindelijk kon gaan schilderen, vertelde ze me dat ze niet werkte, en dat ze nu haar zoon op kostschool zat een heel 'ontspannen' leven leidde. Haar negatieve houding kon dan ook niet voortkomen uit het feit dat ze geen tijd had.

Goddank voor Mike Johns, dacht ik. Hij was een grote beer van een kerel, joviaal, coöperatief en expressief – een perfect model. Ik pakte zijn doek en zag tot mijn blijdschap dat zelfs in de halfvoltooide staat van het schilderij zijn vriendelijkheid en warmte al zichtbaar waren.

Mikes politieke achterban had opdracht gegeven zijn portret te schilderen vanwege zijn vijftiende verjaardag als hun parlementslid: hij was al op zijn zesentwintigste gekozen. Hij had gezegd dat hij het schilderij graag klaar wilde hebben ruim voordat de verkiezingsperiode echt flink van start ging, dus hadden we twee sessies gehad voor Kerstmis en de derde in het begin van het nieuwe jaar. We hadden een nieuwe afspraak gemaakt voor 22 januari, maar Mike had die de avond tevoren plotseling afgezegd. In een vreemd onsamenhangend mailtje had hij geschreven dat hij 'te zijner tijd' weer contact met me zou opnemen, maar ik had de afgelopen twee maanden niets gehoord. Dat verbaasde me, niet in het minst omdat hij vlakbij woont, net aan de andere kant van Fulham Broadway. Vorige week had hij me een berichtje gestuurd om te vragen of we verder konden gaan. Ik was blij, deels omdat het betekende dat ik de andere helft van mijn honorarium zou ontvangen, maar ook omdat ik Mike mocht en graag met hem praatte.

We hadden afgesproken dat hij vroeg naar me toe zou komen, zodat de sessie niet te veel van zijn werkdag in beslag zou nemen. Om vijf over acht ging de bel en ik liep snel naar beneden.

Ik moest een kreet onderdrukken toen ik de deur opendeed. Mike was in de negen weken sinds ik hem had gezien meer dan vijftien kilo afgevallen.

'Je ziet er goed uit,' zei ik toen hij naar binnen stapte. 'Ben je naar de sportschool geweest?' voegde ik eraan toe, al wist ik door zijn opvallende ingetogenheid al dat zijn gewichtsverlies aan spanningen te wijten moest zijn.

'Ik ben inderdaad wel een paar kilo afgevallen,' antwoordde hij vaag. 'Maar goed ook,' voegde hij er met iets van zijn gebruikelijke jovialiteit aan toe, maar zijn gespannen gezichtsuitdrukking verried hem. Hij was vriendelijk, maar hij had iets triests over zich. Iets tragisch zelfs, realiseerde ik me toen ik de lege blik in zijn ogen zag. 'Sorry dat je nu zo vroeg moet beginnen,' zei hij toen we de trap op liepen naar mijn atelier.

'Dat vind ik helemaal niet erg,' antwoordde ik. 'We kunnen alle resterende sessies op dit tijdstip doen, als je wilt.'

Mike knikte, trok zijn jas uit en legde hem op de bank. Hij ging in de eiken leunstoel zitten die ik voor portretteersessies gebruik. 'Terug op de elektrische stoel,' zei hij met geforceerde jovialiteit.

Het ochtendlicht was fel, dus deed ik de jaloezieën voor de dakramen dicht om het te verzachten. Toen ik Mikes doek op de ezel had gezet, realiseerde ik me dat ik het portret zou moeten aanpassen. Zijn romp was veel slanker, zijn gezicht en nek magerder, de kraag van zijn overhemd zat los. Zijn handen waren minder vlezig en lagen ineengeslagen in zijn schoot. Hij speelde met zijn trouwring, die duidelijk te los zat.

Ik schraapte een dot opgedroogde verf van het palet en kneep wat nieuwe verf uit de tubes, waarbij ik zoals gewoonlijk genoot van de geur van lijnzaadolie.

'Ik ben vergeten mijn blauwe trui aan te trekken,' zei Mike. 'Het spijt me, het is me ontschoten.'

'Maak je maar geen zorgen.' Ik mengde de kleuren met een paletmes en koos toen een penseel. 'Ik werk vandaag aan je gezicht, maar als je hem de volgende keer zou kunnen aantrekken, zou dat geweldig zijn.'

Ik keek nu naar Mike en begon te schilderen. Ik keek weer naar hem en schilderde weer een stukje. En zo ging ik door: kijken en schilderen, kijken en schilderen.

Mike praatte gewoonlijk volop, maar vandaag zei hij bijna niets. Zijn gezicht was naar mij gericht, maar hij vermeed oogcontact. Zijn blik was erg gesloten. Zich ervan bewust dat ik de verandering in hem moet hebben opgemerkt, bekende hij me plotseling dat hij 'een beetje gespannen' was door al het extra werk voor de naderende verkiezingen.

Ik vroeg me af of hij bang was dat hij zijn zetel zou kunnen verliezen, maar herinnerde me toen dat ik had gelezen dat hij een grote meerderheid van stemmen had. Ik schilderde een lichte holte in zijn linkerwang. 'Ben je weg geweest?' Misschien had hij daarom de laatste tijd niet voor me kunnen poseren.

Hij knikte. 'Ik ben vorige maand voor de partij naar Bonn geweest.'

Ik maakte het penseel schoon in de pot terpentine. 'Waar was dat voor?'

'We zijn naar hun tramstelsel gaan kijken. Ik zit in een transportcommissie.'

Ik doopte het penseel in het kobalt om de vleeskleur rond zijn kaak iets grijzer te maken. 'Wil je dan alsjeblieft doen wat je kunt om de fietsers te helpen? Het valt niet mee op twee wielen in deze stad.'

Mike knikte en keek toen de andere kant op. Ik vroeg hem naar zijn vrouw, een succesvol uitgeefster van eind dertig.

Hij ging verzitten. 'Sarah maakt het prima. Ze heeft het alleen ongelooflijk druk... Zoals gewoonlijk.'

Ik verdunde de verf met een beetje terpentine. 'Ik zag laatst een foto van haar in de krant. Ik weet niet meer waar het artikel over ging, maar ze zag er erg aantrekkelijk uit.'

'Ze heeft net Delphi Press gekocht, als uitbreiding van haar imperium,' vervolgde Mike met een enigszins spijtige glimlach. Ik herinnerde me nu weer dat hij een keer had toegegeven dat de carrière van zijn vrouw erg veel van haar vergde. Ik dacht weer na over de verandering die ik bij hem zag. Misschien had ze besloten dat ze geen kinderen wilde en wilde hij die wel, of misschien konden ze geen kinderen krijgen en had hij het daar moeilijk mee. Of misschien – God verhoede het – was hij ziek.

Hij slaakte plotseling een diepe zucht die bijna als een kreun klonk.

Ik liet mijn penseel zakken. 'Mike,' zei ik zacht. 'Gaat het wel goed met je? Ik hoop dat je het niet vervelend vindt dat ik het vraag, maar je lijkt een beetje...'

'Het gaat... prima met me,' zei hij bruusk en hij schraapte zijn keel. 'Zoals ik al zei, ben ik alleen wat gestrest nu de verkiezingsdag nadert... En het is deze keer erg spannend.'

'Natuurlijk. Wil je nu even koffiepauze houden... als je moe bent?'

Hij schudde zijn hoofd.

'Zullen we dan gewoon even naar de radio luisteren?'

Hij knikte dankbaar, dus ik pakte mijn met verf bespatte transistorradio en zette hem aan.

Ra-di-o Twee... Het is tien voor negen. En als je net pas op ons hebt afgestemd, je luistert naar mij, Ken Bruce, en ik help je de ochtend door... Eric

Clapton is op tournee, hij speelt volgende week in de O2-Arena, daarna is hij in Birmingham en Leeds...

De deurbel ging. Terwijl ik naar beneden rende, hoorde ik een rustige gitaarintroductie en daarna Claptons stem.

Would you know my name
If I saw you in heaven
Will it be the same
If I saw you in heaven...

Ik opende de deur. Het was een koerier met de nieuwe bankpas die ik verwachtte. Terwijl ik tekende voor ontvangst, dreven de trieste klanken van Claptons ballade de trap af.

Would you hold my hand
If I saw you in heaven

Ik liep de trap weer op naar mijn atelier. 'Sorry daarvoor.' Ik legde de envelop in een bureaulade.

I must be strong, and carry on
Because I know I don't belong
Here in heaven...

Ik liep terug naar de ezel, pakte mijn penseel op en keek toen naar Mike.

...don't belong
Here in heaven.

Hij huilde.

Ik zette de radio uit. 'Laten we maar stoppen,' zei ik even later zacht. 'Je bent van streek.'

'Nee. Nee.' Hij schraapte zijn keel en deed zijn best te kalmeren. 'Het gaat wel... En het schilderij moet klaar.' Hij slikte. 'Ik wil graag doorgaan.'

'Weet je het zeker?'

Hij knikte, hief toen zijn hoofd en nam zijn pose weer aan. We gingen nog een minuut of vijftien door, waarna Mike opstond. Ik vroeg me af of hij zoals gewoonlijk naar het schilderij zou komen kijken, maar hij pakte zijn jas en liep mijn atelier uit.

Ik liep met hem mee naar beneden. 'Nog maar twee sessies te gaan,' zei ik terwijl ik de voordeur opende. 'Is dezelfde tijd volgende week goed?'

'Dat is prima,' antwoordde hij afwezig. 'Tot dan, Ella.'

'Ja, tot dan, Mike. Ik verheug me erop.'

Ik keek naar hem toen hij naar zijn auto liep. Mike stak zijn hand op, schonk me een flauw glimlachje, stapte in zijn zwarte BMW en reed langzaam weg.

3

‘Ella?’ zei Chloë een paar dagen later aan de telefoon. ‘Ik wil je wat vragen.’

‘Als je gaat vragen of ik bruidsmeisje wil zijn, is het antwoord nee.’

‘O...’ Ze klonk teleurgesteld. ‘Waarom niet?’

‘Omdat ik bijna zeven jaar ouder en twaalf kilo zwaarder ben dan jij, daarom. Ik heb geen zin als trol naast een fee te staan.’

‘Ook niet als eerste bruidsmeisje?’

‘Nee. Zie bovenstaand antwoord.’

‘Dat was trouwens niet wat ik je wilde vragen. Nate heeft een nichtje van vijf dat die honneurs zal waarnemen.’

‘Dat klinkt perfect. Wat wilde je dan vragen?’ Mijn maag keerde zich om, want eigenlijk wist ik het al.

‘Ik wilde graag een afspraak maken voor de eerste sessie van Nate. Ik had eigenlijk verwacht dat je daar zelf wel contact over zou opnemen,’ berispte ze me.

‘Sorry, ik heb het vreselijk druk,’ loog ik.

‘Kunnen we nu dan wat tijden vastleggen?’

‘Natuurlijk,’ antwoordde ik opgewekt.

Ik zocht mijn agenda en vond hem onder de *Modern Painters* van die maand. Ik krabbelde de datum erin die Chloë voorstelde.

‘En waar ga je hem schilderen? Zijn flat is dicht bij de jouwe, dus als je hem daar wilt schilderen...’

'Nee... Laat hem maar naar mij komen.' Omdat ik Nate niet mocht, had ik hem liever op mijn eigen grondgebied.

'Dus vrijdag om elf uur 's ochtends,' zei Chloë. 'Dat is Goede Vrijdag.'

'Inderdaad. Ik zal paasbroodjes halen voor tijdens de pauze.'

Terwijl ik mijn agenda terug op tafel gooide, herinnerde ik me het meisje op de veiling dat vroeg of ik iemand zou kunnen schilderen die ik niet mocht. Daar zou ik weldra achter komen.

'Nate is vast een goed model,' hoorde ik Chloë zeggen.

'Ik hoop het,' verzuchtte ik. 'Ik heb al een paar lastige klanten.'

'Echt waar?'

Ik was niet van plan haar over Mike te vertellen. Ik maakte me steeds meer zorgen om hem en vroeg me af wat hem zo ongelukkig maakte.

'In welk opzicht zijn je modellen dan lastig?' drong Chloë aan, dus vertelde ik haar over Celines gedrag. 'Wat raar,' zei Chloë. 'Het klinkt alsof ze het portret probeert te saboteren.'

'Precies. En toen we eindelijk konden beginnen, nam ze nog eens twee telefoontjes aan en ging ze een kwartier buiten met haar klusjesman staan praten. Die vrouw is een nachtmerrie.'

'Nou, Nate doet het beslist heel goed. Zoals je weet heeft hij er ook niet heel veel zin in, maar hij zal zich tijdens de sessie in elk geval goed gedragen.'

'In dat geval hebben we misschien genoeg aan vijf sessies in plaats van de gebruikelijke zes.' Die gedachte vrolijkte me op. 'Of zelfs vier.'

'Raffel het alsjeblieft niet af,' hoorde ik Chloë zeggen. 'Ik heb veel voor dit portret betaald, Ella. Ik wil dat het... geweldig wordt.'

'Natuurlijk... Je hebt gelijk.' Ik voelde een golf van schaamte. 'Maak je geen zorgen, ik maak er iets heel moois van, in minstens zes sessies... Meer als het nodig is,' voegde ik er roekeloos aan toe.

'En maak het alsjeblieft waarachtig, niet alleen mooi. Ik wil dat het portret iets over Nate onthult.'

'Dat zal het ook doen,' verzekerde ik haar, maar vervolgens vroeg ik me af wát – waarschijnlijk dat hij cynisch en onbetrouwbaar was. Omdat ik ervan overtuigd was dat mijn negatieve gevoelens jegens hem te zien zouden zijn, had ik nu nog meer spijt van de opdracht en wou ik dat ik eronderuit kon. 'Ik zag het bericht over jullie verloving in *The Times*, trouwens.' Het had me gedeprimeerd toen ik het zwart op wit zag staan.

De heer Nathan Roberto Rossi en juffrouw Chloë Susan Graham.

Chloë snoof. 'Mam heeft het ook in de *Telegraph*, de *Independent* én de *Guardian* laten zetten! Ik zei dat ik dat een beetje overdreven vond, maar ze zei dat ze "niet wilde dat het ook maar iemand zou ontgaan".'

Ik vermoedde meteen dat mam niet wilde dat het Max zou ontgaan.

'Maar ze is geweldig,' vervolgde Chloë. 'Ze heeft de kerk, de fotograaf, de bloemist én de feesttent al geregeld – een heel luxe geval trouwens. Ze heeft gekozen voor een Mongoolse tent. Dat is volgens haar de elegantste manier om onder canvas te dineren.'

'Dus we moeten er echt voor aan tafel gaan zitten?

'Ja. Ik heb tegen mam gezegd dat fingerfood prima is, maar ze staat erop het te doen "zoals het hoort", met een traditioneel, door obers geserveerd bruidsmaal. Arme pap. Hij maakt steeds grapjes dat het maar goed is dat hij orthopedisch chirurg is, want dat hij weet waar hij meer armen en benen kan krijgen.'

Ik glimlachte. 'En mam zei dat je een vintage trouwjurk wilde.'

'Als ik er een kan vinden die perfect voor me is, ja.'

Terwijl Chloë over de stijl van haar voorkeur babbelde, liep ik naar mijn computer en vond ik, met de telefoon nog tegen mijn oor geklemd, drie gespecialiseerde websites. Ik klikte de eerste aan, de Vintage Wedding-Dress Store.

'Ik zie hier een heel mooie jurk uit de jaren vijftig,' zei ik tegen haar. 'Een topje van guipurekant met een wijde zijden rok. Hij heet "Gina".' Ik gaf Chloë de naam van de website, zodat ze mee kon kijken. 'Er is er ook een uit de jaren dertig die "Greta" heet. Zie je hem? Die kolom van ivoorkleurig satijn. O, hij heeft wel een heel lage rug.'

'O ja... Hij is prachtig, maar ik geloof niet dat ik zo veel van mijn rug wil laten zien.'

'Die uit de jaren zestig, "Jackie", zou je leuk staan. Maar dat is maat 40, dus zou je hem moeten innemen en de kans is groot dat hij daardoor wordt verpest.'

'Ik zie hem niet. Wacht even...'

Terwijl Chloë de jurk zocht, opende ik mijn mailbox. Er waren drie nieuwe e-mails, waaronder een verzoek mijn inlogcodes van de bank door te geven, een advertentie voor 'beddenkoopjes' van Dreamz en een of ander aanbod van Top Table. Ik verwijderde ze allemaal.

'Dit is een prachtige jurk,' zei Chloë. 'Hij heet "Giselle".'

Ik ging terug naar de site. De jurk was in ballerinastijl met dichte lagen zijden tule onder een strak aansluitend satijnen lijfje vol lovertjes. 'Hij is inderdaad prachtig. Je zult er net zo uitzien als mam toen ze nog danste.'

'Hij is perfect,' zei Chloë met een zucht. 'En ik weet dat hij me zou staan, maar...' Ze maakte zachte klakkende geluidjes. 'Zou het geen ongeluk brengen om een jurk te dragen die "Giselle" heet, denk je?'

'O... Omdat ze zo'n pech heeft met haar echtgenoot, bedoel je?'

'Precies... Albrecht is echt een schoft om dat arme meisje op zo'n manier te bedriegen. Ik hoop dat Nate bij mij zoiets niet uithaalt.' Ze snoof. 'Anders moet ik misschien zelfmoord plegen, zoals Giselle deed.'

'Doe niet zo raar,' zei ik zwakjes. 'Hij heeft je toch gevraagd met hem te trouwen?'

'Dat is... waar. Maar goed, als je ergens een echt fantastische jurk ziet, laat het me dan weten.'

'Natuurlijk, maar ik moet nu gaan, Chloë... Ik heb een portretteersessie.'

'En ik moet een stel persberichten bekijken, maar ik zal tegen Nate zeggen dat hij vrijdag een date met je heeft.'

Een date met Nate, dacht ik somber toen ik de verbinding verbrak.

Ik bestelde de taxi en pakte mijn spullen bij elkaar voor de sessie met mevrouw Carr. Haar dochter had het formaat doek al doorgegeven, dus ik pakte het doek dat ik had voorbehandeld, keek of het goed was opgespannen en zette toen mijn doekdrager en mijn ezel bij de voordeur. Ik wilde net mijn jas pakken toen de telefoon ging. Ik nam op.

'Ella? Met Alison van het koninklijk genootschap van portretschilders. Herinner je je nog dat we elkaar kort voor Kerstmis hebben gesproken, toen je net was toegelaten?'

'Natuurlijk herinner ik me dat. Hoi.'

'Nou, er heeft iemand naar je gevraagd.'

'Echt waar?' Ik voelde me opgebeurd door het idee van een mogelijke nieuwe opdracht. 'Wie was het?' Door het raam zag ik de taxi stoppen.

'Het is enigszins ongebruikelijk, want het gaat om een postuum portret.'

Mijn euforie verdween als sneeuw voor de zon. 'Ik ben bang dat ik dat niet doe. Ik vind het een veel te triest idee.'

'O, ik wist niet dat je er zo over dacht. Ik zal er een aantekening van maken. Sommige van onze leden doen wel postume portretten, maar we zullen op je profielpagina zetten dat jij dat niet doet. Niet dat we vaak zo'n verzoek krijgen, maar het is goed om te weten hoe je erover denkt. Ik ben ervan overtuigd dat er binnenkort wel weer naar je gevraagd zal worden.'

'Daar duim ik voor.'

'Dan neem ik wel weer contact met je op.'

'Geweldig. Eh... Alison, mag ik wat vragen...?'

'Ja?'

'Puur uit nieuwsgierigheid... Van wie kwam dat verzoek, die vraag?'

'Van de familie van een meisje dat van haar fiets is gereden en is overleden.'

Ik kreeg meteen kippenvel op mijn armen.

'Het is twee maanden geleden gebeurd,' vervolgde Alison. 'Op Fulham Broadway. Er heeft zelfs een stukje over in de krant gestaan, omdat de politie nog steeds niet weet waardoor, of beter gezegd door wie, het ongeluk is veroorzaakt.'

Ik dacht aan de zwarte BMW die hard was weggereden. 'Ik woon daar vlakbij,' zei ik zacht. 'Ik heb de plek gezien waar het is gebeurd.'

'Begin september is er een herdenkingsbijeenkomst op de school waar ze lesgaf – ze was lerares op een basisschool. Haar ouders hebben besloten daarvoor een portret van haar te laten maken.'

'Grace. Ze heette Grace.'

'Dat klopt. Het is vreselijk triest. Maar goed, de familie realiseert zich dat een schilderij enige tijd vergt, dus belde haar oom me om het te bespreken. Hij zei dat ze naar onze kunstenaars hadden gekeken en jouw werk erg mooi vonden. Dat je ongeveer dezelfde leeftijd hebt als Grace speelde ook een rol.'

'Ik begrijp het...'

'Ze zijn er erg op gebrand dat jij het doet.'

'Aha.'

'Maar ik zal hem vertellen dat je niet kunt, is dat goed?'

'Nee... Ik bedoel, ja. Zeg maar tegen hem dat....'

'Dat je alleen levenden schildert?' opperde Alison.

'Ja, maar zeg alsjeblieft dat het me spijt. En dat ik met hen meeleef.'

'Dat zal ik doen.'

Ik hoorde de taxichauffeur buiten ongeduldig claxonneren, dus ik zei gedag, sloot alles af en liep naar buiten. Het was de rode Volvo weer. De chauffeur zette mijn ezel en het doek in de kofferbak terwijl ik instapte.

Hij ging achter het stuur zitten en keek me via de spiegel aan. 'Waar gaan we deze keer heen?'

Ik gaf hem het adres en we vertrokken.

'Wie gaat u vandaag schilderen?' vroeg hij toen we door Earl's Court reden.

'Een oudere dame.'

'Veel rimpels, dus,' zei hij lachend.

'Ja... En veel karakter. Ik schilder graag oudere mensen. Ik kijk ook graag naar schilderijen van ouderen.' Ik dacht aan Rembrandts mooie en waardige portretten van ouderen.

'Op een dag gaat u mij schilderen, hè... Niet vergeten!'

'Maak u geen zorgen, ik vergeet het niet.' Hij had een interessant, verweerd gezicht.

De flat van mevrouw Carr bevond zich in een herenhuis in een smalle straat dicht bij Notting Hill Gate. Ik betaalde de chauffeur en stapte uit en daarna gaf hij me mijn spullen. Links van me was een antiekwinkel en rechts een basisschool. Ik hoorde de stemmen en het gelach van kinderen en het geluid van een bal die over en weer getrapt werd. Ik drukte op de bel voor flat 9 en even later hoorde ik Sophia, de dochter van mevrouw Carr, via de intercom.

'Hallo, Ella.' De deur werd op afstand geopend en ik duwde hem verder open. 'Neem de lift maar naar de derde verdieping.'

Het interieur van het edwardiaanse gebouw was kil, de muren waren betegeld met de originele jugendstiltegels in een groen met kastanjebruin patroon. Ik stapte in de antieke lift, die naar de derde verdieping ratelde en daar met een sonore dreun stopte. Toen ik het ijzeren hek opzijschoof, zag ik Sophia aan het eind van de zwak verlichte gang staan wachten. Ze was halverwege de vijftig, jeugdig gekleed in een spijkerbroek en bruin suède jack en droeg haar blonde haren in een paardenstaart.

'Leuk om je te zien, Ella.' Ze keek naar mijn spullen toen ik naar haar toe liep. 'Dat is een hoop om mee te moeten sjouwen.' Ze kwam naar me toe. 'Laat me je maar even helpen.'

'Dank je. Het is niet zwaar,' zei ik toen ze de ezel van me overnam, 'alleen een beetje onhandig.'

'Bedankt dat je hierheen wilde komen,' zei ze toen ik achter haar aan naar binnen liep. Ze deed de deur dicht. 'Dat maakt het veel gemakkelijker voor mijn moeder.'

'Graag gedaan.' Ik vertelde niet dat ik graag mensen in hun eigen huis schilder. Dat geeft me belangrijke inzichten in wie ze zijn – hun smaak, hoeveel comfort ze wensen en hoe netjes ze op hun spullen zijn. Ik kan aan het aantal familiekiekjes zien hoe sentimenteel ze zijn en, als er uitnodigingen zijn, hoe sociaal ze zijn. Dat alles vertelt me al veel over mijn modellen voordat ik zelfs maar met schilderen begin.

'Mam zit in de woonkamer,' zei Sophia. 'Ik zal je even aan haar voorstellen en dan laat ik jullie alleen. Ik moet wat boodschappen voor haar doen.'

Ik liep achter haar aan de gang door.

De woonkamer was ruim en er stonden twee groene stoelen met zijvleugels aan de rugleuning, een limoengele chaise longue en een roomkleurige sofa. Het grootste deel van de donker geverniste parketvloer ging schuil onder een groot groen-geel Perzisch tapijt.

Mevrouw Carr stond bij het raam. Ze was lang en erg slank, maar enigszins krom en ze leunde op een stok. Haar haar was in een lichte karamelkleur geverfd en in gelaagde golven geknipt. Ze had een haviksneus en toen ze zich naar me omdraaide zag ik dat haar ogen van een opmerkelijke kleur donkerblauw waren, bijna marineblauw.

Sophie zette de ezel neer. 'Mama?' zei ze met stemverheffing. 'Dit is Ella.'

'Hallo, mevrouw Carr.' Ik stak mijn hand uit.

Ze pakte hem met haar linkerhand beet. Haar vingers waren zo koel en glad als velijnpapier. Er verschenen tientallen fijne lijntjes en rimpels in haar gezicht toen ze naar me glimlachte. 'Wat leuk om kennis met je te maken.'

Sophia pakte mijn parka aan. 'Wil je een kop koffie, Ella?'

'O... Nee, dank je.'

'En jij, mama? Wil jij koffie?'

Mevrouw Carr schudde haar hoofd, liep naar de sofa, ging zitten en zette haar stok tegen de armleuning.

Sophia zwaaide naar haar. 'Ik ben rond vier uur terug, mama... Vier uur! Oké?'

'Dat is prima, lieverd. Je hoeft niet zo te schreeuwen.' Mevrouw Carr keek me aan en haalde haar schouders op toen we Sophia hoorden weglopen. 'Ze denkt dat ik doof ben,' zei ze. De voordeur sloeg dicht en het geluid galmde even na.

Ik keek wat aandachtiger de kamer rond. Een muur ging helemaal schuil achter boeken, de andere bevatten diverse posters en schilderijen die in een aantrekkelijke chaos aan de schilderijenrail hingen. Ik deed mijn tas open. 'Woont u hier al lang, mevrouw Carr?'

Ze stak haar hand op. 'Zeg alsjeblieft Iris. We zullen immers heel wat tijd met elkaar doorbrengen.'

'Goed dan... Graag.'

'Maar om je vraag te beantwoorden: vijftien jaar. Ik ben hierheen verhuisd toen mijn man was overleden. We woonden hier niet ver vandaan, in Holland Street. Het huis was te groot en te triest voor mij alleen, maar ik wilde wel in de buurt blijven omdat ik hier veel vriendinnen heb.'

Ik zette de ezel op. 'En heb je nog meer kinderen?'

Iris knikte. 'Nog een dochter, Mary, die in Sussex woont. Sophia woont hier iets verderop in Brook Green. Ze zijn allebei heel lief voor me. Dit portret was hun idee... Een heel leuk idee, vind ik.'

'Ben je ooit eerder geschilderd?'

Iris aarzelde. 'Ja. Heel lang geleden...' Ze kneep haar ogen half dicht alsof ze de herinnering opnieuw beleefde. 'Maar... De meisjes zeiden plotseling dat ze een portret van me wilden. Ik heb me wel even afgevraagd of ik op deze leeftijd nog wel wílde worden geschilderd, maar ik moet gewoon accepteren dat ik een oud gezicht heb.'

'Het is nog steeds een mooi gezicht.'

Ze glimlachte. 'Dat zeg je maar uit vriendelijkheid.'

'Nee hoor... Het is gewoon waar.' Ik had het gevoel dat Iris en ik het prima met elkaar zouden kunnen vinden. 'Nou... Dan ga ik alles maar klaarzetten.' Ik haalde de verf en mijn palet tevoorschijn. Ik bond mijn schort voor en spreidde een stoflaken uit rond de ezel. 'En heb je een carrière gehad, Iris?'

Ze ademde uit. 'Ralph zat bij Buitenlandse Zaken, dus dat was mijn carrière: ik was een diplomatenvrouw die plichtsgetrouw de vlag voerde in verschillende delen van de wereld.'

'Dat klinkt interessant. Waar hebben jullie gewoond?'

'In Joegoslavië, Egypte, Iran – dat was nog voor de revolutie – en in India en Chili. Onze laatste standplaats was Parijs, en dat was geweldig.' Terwijl Iris praatte bestudeerde ik haar gezicht. Ik keek hoe het bewoog en waar het licht op haar gelaatstrekken viel.

Ik pakte mijn schetsblok en een stukje houtskool. 'Het lijkt me een leuk leven.'

'Dat was het ook – meestal.'

Ik ging in de stoel het dichtst bij Iris zitten, keek naar haar en tekende wat snelle lijnen. 'Ik maak een voorbereidende schets.' Het houtskool piepte op het papier. 'En had je zelf ook een diplomatieke achtergrond, Iris?'

'Nee, mijn stiefvader werkte bij de gemeente. Ga je me op deze plek schilderen?'

'Ja.' Ik liet het schetsblok zakken. 'Als jij daar prettig zit.'

'Ik zit hier prima. En is het licht goed?'

'Ja, prachtig.' Ik keek naar het raam, waardoor ik de koepel van de Coronet Cinema en een stuk lichte lucht kon zien. 'Er is vandaag veel hoge bewolking, en dat is goed, want dat voorkomt scherpe schaduwen.' Ik ging door met tekenen en draaide toen het schetsblok om zodat Iris kon zien wat ik had gedaan. 'Ik ga je zo schilderen, *en trois quarts*, ofwel schuin van voren.'

Ze keek ernaar. 'Komen mijn handen op het schilderij?'

'Ja.'

'Dan wil ik een of twee ringen aandoen.'

'O, doe dat... Ik schilder graag sieraden.' Ik poetste een veeg houtskool van mijn duim.

'En mijn kleren?' vroeg Iris. 'Sophia vertelde me dat je graag enige inbreng hebt in wat je modellen dragen.'

'Dat klopt... Als ze daar tenminste geen bezwaar tegen hebben.' Ik dacht aan Celine.

'Ik heb er helemaal geen bezwaar tegen.'

'Je bent erg gemakkelijk om mee te werken,' zei ik dankbaar.

Iris keek verrast. 'Waarom ook niet? Jij gaat me bewaren voor het nageslacht, dus het minste wat ik kan doen is meewerken. Mijn dochters zeggen dat je portretten zo vol leven zijn dat je bijna verwacht dat de mensen uit de lijst zullen stappen.'

'Dank je. Wat een prachtig compliment.'

'Maar ik heb zelf nog geen werk van je gezien.'

'Aha.' Ik had eraan moeten denken om wat foto's mee te nemen. 'Heb je een computer, Iris?'

Ze schudde haar hoofd.

'Dan laat ik je wat foto's op mijn mobiele telefoon zien; het schermpje is aardig goed.'

Ik pakte mijn telefoon, ging naar GALERIJ, tikte op een van de miniatuurweergaven en gaf de telefoon toen aan Iris.

Ze hield hem dicht bij haar ogen en knikte toen waarderend. 'Dat is Simon Rattle.'

Ik knikte. 'Het Berliner Philharmoniker heeft me er vorig jaar opdracht toe gegeven. Ik ben daar een week heen geweest en schilderde hem elke dag tussen de repetities door. Hij was een geduldig model.'

'Ik zal proberen dat ook te zijn.'

Ik nam de telefoon van Iris over, tikte op een ander miniatuur en gaf hem weer aan haar. 'Dit is P.D. James.'

'Inderdaad... Ik begrijp wat mijn dochters bedoelen. Je werk heeft heel veel vitaliteit.'

Toen Iris me mijn telefoon teruggaf, zag ik dat ik nieuwe e-mails had. Ik tikte de inbox aan en zag een flyer van het Victoria & Albert Museum en een berichtje van Chloë. Op dat moment kwam er een nieuwe e-mail binnen, eentje die automatisch vanaf mijn website was doorgestuurd. Ik voelde me opgetogen omdat het waarschijnlijk een aanvraag was. Ik kon een stukje van de eerste regel zien, *Beste Ella, mijn...* Maar ik weerstond de verleiding om het bericht te openen, omdat Iris dat misschien vervelend zou vinden. Ik was immers hier om haar te schilderen, niet om mijn e-mailberichten te lezen.

'Dus nu moeten we beslissen wat ik zal dragen,' zei Iris. 'Kom maar mee.'

Ze pakte haar stok, duwde zichzelf overeind en ik liep achter haar aan door de gang naar haar slaapkamer. Die was groot en licht, met lichtblauwe gordijnen van chintz en een blauwe beddensprei van chenille. Tegen een van de muren stond een grote art-deco-kleerkast met walnootfineer. Toen Iris de deuren opende, rook ik vaag de geur van lelietjes-van-dalen.

'Kan ik je helpen er iets uit te halen?' vroeg ik Iris.

'Nee... Dat lukt wel, dank je.' Iris zette haar stok tegen de muur en haalde toen met licht bevende handen een roze, licht gedessineerde jurk en een pakje van blauw tweed uit de kast. Ze legde ze op het bed. 'Wat vind je van deze?'

Ik keek naar de kledingstukken en toen naar Iris. 'Ze zien er allebei goed uit. Maar ik denk het pakje.'

Iris glimlachte. 'Ik hoopte al dat je dat zou zeggen. Ralph heeft het ooit voor me gekocht bij Simpson's toen we voor een vakantie terug in Engeland waren. Hij kon het zich eigenlijk niet veroorloven, maar zag hoe mooi ik het vond en wilde het me toch geven.'

'Het is perfect. En wat voor sieraden draag je erbij?'

'Alleen een ketting van lapis lazuli, die ik in India heb laten maken.'

Iris liep naar haar kaptafel en opende het deksel van een prachtig bewerkt sandelhouten kistje. Ik keek ondertussen de kamer rond. Er hing een vergulde spiegel aan een muur, geflankeerd door twee kleine schilderijen van bergen. Boven het bed hing een zijden wandkleed van een grijze kroonkraanvogel. Voor het raam stond een blauwe Perzische vaas van glas, die een kobaltblauwe schaduw over de vensterbank wierp.

'Wil je me alsjeblieft mijn stok aangeven?' hoorde ik Iris zeggen. 'Hij staat tegen de muur naast de kleerkast.'

Toen ik dat deed viel me een schilderij op dat naast haar bed hing. Er stonden twee meisjes op, die in een park speelden. Ze waren ongeveer vijf en drie en gooiden een rode bal naar elkaar over. Een kleine hond dartelde in een waas van bruine vacht om hun voeten heen. Op een bankje vlakbij zat een vrouw in een witte schort te breien.

Ik keek ernaar. 'Wat een mooi schilderij.'

Iris draaide zich om. 'Ja... Dat schilderij is heel bijzonder. Het is zelfs onbetaalbaar,' voegde ze er zacht aan toe.

Ik probeerde mijn nieuwsgierigheid te verbergen. 'Het is inderdaad erg leuk.' Ik gaf Iris haar stok en keek toen weer naar het schilderij. 'Is het een erfstuk?'

Ze aarzelde. 'Ik heb het in 1960 in een antiekwinkel gekocht voor tien shilling en zes pence.'

Ik draaide me naar haar om. 'Dus je vond het gewoon mooi.'

Iris staarde er nog steeds naar. 'O, het was veel meer dan "mooi vinden".' Ze zweeg even. 'Ik werd ertoe aangetrokken... Ernaartoe geleid, denk ik soms zelfs.'

Ik wachtte tot ze zou uitweiden, maar ze zei niets meer. 'Nou,' zei ik even later, 'ik begrijp heel goed dat je er verliefd op bent geworden. Het is een prachtige compositie en het heeft heel veel... Ik wilde charme zeggen, maar wat ik eigenlijk bedoel is gevoel.'

Iris knikte. 'Er zit heel veel gevoel in, ja.'

'De vrouw op de bank is vast het kindermeisje.'

'Dat klopt.'

'Ze lijkt verdiept in haar breiwerk, maar in werkelijkheid kijkt ze heimelijk naar de kunstenaar, wat het iets extra's geeft. Het ziet eruit alsof het uit begin jaren dertig stamt. Ik vraag me af waar het is geschilderd.'

'In St James's Park, dicht bij het meer.'

Ik bestudeerde het zilvergrijze water dat op de achtergrond glansde. 'Het is echt mooi. Je wordt er vast vrolijk van als je ernaar kijkt.'

'Integendeel,' prevelde Iris, 'het maakt me verdrietig.' Ze liet zich op het bed zakken. 'Maar nu ga ik me omkleden, dus als je me even alleen kunt laten...'

'Natuurlijk.'

Ik ging terug naar de woonkamer. Terwijl ik mijn schort voorbond, vroeg ik me af waarom het schilderij dat effect op Iris had. Natuurlijk zien we allemaal iets anders in een kunstwerk, maar het was ogenschijnlijk een gelukkig tafereeltje, dus waarom zou het haar verdrietig maken?

Ik stond mijn palet klaar te maken toen mijn telefoon ging en ik nam snel op.

'Hij heeft me gebéld,' zei Polly opgetogen.

'Wie?'

'Jason... van de WC-Eend-foto's. Hij heeft net gebeld en gevraagd of ik zaterdag met hem wil gaan lunchen.'

'Geweldig,' fluisterde ik, 'maar ik kan niet praten, Pol... Ik heb een sessie bij iemand thuis.'

'O, sorry... Dan laat ik je maar met rust.'

Ik tikte op EINDE GESPREK en keek naar het envelopicoontje. Ik kwam in de verleiding de e-mail van mijn website te openen, maar toen hoorde ik Iris aankomen.

'Zo...' Ze stond in de deuropening. Het pakje paste haar perfect en deed het intense blauw van haar ogen goed uitkomen. Ze had een beetje poeder en een vleugje roze lippenstift aangebracht.

'Je ziet er fantastisch uit, Iris.' Ik stopte mijn telefoon terug in mijn tas.

Ze glimlachte. 'Dank je. Dus nu kunnen we beginnen.'

Iris ging op de sofa zitten, streek haar rok glad en wendde zich naar mij. Toen ik naar haar keek, voelde ik de rilling die ik altijd voel wanneer ik aan een nieuwe portret begin. We zwegen een poosje en mijn penseel schuurde zacht over het doek terwijl ik met een dun laagje oker de hoofdlijnen aanbracht.

Na een paar minuten ging Iris iets verzitten.

'Zit je gemakkelijk?' vroeg ik bezorgd.

'Jawel, maar ik moet toegeven dat ik me niet helemaal op mijn gemak voel.'

'Dat is normaal,' stelde ik haar gerust. 'Een portretteersessie is best een vreemde ervaring, voor beide partijen, omdat er zo plotseling een relatie ontstaat. Ik bedoel, we kennen elkaar nog maar net en nu zit ik je openlijk aan te gapen: dat is een nogal ongebruikelijke eerste ontmoeting.'

Iris glimlachte. 'Ik ben overtuigd dat ik snel aan je... scherpe blik zal wennen. Maar zou je niet liever iemand schilderen die jong is?'

'Nee. Ik schilder liever oudere mensen. Die zijn veel interessanter. Ik vind het mooi om een heel leven in het gezicht geëtst te zien, met al die ervaring en dat inzicht.'

'En spijt?' opperde Iris kalm.

'Ja... Dat zie je gewoonlijk ook wel. Het zou vreemd zijn als dat niet zo was.'

'En... Raken je modellen weleens van streek?'

Mijn penseel stopte. 'Zeker, vooral ouderen, omdat ze tijdens de sessies terugkijken op hun leven. Sommige mensen moeten huilen.' Ik dacht aan Mike en vroeg me weer af wat er was gebeurd waardoor hij nu zo ongelukkig was.

'Nou, ik beloof je dat ik niet zal huilen,' zei Iris.

Ik haalde mijn schouders op. 'Het geeft niets als je dat wel doet. Ik ga jou schilderen, Iris, in al je menselijkheid, zoals je bént... Of in elk geval zoals ik je zie.'

'Je moet dus wel opmerkzaam zijn om te doen wat jij doet.'

'Dat klopt.' Ik ademde uit. 'En ik zou dit niet eens kunnen proberen als ik niet geloofde dat ik opmerkzaam was. Portretschilders moeten dingen over het model kunnen waarnemen, erachter zien te komen wie die persoon is.'

We werkten even zwijgend verder.

'En schilder je jezelf weleens?'

Mijn penseel stopte midden in een beweging. 'Nee.'

Er verscheen even verbazing op het gezicht van Iris. 'Ik dacht dat portretschilders meestal ook zelfportretten maakten.'

Je bent nu Ella Graham...

'Ik niet... In elk geval al heel lang niet meer.'

En daarmee is het afgedaan...

'Maar ik zou graag wat meer over je tijd in het buitenland willen horen, Iris. Je moet enkele heel bijzondere mensen hebben ontmoet.'

'Dat klopt,' zei ze vol warmte. 'Het waren niet zomaar mensen, maar persoonlijkheden. Eens even kijken... Welke namen zal ik eens laten vallen?' Ze kneep haar ogen tot spleetjes. 'Nou, we hebben Tito ontmoet,' begon ze. 'En Indira Gandhi, ik heb een foto van Sophia bij haar op schoot toen ze vijf was. Ik heb ook Nasser ontmoet; het jaar voor Suez heb ik met hem gedanst tijdens een bal op de ambassade. In Chili hebben we Salvador Allende ontmoet. Ralph en ik mochten hem allebei heel graag en waren woedend om wat de Amerikanen deden om hem van de troon te helpen stoten, al konden we dat nooit openlijk zeggen.

Discretie is een frustrerend, zij het noodzakelijk aspect van het diplomatenleven.'

'Wat was je favoriete post?'

Iris glimlachte. 'Iran. We waren daar halverwege de jaren zeventig. Het was paradijselijk mooi en ik heb fantastische herinneringen aan onze tijd daar.'

'Jullie dochters zaten op kostschool, neem ik aan?'

Ze knikte. 'In Dorset. Ze konden niet elke vakantie naar ons toe komen, en dat was wel moeilijk. Hun voogd was heel goed, maar we vonden het vreselijk om van onze twee meisjes gescheiden te zijn.'

Er viel weer een stilte, die alleen werd verbroken door het doffe geraas van het verkeer in Kensington Church Street.

'Iris... Ik hoop dat je het niet vervelend vindt dat ik het vraag, maar het schilderij in je slaapkamer...'

Ze ging iets verzitten. 'Ja?'

'Je zei dat je er verdrietig van werd. Ik vraag me af waarom, omdat het zo'n vrolijk tafereel is.'

Iris antwoordde niet meteen en even vroeg ik me af of ze niet inderdaad een beetje doof was. Ik overwoog net of ik het haar opnieuw moest vragen toen ze een gekwelde zucht slaakte. 'Dat schilderij maakt me verdrietig omdat er een triest verhaal aan verbonden is. Een verhaal dat ik een paar jaar nadat ik het had gekocht pas hoorde.' Ze slaakte weer een diepe zucht. 'Misschien vertel ik het je wel...'

Ik voelde me plotseling onbeschoft. 'Dat hoeft niet, Iris. Het was niet mijn bedoeling nieuwsgierig te zijn. Ik verbaasde me alleen over je opmerking, dat is alles.'

'Dat is volstrekt begrijpelijk. Het lijkt inderdaad een vrolijk tafereeltje: twee kleine meisjes die in het park spelen.' Ze zweeg even en keek me toen indringend aan. 'Ik zal je het verhaal vertellen, Ella, omdat je een kunstenaar bent en ik denk dat je het zult begrijpen.'

Wat begrijpen, vroeg ik me af. Wat kon het trieste verhaal achter het schilderij zijn? Ik bedacht nu plotseling bezorgd dat de meisjes misschien de oorlog niet hadden overleefd, of dat er misschien iets afschuwelijks met het kindermeisje gebeurd was. Nu wist ik niet meer zeker of ik het verhaal wel wilde horen, maar Iris begon al.

'Ik heb het schilderij in mei 1960 gekocht,' zei ze. 'We zaten toen in Joegoslavië – onze eerste post – maar ik was met Sophia, die toen drie was, naar huis gekomen om mijn tweede kind te krijgen, Mary. Er waren goede ziekenhuizen in Belgrado, maar ik had besloten de baby in Londen te krijgen, zodat mijn moeder me kon helpen. Bovendien was ze toen inmiddels weduwe en wilde ik van de gelegenheid gebruikmaken om wat tijd met haar door te brengen, dus ging ik voor drie maanden bij haar logeren.'

Ik bestudeerde Iris en zette de ronding van haar rechterwang op het doek.

'Mijn moeders huis stond in Bayswater. Ze had het grootste deel van haar gehuwde leven in Mayfair doorgebracht, maar mijn stiefvader was tijdens de oorlog alles kwijtgeraakt.'

Ik vroeg me af hoe het met Iris' eigen vader zat.

'De week voor ik was uitgerekend, ging ik wandelen, met Sophia in de wandelwagen. We kochten een ijsje in winkelcentrum Whiteleys en liepen toen langzaam door Westbourne Grove. Ik kwam langs een kleine antiekwinkel, keek toevallig in de etalage en zag dat schilderij. Ik herinner me dat ik er doodstil naar stond te staren. Ik werd erdoor getroffen, zoals jij vandaag. Sophia draaide zich om en protesteerde dat ik door moest lopen, dus dat deed ik. Ik kon het schilderij echter niet van me af zetten, dus ging ik een paar minuten later terug en stapte ik de winkel binnen.

'De eigenaar van de winkel vertelde me dat hij het schilderij de week tevoren binnen had gekregen. Het was samen met wat andere spulletjes gebracht door een vrouw die het op de zolder van haar overleden broer had gevonden. Ze was bezig geweest zijn huis leeg te ruimen. Ze wist niet zeker van wie het was, want het was niet gesigneerd, maar op de achterkant van het doek stond het jaartal waarin het was geschilderd, 1934. Ik kon het me niet echt veroorloven, maar ik kocht het toch en ik herinner me dat ik toen ik het mee naar huis nam iets voelde wat ik alleen maar kan beschrijven als opluchting.

'Ik liet het mijn moeder zien en ze bekeek het nauwkeurig, maar zei niets. Ik voelde me gekwetst door haar gebrek aan enthousiasme, maar nam aan dat het was omdat ze vond dat ik mijn geld had verkwist. Ik opperde dat het inderdaad veel geld was, maar voegde eraan toe dat ik er verliefd op was geworden en het simpelweg móést hebben. Ik hing het in mijn kamer.

'De week daarna werd Mary geboren en ik bleef nog twee maanden bij mijn moeder. Ze was erg behulpzaam, maar leek verdrietig, ondanks de geboorte van de nieuwe baby. Ik dacht dat het was omdat ze wist dat ik weldra met haar kleinkinderen terug zou gaan naar Joegoslavië en dat het lang zou duren voor ze ons weer zag.'

'Had je broers of zussen?'

'Ja, een oudere zus, Agnes, die in Kent woonde. Maar goed, voor ik terugging naar Belgrado liet ik het schilderij opslaan, bij de andere spullen die Ralph en ik hadden opgeslagen.'

'Kun je je hoofd iets optillen, Iris? Ik ben bezig om je voorhoofd aan te geven.' Ik keek naar haar met half toegeknepen ogen. 'Dat is beter. En wat gebeurde er toen?'

Iris vouwde haar handen in haar schoot. 'In 1963 keerden we voor twee jaar terug naar Londen voordat we naar onze volgende post moesten. We waren blij dat we terug waren. Het trieste was alleen dat mijn moeder een paar maanden daarvoor was overleden. Ik denk dat ze wist dat ze me wellicht niet meer zou zien, want er sprak veel verdriet uit haar laatste brieven. Ze zei dat ze op enkele belangrijke punten geen goede moeder was geweest en dat ze van veel dingen spijt had. Ik dacht gewoon dat ze zich kwetsbaar voelde door de grote afstand tussen ons, dus schreef ik terug dat ze een heel liefdevolle en zorgzame moeder was geweest, wat op de meeste vlakken ook zo was.'

Iris veegde een pluisje van haar rok. 'Maar goed... Ralph en ik waren terug in ons huis in Clapham, dat tijdens onze afwezigheid verhuurd was geweest. Ik herinner me nog de dag dat onze spullen uit de opslag kwamen en Sophia en Mary, die toen zes en drie waren, ons opgetogen hielpen de kratten uit te pakken. Voor hen leek het wel Kerstmis. Uiteindelijk kwamen we toe aan het porselein en het glas en daarna aan de paar schilderijen die we hadden, en daarbij zat, verpakt in enkele oude pagina's van de *Daily Express*, mijn schilderij. Ik was zo blij het weer te zien...'

Iris zweeg even en ging toen verder.

'Het was de eerste keer dat Ralph het zag, al had ik hem er wel over verteld. Hij keek ernaar, zei dat het duidelijk erg goed was en voegde eraan toe dat hij onze buurman Hugh, die bij Sotheby's werkte, zou vragen ernaar te kijken. Een paar dagen later kwam Hugh langs en hij zei dat het waarschijnlijk niet gesigneerd was omdat het een voorstudie voor een groter schilderij was. Hij was er bijna zeker van dat het van Guy Lennox was, die in de jaren twintig en dertig een succesvol portretschilder was geweest. Ralph vroeg Hugh naar de mogelijke waarde en ik herinner me dat ik daarvan schrok, omdat ik wist dat ik er geen afstand van zou kunnen doen, vooral nu ik zelf moeder was van twee kleine meisjes. Ik dacht dat ik me daardoor zo tot het schilderij aangetrokken had gevoeld: tijdens mijn zwangerschap was ik ervan overtuigd geweest dat ik weer een dochter zou krijgen, en ik had gelijk gehad. Hoe dan ook, ik was erg opgelucht toen Hugh zei dat het schilderij waarschijnlijk niet heel veel waard zou zijn, omdat Lennox gewoon een goede figuratief schilder was, die in opdracht portretten schilderde. Ik wilde net de meisjes naar bed brengen toen hij zei dat zijn oom Lennox goed had gekend. Hij herinnerde zich dat die had gezegd dat Lennox een triest leven had gehad.'

'Echt waar?'

'Hugh zei dat hij wel wat meer over hem te weten kon komen als ik daar belangstelling voor had, en dat had ik. Dus liet hij zijn oom het schilderij zien toen hij hem kort daarna in Hampshire opzocht. Toen Hugh het schilderij een maand later terugbracht, bevestigde hij dat het van Guy Lennox was, wiens levensverhaal hij nu kende. Hij vertelde ons dat hij in 1900 was geboren, in de Eerste Wereldoorlog had gevochten, maar een hevige gasaanval had meegemaakt in Passchendaele en terug was gestuurd. Tijdens zijn herstel leerde hij zichzelf schilderen en na de oorlog ging hij naar de Camberwell School of Art, waar hij de oom van Hugh ontmoette. Hij besloot zich te specialiseren in portretten en ging in 1922 portretschilderkunst studeren aan de Heatherly School of Fine Art in Chelsea. Die ken je vast wel.'

'Ja, heel goed zelfs. Ik heb lesgegeven aan Heatherly's.'

'Tijdens zijn studie daar werd Guy hevig verliefd op een van de modellen, een heel knap meisje dat Edith Roche heette. Zijn ouders probeerden de relatie te dwarsbomen, maar in 1924 trouwden Guy en Edith in het stadhuis van Chelsea. In 1927 kregen ze een dochtertje, en vijftien maanden later nog een. Guy begon tegen die tijd aardig succesvol te worden, en was zelfs erg in. Hij werd veel gevraagd en schilderde iedereen die "iemand" was: literaire en politieke figuren en leden van de aristocratie. Hij werd lid van de Royal Academy en was in staat een huis aan Glebe Place met een eigen atelier te kopen. Zijn leven leek fantastisch... tot de dag dat hij opdracht kreeg een zekere Peter Loden te schilderen...' Iris zweeg.

'En... Wie was Peter Loden dan?' vroeg ik even later.

Iris knipperde met haar ogen, alsof ze ontwaakte uit een droom. 'Hij was een oliehandelaar,' antwoordde ze. 'Hij was heel rijk, had de eerste oliepijpleiding naar Roemenië gelegd. Hij had een reusachtig huis vlak bij Park Lane. Het leek wel iets uit de *Forsyte Saga*,' voegde ze er haast verstrooid aan toe.

'Hoe oud was hij?'

'Achtendertig, nog steeds vrijgezel en een echte vrouwengek. In mei 1929 kreeg hij bij de verkiezingen een zetel voor de Conservatieve Partij en om dat te vieren vroeg hij Guy Lennox zijn portret te schilderen. Hij was zo blij met het schilderij dat hij tot een officiële onthulling besloot. Dus gaf hij in september van dat jaar een groot feest, waarvoor hij *tout le monde* uitnodigde, ook Lennox en diens vrouw. En toen Peter Loden Edith ontmoette...'

'Aha...'

'Hij was helemaal weg van haar schoonheid, en zij voelde zich gevleid door de aandacht van zo'n rijke en machtige man. Al snel wist iedereen dat Edith Lennox iets met Peter Loden had. Erger nog, Guy moest gewoon doorwerken terwijl hij wist dat de rijken die hij schilderde over zijn vrouw roddelden.'

'Wat vreselijk voor hem.'

Iris knikte. 'Het moet heel pijnlijk zijn geweest en het zou een verwoestend effect op zijn leven hebben, want binnen drie maanden verzocht Edith Guy om een echtscheiding. En dan zou je denken dat Loden en zij hem daarmee genoeg hadden aangedaan,' voegde Iris er lusteloos aan toe. 'Maar toen werd het pas echt hartverscheurend voor die arme man, want –'

Iris keek op. De voordeur ging open, er klonk een kreun toen hij weer dichtviel en daarna voetstappen. Sophia was terug, met vier volle groene boodschappentassen, haar gezicht roze van inspanning.

'Ik ben bekaf!' Ze glimlachte ons goedmoedig toe. 'Ik heb dit helemaal vanaf Ken High Street meegedragen. Maar de lichaamsbeweging is goed voor me.' Ze knikte naar de ezel. 'En gaat het hier een beetje goed?'

'O... prima,' antwoordde Iris. Ze keek op haar horloge. 'Maar je bent vroeg terug, Sophia. Het is pas kwart voor vier.'

'Dat weet ik, maar ik heb alles wat je nodig had, behalve parmaham. Ze hadden geen parmaham, mam, dus ik wil nog even terug. Laat je door mij niet van je werk houden. Ik ga dit alles even opruimen.' Ze verdween en al snel hoorden we kastjes open- en dichtgaan.

Iris glimlachte naar me. 'Nou... Dit lijkt me voor ons een goed moment om te stoppen.'

Ik knikte wat onwillig, maar stopte het doek in de doekdrager. 'Dan zie ik je volgende keer weer, Iris.' Ik klapte de poten van de ezel in.

'Dat wordt dan na Pasen,' zei Iris. 'Ik ga een weekje naar mijn andere dochter, Mary.'

Ik pakte mijn agenda uit mijn tas en terwijl we een afspraak maakten, kwam Sophia binnen. 'Heb je me dan hier ook nog nodig?' vroeg ze. 'Ik kan komen, als je wilt.'

'Dat is heel aardig, lieverd,' antwoordde Iris, 'maar nu Ella en ik elkaar kennen, kunnen we volgende keer gewoon verdergaan waar we gebleven zijn.'

Ik knikte. Sophia gaf me mijn jas en ik trok hem aan. 'Ik heb ervan genoten, Iris.'

'Ik ook,' antwoordde ze. 'Heel erg. Tot volgende keer.'

Ik glimlachte ten afscheid en pakte mijn spullen bij elkaar.

Sophia hield de deur voor me open. 'Kan ik je een handje helpen?' vroeg ze goedmoedig.

'Het lukt wel, dank je.' Ik hees mijn doekdrager wat hoger op mijn schouder. 'Tot ziens, Sophia.'

'Dag, Ella.' De deur ging achter me dicht.

Ik ging met de rammelende lift naar beneden, stapte toen naar buiten, Kensington Church Street in en hield een taxi aan. Ik ging achterin zitten, met mijn gedachten bij Guy Lennox, de knappe Edith en Peter Loden, en de twee meisjes, het kindermeisje en de hond. Ze leken me bijna zo werkelijk alsof ik ze zelf had gekend. Al snel kwamen we langs Glebe Place en ik strekte mijn hals uit om ernaar te kijken, me afvragend in welk huis Lennox gewoond zou hebben.

De chauffeur vroeg via de intercom: 'Zei u Umbria Place, juffrouw?'

'Ja, het is bij de Gas Works.'

‘Ik ken het... We zijn er over een minuut of drie, als het verkeer goed in beweging blijft.’

Ik zocht in mijn tas naar mijn portemonnee. Toen ik mijn telefoon zag, herinnerde ik me de ongelezen e-mail van mijn website. Ik ging weer naar mijn inbox en opende het berichtje. Zodra ik begon te lezen verdween het verhaal van Guy Lennox helemaal uit mijn gedachten. Er liep een rilling over mijn rug.

Beste Ella, mijn naam is John Sharp...

4

Op de ochtend van Goede Vrijdag bereidde ik me voor op mijn eerste portretteersessie met Nate. Ik haalde het doek tevoorschijn, dat ik een paar dagen tevoren had voorbehandeld met een crèmekleurige emulsie. Ik maakte de penselen schoon en legde ze op mijn werktafel klaar. Ik zette de eiken stoel op zijn plek en het vouwscherm dat ik soms als achtergrond gebruikte erachter. Ik mengde wat gebrande siena met terpentine voor de dunne basislaag. Daarna, met nog een halfuur te gaan voordat Nate zou komen, haalde ik mijn moeders portret tevoorschijn. Ik wilde er gewoon naar kijken en over de e-mail nadenken die ik inmiddels zo vaak had gelezen dat hij in mijn geheugen gegrift stond.

Beste Ella, mijn naam is John Sharp en ik ben je vader.

Ik schudde mijn hoofd. 'Ik heb al een vader, dank je.'

Ik hoop dat je me niet kwalijk neemt dat ik contact met je opneem...

'Bedoel je niet omdat je géén contact met me hebt opgenomen?' zei ik boos.

Het zal wel een hele schok zijn...

'Nou en of!'

...maar ik las toevallig een interview met jou op de website van The Times.

Ik blies mijn adem uit. 'Precies waar ik al bang voor was.' In stilte vervloekte ik de journalist, Hamish Watt.

Er stond op de website van de Western Australian een link naar het artikel, en toen ik je gezicht zag, wist ik meteen wie je was.

'Nee,' mompelde ik. 'Je hebt geen idee wie ik ben.'

In je krachtige, donkere trekken herkende ik de mijne, en je verhaal sloot aan bij het leven dat we zo veel jaren geleden deelden.

'Zo veel,' zei ik verbitterd.

En hoewel ik het recht niet heb om te zeggen dat ik trots op je ben, ben ik dat wel...

'Nou, dat is niet wederzijds...'

Ella, ik ben de laatste week van mei in Londen.

De adrenaline kolkte door mijn aderen. Ik liep naar mijn bureau, pakte mijn telefoon en opende het bericht.

Ik zou je heel graag willen ontmoeten...

'O god...'

Ik heb altijd gewild dat ik zou kunnen uitleggen...

'Wat uitleggen?' zei ik boos. 'Dat je je vrouw en kind in de steek hebt gelaten? Dat hoeft niemand me uit te leggen, want ik herinner het me nog.'

Ik keek nu naar het schilderij van mam en zag haar weer in onze oude flat aan de keukentafel zitten. Ze zat zachtjes te huilen. Ik zat naast haar, hulpeloos, gespannen en bang. Ik herinnerde me dat ik tekeningen van mijn vader maakte om haar op te vrolijken. En ik herinnerde me dat ik dacht dat als ik hem goed tekende – zo goed dat het echt op hem leek – dat hij dan misschien als bij toverslag zou terugkomen.

Ella, ik heb me altijd heel schuldig gevoeld over wat er is gebeurd.

'Over wat je hebt gedáán, bedoel je.'

Ik zou het graag willen goedmaken...

Ik ging naar OPTIES en toen naar BERICHT WISSEN?.

...als het daar niet te laat voor is.

Ik aarzelde even en tikte toen op JA. Mijn vaders woorden verdwenen.

Met bevende hand legde ik mijn telefoon weer weg.

Drrrrrrrinnnnnnng.

Nate was gearriveerd – precies op tijd. Ik ademde diep in om mezelf te kalmeren, liep toen langzaam naar beneden en deed de deur open.

Chloë stond naast hem.

'Ik weet dat ik had gezegd dat ik niet mee zou komen, maar ik heb met mam afgesproken bij Peter Jones. We gaan naar trouwkaarten kijken. Dus dacht ik, laat ik toch maar even langsgaan.' Ze stapte naar binnen en keek me toen indringend aan. 'Alles goed, Ella? Je lijkt een beetje... gespannen.'

'Nee hoor,' zei ik, terwijl mijn maag zich nog omdraaide, 'ik voel me prima.'

Chloë wendde zich tot Nate. 'Kom binnen, lieverd!' Dat deed hij, zij het met merkbare weerzin. Hij droeg een spijkerbroek, een groene kasjmieren trui met kraag en donkerbruine brogues. De vijandschap tussen ons was bijna tastbaar toen ik hem aankeek.

Ik toverde met moeite een plezieriger uitdrukking op mijn gezicht. 'Hallo, Nate.'

Hij schonk me een behoedzame glimlach. 'Hoi.'

'Het atelier is op de bovenste verdieping,' legde Chloë uit terwijl ze de trap op liep. 'Ella woont onder haar bedrijf, nietwaar, Ella?'

'Dat klopt,' zei ik toen Nate achter haar aan naar boven liep. We kwamen langs de badkamer, de logeerkamer en mijn kamer, waar door de deuropening het smeedijzeren bed te zien was. Ik trok snel de deur dicht. Daarna liepen we nog een trap op en mijn atelier binnen.

Nate keek verrast om zich heen.

'Je had niet verwacht dat hierboven zo veel ruimte zou zijn, hè?' zei Chloë tegen hem.

'Nee,' antwoordde hij.

'Ik bedoel, het huis lijkt van buitenaf helemaal niet groot... Sorry, Ella.' Chloë glimlachte een beetje beschaamd naar me.

Ik haalde mijn schouders op. 'Het is waar. Maar het heeft een heel steil dak en daaraan dank ik deze grote, hoge zolder.'

Chloë liep nu naar de stoel, legde haar hand op de rugleuning en glimlachte naar Nate. 'Het enige wat je hoeft te doen is hier knap gaan zitten wezen, wat in jouw geval niet zo moeilijk is,' voegde ze er met een lach aan toe.

Nate trok een gezicht. 'Hoelang?'

Ik nam mijn schort van het haakje. 'Twee uur.'

Hij trok weer een grimas.

'Dat vliegt voorbij,' verzekerde Chloë hem. 'Je kunt gewoon wat met haar praten.'

'Of niet,' zei ik terwijl ik mijn schort voorbond. 'Dat mag je zelf weten. Je kunt ook zwijgen, als je wilt, ik kan de radio aanzetten of je kunt een iPod meebrengen.' Mijn voorkeur ging uit naar die laatste optie, besloot ik, dan hoefde ik niet met hem te praten.

'Jullie kunnen beter wel praten,' zei Chloë. Ze keek van mij naar Nate. 'Ik bedoel, jullie kennen elkaar nauwelijks. Hoe vaak hebben jullie elkaar gezien... Drie keer?'

'Twee,' zeiden Nate en ik tegelijk. We keken elkaar onbeholpen aan en wendden toen allebei onze blik af.

Chloë liep de kamer door, pakte mijn portfolio op en slenterde ermee terug naar Nate. 'Kijk eens naar Ella's portretten, schat.' Ze legde de map met een bons op tafel en Nate ging op de bank zitten en bekeek de foto's. Chloë ging naast hem zitten en vertelde af en toe wie de modellen waren. 'Dat is Simon Rattle, dat is P.D. James, dat is Roy natuurlijk...'

Nate sloeg om naar de laatste bladzijde.

'En dat ben ik!'

'Dat weet ik.' Hij glimlachte toegeeflijk. 'Ik heb het origineel vaak genoeg gezien.'

Ik drukte het onwelkome beeld van hem in Chloës slaapkamer weg.

'Ik begrijp alleen nog steeds niet waarom je jezelf in die toestand wilde laten schilderen.'

Chloë haalde haar schouders op. 'Ik zat midden in het relatieprobleem waar ik je over verteld heb, maar dat is allemaal allang voorbij,' zei ze luchthartig.

Ik vroeg me plotseling af hoeveel ze Nate over Max had verteld.

'Maar omdat Ella al met het schilderij was begonnen, dachten we dat we maar het best door... konden gaan. Nietwaar, Ella?'

Ik keek haar aan. 'Eh... ja.' Chloë kon Nate moeilijk de waarheid vertellen: dat het portret voor haar een herinnering was aan de diepe band die ze met zijn voorganger had gehad. 'Maar goed...' Ze sloeg haar armen om hem heen. 'Godzijdank heb ik jou ontmoet!'

Terwijl ze een kus op Nates wang plantte, zag ik zijn blik naar het portret van mam dwalen, dat ik tegen de muur had gezet. 'Dat daar is heel goed,' zei hij kalm.

Chloë draaide zich om naar het portret. 'Dat is waar... Het is flink gevorderd. Je kunt nu echt mams innerlijke kracht zien, Ella, en haar zelfdiscipline en haar... Welk woord zoek ik nou?'

Pijn, dacht ik. De wond die ze zo lang had verborgen was te lezen in haar ogen en in de enigszins harde lijn van haar mond... Zelfs aan haar lichaamshouding. Oppervlakkig gezien was het de houding van een ballerina die door het publiek was teruggeroepen, haar linkerhand elegant tegen haar borst gedrukt. Dat was echter ook een defensief gebaar: ze beschermde haar hart.

Ik wist nu dat ik juist had gehandeld door haar niet over mijn vaders e-mail te vertellen. Het zou wreed zijn geweest zulke pijnlijke emoties weer aan te wakkeren, en volstrekt onnodig, aangezien ik niet van plan was met hem af te spreken.

'Vastberadenheid,' besloot Chloë. Ze wees naar de poster van *Giselle*. 'Dat is mam ook. Dat was twee jaar voordat ik werd geboren,' legde ze Nate uit, 'maar Ella heeft haar zo wel gezien, hè?'

'Dat klopt.' Ik herinnerde me dat ik op de eerste rij zat, gefascineerd door mijn moeders arabesken en gracieuze *jetés*. Ze was zo licht dat ze soms leek te zweven, haar tengere ledematen tot in het oneindige uitgestrekt. Nu herinnerde ik me plotseling ook dat mijn vader naast me zat, dat zijn profiel in het podiumlicht baadde. En toen mam Albrechts zwaard pakte en vervolgens dood neerviel, pakte hij mijn hand vast en fluisterde hij dat ze maar deed alsof. En toen we naderhand naar haar kleedkamer gingen, had mam nog steeds haar lange tutu en sluier aan en ze sloeg haar armen om mijn vader heen, ging op haar *pointes* staan en kuste hem. Ze lachten allebei en ik lachte ook omdat mijn ouders gelukkig waren en van elkaar hielden. Een paar weken later was mijn vader echter verdwenen.

'Ik wou dat ik mam had kunnen zien dansen,' hoorde ik Chloë zeggen. 'Maar haar carrière was voorbij tegen de tijd dat ik werd geboren.'

Nate keek haar aan. 'Je zei dat ze geblesseerd raakte.'

Chloë knikte. 'Ze viel en brak haar enkel. Ik weet eigenlijk niet waar het gebeurd is. Jij wel, Ella?'

'Nee. Ik heb het haar weleens gevraagd, maar ze wilde er niet over praten.' Ik wist alleen dat het min of meer was gebeurd toen mijn vader vertrok. Dus binnen heel korte tijd was er zowel aan haar huwelijk als aan haar carrière met veel pijn een einde gekomen.

'En zo heeft mam mijn vader ontmoet,' zei Chloë tegen Nate. 'Hij was de chirurg die een paar maanden na het ongeluk de tweede operatie uitvoerde. Hij wist het veel beter te maken dan het daarvoor was, maar moest haar vertellen dat de blessure het einde van haar danscarrière betekende.'

'Dat moet hartverscheurend voor haar zijn geweest,' zei Nate, die nog steeds naar het portret keek.

'Dat was het ook,' stemde Chloë met hem in. 'Hoewel ze in elk geval hém eraan overhield. Hij was helemaal weg van haar, hè, Ella?'

Ik knikte.

'Mam zegt vaak dat hij de zon weer achter de wolken vandaan haalde.'

Ik dacht aan mijn vaders vertrek. 'Hij wás de zon achter de wolken,' zei ik vol emotie.

Chloë glimlachte en keek op haar horloge. 'Ik kan maar beter gaan; ze is erg gesteld op punctualiteit.' Ze blies Nate een kus toe. 'Ik zie jou straks weer, schat.'

Hij glimlachte wat nerveus. '*Ciao.*'

'Chloë,' zei ik toen ze zich omdraaide om weg te gaan, 'wil je het portret zien terwijl ik ermee bezig ben?'

Ze klakte met haar tong terwijl ze over die vraag nadacht. 'Nee,' zei ze. 'Ik denk dat ik het liever pas zie als het af is, om dat heerlijke gevoel van... openbaring te ervaren.' Ze zwaaide vrolijk naar ons en was even later verdwenen.

We hoorden haar met lichte tred de trap af lopen en hoorden toen de voordeur opengaan en dichtvallen. Het werd stil in huis.

Ik zette mams portret terug in het rek en zette Nates lege, voorbehandelde doek op de ezel.

'Nou...' zei ik met bonkend hart, 'laten we beginnen.'

Ik knikte naar de stoel en Nate ging voorzichtig zitten, alsof hij vreesde dat er een bom onder zat. Hij sloeg eerst zijn benen en toen zijn armen over elkaar.

'Eh... Kun je misschien wat relaxter gaan zitten, Nate?'

'O.' Hij zette zijn voeten naast elkaar. 'Zoiets?'

'Ja... En als je nu je handen op je knieën zou kunnen leggen.' Ze waren groot en pezig, zag ik, met krachtige, rechte vingers. 'Til nu je hoofd iets op... En kijk deze kant op...'

Ik hoorde hem uitademen alsof hij nu al boos was.

'Dat is geweldig... Het is zelfs...' Ik voelde een plotselinge huivering toen ik een besluit nam over de compositie. 'Ik ga je zo schilderen dat je recht het doek uit kijkt. Het is niet iets wat ik vaak doe, maar je gelaatstrekken zijn er krachtig genoeg voor en ik denk dat het er heel goed uit zal zien.'

Nate knikte onzeker.

'Dus je moet me recht aankijken.' Ik voelde een rilling van onbehagen toen Nate zijn blik op me vestigde, maar dat werd snel verjaagd door mijn groeiende opwinding over de mogelijkheden van het portret. Oké, de man was niet aardig, maar hij had wel een fantastisch gezicht. 'Zo is het goed,' mompelde ik. 'Dan ga ik nu een poosje naar je staan staren, als je het goedvindt.'

Nate knikte zorgelijk, maar ik besloot zijn onbehagen te negeren en me gewoon op mijn taak te richten. Dus nam ik de vorm van zijn hoofd in me op, het vierkant licht dat op zijn voorhoofd viel en de bijna blauwachtige glans van zijn haar; ik keek naar de vlakten van zijn wangen en de verschillende texturen en tinten van zijn huid. Hij had twee korte lijntjes boven zijn neus, als het getal elf, en een klein rond litteken als een watermerk rechts op zijn voorhoofd. Zijn ogen, realiseerde ik me, waren niet zozeer mosgroen als wel donker saliegroen, met vlekjes goud. Nu bestudeerde ik hem van weerskanten. Ik keek naar de lijn van zijn kaak, de welving van zijn mond en de lange smalle driehoek van zijn neus.

Daarna liep ik terug naar het doek, doopte mijn penseel in de verdunde verf en zette, nog steeds naar hem kijkend, de eerste streek.

Ik werkte zwijgend, me slechts bewust van de vormen die uit de punt van mijn penseel vloeiden en van het geluid van Nates gelijkmatige ademhaling. Ik tuurde naar de onderste helft van zijn gezicht. Het gootje tussen zijn neus en bovenlip was heel duidelijk te zien. Ik werd overvallen door de verbijsterende aandrang mijn vingertop ertegenaan te drukken.

Toen ik het penseel weer in de verdunde verf doopte, hoorde ik een diepe zucht.

Ik keek Nate aan. 'Gaat het?'

Hij ging verzitten op de stoel. 'Nou...'

'Wil je een kussen?'

'Nee. Ik zit prima.' Ik wendde me weer tot het doek en schilderde een paar minuten verder, maar toen kraakte de stoel weer en zuchtte hij lusteloos. 'Weet je zeker dat je dit niet van een foto kunt doen?'

'Dat zou kunnen, maar dan wordt het geen goed portret.'

'Waarom niet?'

Ik negeerde de scherpe toon in zijn stem. 'Omdat een foto maar een momentopname is. Een portret vertegenwoordigt een hele verzameling van momenten – alle momenten uit het leven van het model. Dus het zou misschien wel op je lijken, maar het zou niet laten zien wie je bént, en dat probeer ik wel voor elkaar te krijgen.'

'Op die manier,' zei hij gelaten.

Ik werkte weer vier of vijf minuten en hoorde toen weer een gekwelde zucht en het kraken van de stoel.

Ik liet mijn penseel zakken. 'Je lijkt niet helemaal op je gemak, Nate.'

'Dat klopt.'

'Ik zal een kussen voor je halen.'

'Nee, dank je. Mijn onbehagen is niet fysiek.' De betekenis van zijn woorden viel als een granaat tussen ons in.

'Voor een portret poseren is niet gemakkelijk,' zei ik nerveus. 'Het is een... vreemde situatie. Er is vaak een zekere spanning.'

'Dat is zo,' stemde Nate in. 'Vooral als het model het gevoel heeft dat de kunstenaar hem niet mag.'

Mijn penseel stopte midden in een beweging. 'Ik weet niet wat je bedoelt.'

'Volgens mij wel,' pareerde hij. 'Want je bent niet bepaald... *simpatico* geweest.' Hij haalde zijn schouders op. 'Misschien vind je dat ik niet goed genoeg ben voor je zus.'

'Nee, dat is niet...' stamelde ik. 'Ik bedoel... Chloë is duidelijk gelukkig met je en dat is alles wat ertoe doet.' Mijn hand trilde en ik had moeite mijn penseel vast te houden.

'Je bent anders al sinds het begin behoorlijk vijandig.'

Ik veegde een spatje blauw van de hoek van het doek weg. 'Weet je, Nate, ik denk echt niet dat dit gesprek helpt, vooral omdat we nog bijna twaalf uur in elkaars gezelschap moeten doorbrengen.'

'Juist omdát we nog bijna twaalf uur in elkaars gezelschap moeten doorbrengen, denk ik dat het wél helpt,' beet Nate me toe, 'omdat jij in dat portret gaat laten zien wie ik bén.'

'Ja,' zei ik zwakjes.

'Nou, daar ben ik, gezien je duidelijke negatieve gevoelens jegens mij, niet blij mee. Ik zie het portret als een potentiële aanval.'

In stilte vervloekte ik Chloë omdat ze me een opdracht had gegeven die niet zomaar onplezierig was, maar vreselijk gênant begon te worden.

Nate ging weer verzitten. 'Je hebt duidelijk grote problemen met mij. Ik weet niet waarom...'

Ik keek hem boos aan. 'O, nee?'

'Nee. Dat weet ik niet.'

'Echt niet?'

Hij keek me uitdagend aan. 'Je hebt dus wel problemen met mij. Zou je me misschien willen vertellen wat voor problemen?'

Ik doopte het penseel weer in de verdunde verf en richtte me weer op het doek.

'Als je me gaat schilderen, moet ik het weten,' hoorde ik hem zeggen. 'En als je het me niet vertelt, loop ik misschien wel naar buiten en geef ik Chloë het verkwiste geld terug voor deze opdracht.'

Ik hoorde de klok tikken. 'Goed dan,' zei ik gelaten. 'Ik zal het je vertellen... Omdat je me ertoe dwingt.' Ergens was ik blij dat ik mijn hart kon luchten, dus vertelde ik hem over de avond van het feestje. 'Je zag me niet, want ik stond aan de andere kant van Chloës heg mijn fiets op slot te zetten. Maar ik hoorde je tegen iemand anders – een andere vrouw – over Chloë praten. Wat ik hoorde stond me helemaal niet aan, en dat is inderdaad van invloed op hoe ik over je denk. Zo,' besloot ik, 'nu weet je het.'

Nate staarde me aan. 'Je luisterde mijn privégesprek af?'

'Nee... Want het was niet privé, gezien het feit dat je het op straat via je mobiele telefoon voerde. Ik kon het niet helpen dat ik het hoorde, en ik wou dat ik het niet had gehoord, want het maakte me behoorlijk van streek.'

Er verschenen rimpels van verbazing in Nates voorhoofd. 'Maar... Wat heb je dan precies gehoord?'

Ik slaakte een zucht. 'Je zei dat je geen zin had om naar Chloës feestje te gaan, maar dat je vond dat je er niet onderuit kon, omdat ze je er al een tijd over aan je hoofde zeurde... Alsof ze je ermee had lastiggevallen.'

'Nou...' Nate draaide zijn handpalmen naar boven. 'Ze zeurde inderdaad. Ze belde me er misschien wel tien keer op een dag over op. Dat werd knap irritant.'

Dat laatste negeerde ik. 'En toen hoorde ik dat je afsprak om later die avond naar die vrouw toe te gaan, die je de hele tijd *honey* noemde. Dat maakte ook niet bepaald een positieve indruk op me.'

'Aha...' Hij hield zijn hoofd een beetje schuin.

'Maar wat me echt irriteerde was het feit dat je met die andere vrouw over Chloë praatte... En in heel kleinerende bewoordingen!' Mijn gezicht gloeide plotseling van de weer opkomende verontwaardiging. 'Je verzekerde haar dat Chloë "niets bijzonders" was.'

Nate knikte langzaam. 'Ik herinner me dat gesprek nu weer... En dat heb ik inderdaad gezegd.'

Die kerel was echt brutaal! 'Dus ik hoorde dat allemaal,' zei ik, 'en ziedaar, een paar minuten later zie ik dat je Chloë vol warmte begroet en hoor ik je zeggen dat je je erg op haar feestje hebt verheugd. Dus toen besloot ik dat je een cynische, achterbakse, hypocriete, schijnheilige, overspelige...'

'Klootzak bent?' zei Nate behulpzaam.

'Ja. En eerlijk gezegd hoopte ik dat Chloë je niet te vaak meer zou zien, maar nu is ze met je verloofd en heeft ze een hoop geld betaald om je te laten schilderen, wat ik omwille van haar van plan ben te doen.' Mijn hart bonkte. 'En nu ik je vraag heb beantwoord, stel ik voor dat we doorgaan, al was het maar om de tijd die we nog met elkaar moeten doorbrengen zo veel mogelijk te beperken!'

Ik pakte mijn penseel op en begon het doek ermee te bewerken.

Ik hoorde dat Nate op zijn onderlip zoog. 'Dus je hoorde me met *honey* praten?'

'Ja.' Ik plukte een haar van het doek. 'Inderdaad. En ik hou niet van mannen die er twee vrouwen tegelijk op na houden, vooral niet als een van die twee mijn zus is!'

'Ik begrijp het. Je hebt Chloë daar niets van verteld, toch?'

'Nee. Maak je geen zorgen,' zei ik. 'Je geheim is veilig. Ik kwam wel in de verleiding het haar te vertellen, maar kon het niet over mijn hart verkrijgen haar plezier te bederven, dus deed ik het niet.'

'Dat is jammer,' zei hij irritant rustig. 'Want als je dat wel had gedaan, zou je van Chloë hebben vernomen dat de vrouw die ik *honey* noemde mijn nicht is.'

Ik keek hem aan. 'Dan heb je kennelijk een ongezond hechte relatie met haar.'

'Haar naam is Honeysuckle, maar iedereen noemt haar Honey, of Hon.'

Mijn mond was plotseling kurkdroog. 'Maar... Je had de sleutels van haar huis. Je zei dat je zelf wel binnen zou komen, dus klonk het alsof ze je –'

'Ik heb inderdaad sleutels,' onderbrak hij me, 'alleen niet van haar huis, maar van haar kantoor – óns kantoor – want Honey is ook mijn baas. Ze is de directeur van het bedrijf waar ik werk. Blake Investments, dat twintig jaar geleden is opgericht door haar vader, Ted Blake, die met mijn moeders jongste zus Alessandra is getrouwd.'

Ik probeerde te slikken. 'Op die manier...'

'En de reden dat ik naar Honey zou gaan, was dat ze me toen ik op weg was naar Putney op mijn mobiele telefoon belde en me vroeg terug te komen naar kantoor. Er was een probleem met een aankoop waarmee we bezig waren. Ik wilde Chloë niet teleurstellen, dus zei ik tegen Honey dat ik op weg was naar een feestje, maar beloofde ik haar dat ik daarna terug zou komen. Ik zei dat ik zelf wel binnen zou komen omdat de bewaker om acht uur vertrekt. Ik ging om negen uur terug naar kantoor en Honey en ik werkten tot twee uur 's nachts, tot we het probleem hadden opgelost.' Hij keek me aan. 'Nu tevreden?'

Mijn wangen gloeiden. 'Nee, want je praatte onbeschoft over Chloë. Je deed het voorkomen alsof het een hele opgave was om naar haar feestje te gaan.'

'Dat is waar. Want hoewel Honey geweldig is, kan ze ook erg nieuwsgierig zijn. Daarom deed ik er wat neerbuigend over.'

'Oké.' Ik werd woest om zijn zelfvoldane toon. 'Maar je hoefde toch niet tegen haar te zeggen dat Chloë "niets bijzonders" was, wel dan?'

'Nou... Zodra Honey denkt dat er wel "een bijzonder iemand" – zoals zij het altijd uitdrukt – in mijn leven is, blijft ze erover bezig. Erger nog, ze vertelt het haar moeder, die het aan de mijne vertelt. Binnen de kortste keren hangen al mijn zussen aan de telefoon en eisen ze informatie.'

'En... Hoeveel zussen heb je dan?'

'Vijf... Allemaal ouder dan ik.'

'O.' Ik herinnerde me nu vaag dat Chloë had gezegd dat Nate uit een groot gezin kwam.

'Bovendien kende ik Chloë pas een paar maanden en was ik er nog niet aan toe om Honey over haar te vertellen.'

'Tja... Zo klinkt het allemaal heel plausibel, maar –'

'Het is niet alleen plausibel, Ella,' onderbrak hij me beslist, 'het is gewoon waar.' Nate snoof geamuseerd en sloeg zijn armen over elkaar. 'Dus op basis van één toevallig opgevangen telefoongesprek besloot je dat ik een ander had terwijl ik met Chloë uitging, over wie ik respectloos, zo niet botweg neerbuigend, met die andere vrouw praatte. Dat is het in het kort, nietwaar?'

'Ja. Maar zo klonk het echt,' antwoordde ik hulpeloos.

Nate zoog zijn onderlip weer naar binnen. 'De manier waarop het misschien klonk was echter heel anders dan de werkelijkheid.'

'Nou, ik... ben heel blij dat ik dat nu weet. En het... spijt me,' hakkelde ik, 'als ik inderdaad, eh, een beetje kil tegen je deed.'

'Kil?' Nate schudde zijn hoofd. 'Je was ijskoud, Ella.'

'Oké, maar die... koudheid was gebaseerd op iets waarvan ik nu inzie dat het een misverstand was.' Mijn gezicht gloeide. 'Maar ik accepteer met alle plezier dat je geen...'

'...cynische, achterbakse, hypocriete, schijnheilige, overspelige klootzak bent?' opperde Nate goedmoedig.

'Precies.'

'Nou, ik ben blij dat ik dat in elk geval voor elkaar heb gekregen.'

'Ik ook,' zei ik schaapachtig. Ik pakte mijn penseel. 'Mag ik je dan nu gaan schilderen?'

Nate legde zijn handen op zijn knieën en glimlachte. 'Ja.'

'Dus je had het bij het verkeerde eind?' zei Polly de dinsdag na Pasen. We zaten in haar kleine tuin koffie te drinken. Omdat de zon scheen droeg ze een van haar vele paren witte katoenen handschoenen.

'Ik had het helemaal bij het verkeerde eind.' Ik kromp nog ineen bij de herinnering. 'Ik voel me vreselijk.'

'Niet doen. Het is gemakkelijk te begrijpen waarom je dacht wat je dacht.' Polly knikte naar de cafetière. 'Zou je zo vriendelijk willen zijn?'

'O, natuurlijk.' Ik duwde de dompelaar naar beneden om Polly's handen te sparen en schonk een kop koffie voor haar in.

'Dank je.' Ze pakte de melk. 'En wat vond je daarna van Nate?'

'Eh... Hij is leuk. Erg leuk, ja.'

Polly glimlachte. 'Dat is geweldig. Hij wordt immers binnenkort je zwager, dus het moet wel een opluchting zijn te ontdekken dat je hem toch graag mag.'

Ik probeerde het gevoel te onderdrukken dat ik gelukkiger was geweest toen ik hem niet mocht.

'En... Is hij knap?'

'Zeker.' Ik vulde mijn kopje. 'Zeer zeker. Dat kan ik niet ontkennen.'

Polly keek me verbaasd aan. 'Waarom zou je dat willen?'

'Eh, zomaar. Hij is, zoals ik al zei, heel aantrekkelijk.'

'Chloë is een geluksvogel,' verzuchtte Polly.

'Ja.'

'Wat heeft hij voor achtergrond?'

'Italiaans. Zijn ouders kwamen uit Florence, maar zijn begin jaren vijftig naar New York geëmigreerd.'

Polly nam een slok van haar koffie. 'Waarom zou iemand weg willen uit Florence?'

'Dat heb ik hem ook gevraagd. Het was omdat er na de oorlog weinig werk was. Hij zei dat zijn komst een verrassing was: zijn moeder was vijfenveertig toen hij geboren werd. Nu is ze eenentachtig en nogal broos. Zijn vader is tien jaar geleden gestorven en hij heeft vijf oudere zussen – Maria, Livia, Valentina, Federica en... o ja, Simonetta.'

'Oké,' zei Polly langzaam. 'En waarom heeft híj geen Italiaanse naam?'

'Omdat hij naar de taxichauffeur is vernoemd die hem op de wereld heeft geholpen. Hij kwam drie weken te vroeg en zijn vader, die voor Steinway werkte, was in Philadelphia om een nieuwe concertvleugel naar de Academy of Music te brengen. Niet dat hij de bezorger was, of zo, hij was meesterstemmer en kennelijk ook een geweldige pianist. Hij gaf heel mooie recitals in een plaatselijke kerk.'

Polly keek me aan. 'Echt waar?'

'O ja.' Ik roerde in mijn koffie. 'Maar goed, hij was in Philadelphia,' vervolgde ik, 'dus toen Nates moeder besefte dat de baby in aantocht was belde ze om een ambulance, maar die kwam niet. Ze nam een taxi, maar haalde het ziekenhuis niet. Nate is in de taxi geboren, met de hulp van de taxichauffeur, die Nathan heette. Mevrouw Rossi beloofde dat ze haar zoon naar hem zou vernoemen. Hij kwam naar Nates doop en gaf hem een paar zilveren manchetknopen die Nate nog steeds draagt. Is dat niet leuk?'

Polly glimlachte. 'Zo te horen hebben jullie gezellig gekletst.'

Ik legde het lepeltje op het schoteltje. 'Ik heb mijn best gedaan extra vriendelijk te zijn om goed te maken dat ik eerst niet bepaald *simpatico* was.'

Polly keek me vragend aan. '*Simpatico?*'

'Ja. Wat is daar mis mee?'

'Niets. Alleen dat je dat woord anders nooit gebruikt.'

'Niet?' Ik joeg een vlieg weg. 'Maar goed, de zussen van Nate hebben allemaal allang kinderen en zetten hem onder druk om te trouwen, vooral omdat zijn moeder al zo oud is. Hij zei dat hij gek wordt van hun gezeur.'

'Wat vreselijk.'

'Daarom is hij naar Londen verhuisd... Om bij hen uit de buurt te zijn.'

'Arme kerel. Dan zullen ze wel dolblij zijn dat hij Chloë heeft gevonden.'

'Dat denk ik wel ja...'

'Heeft ze hen al ontmoet?'

'Ja, zij en Nate zijn een maand geleden een weekend naar New York geweest.'

'En komt zijn hele familie over voor de bruiloft?'

'Dat... weet ik niet.'

'Je zou het Chloë kunnen vragen.'

'Ja, dat zou ik kunnen doen.'

Ik kromp ineen bij het idee om met Chloë over Nate te praten. Ik besloot dat dat niet meer dan normaal was, aangezien de portretteersessies heel persoonlijk zijn.

'Wanneer zie je hem weer?'

'Zaterdagochtend. Ik wil croissants halen voor de onderbreking. We hebben afgelopen keer geen pauze genomen omdat we het door al dat gepraat vergeten zijn. Of misschien haal ik wel biscotti.' Ik zette mijn kopje neer. 'Wat vind jij?'

'Wat vind ik waarvan?'

'Zal ik croissants halen of biscotti? Biscotti,' zei ik voor ze de kans kreeg te antwoorden. 'Of misschien florentines, ter ere van zijn afkomst... Als hij dan maar niet allergisch is voor noten,' voegde ik er bezorgd aan toe.

'Ella?' Polly zette haar kopje neer.

'Wat?'

'Eh... Je lijkt wel erg van de sessie met Nate te hebben genoten.'

Ik voelde mijn huid tintelen. 'Dat is ook zo... omdat ik gewoon blij was dat het misverstand uit de weg geruimd was. Het was echt een opluchting, zoals je zelf al zei. Maar vertel,' zei ik, en ik klapte in mijn handen. 'Hoe was je afspraakje?'

'Nou...' Ze zuchtte gelaten. 'Het begon veelbelovend. Ik bracht Lola naar Ben – ze zijn tot morgen in Wales, bij zijn moeder – en reed toen naar Islington voor de afspraak met Jason. We gingen lunchen bij Frederick's en daarbij vertelden we allebei over ons werk. Hij wist niet dat ik zowel voeten als handen doe, en ik vertelde hem over de *Stap-voor-stap pedicuregids* waar ik voor *Woman's Own* mee bezig ben en daar leek hij erg in geïnteresseerd. Na de lunch vroeg hij me of ik zin had nog mee naar zijn huis te gaan voor koffie. Ik voelde me heel ontspannen bij hem, dus zei ik ja, en toen we door Camden Passage slenterden, pakte hij mijn hand vast...'

'Hij kneep er toch niet in, of wel?'

'Nee, nee... Ik had gezegd dat hij voorzichtig moest zijn. Hoe dan ook, ik was blij en hoopvol, dus we gingen naar zijn appartement in een omgebouwd pakhuis boven aan Peter Street, maar toen...' Ze trok een grimas.

'Kwam zijn vrouw thuis?'

'Nee... Hij is single. Het was veel raarder dan dat. We gingen zijn studio in en hij trok me op de sofa. Ik dacht dat hij me zou gaan kussen, wat ik niet erg zou hebben gevonden, maar in plaats daarvan vroeg hij me mijn schoenen uit te trekken. Dus dat deed ik. Hij keek naar mijn voeten en zei dat hij ze prachtig vond, en hij legde ze op zijn schoot en begon ze te strelen, wat eigenlijk best prettig was, maar toen...'

'O god... Hij wilde aan je tenen likken.'

Ze trok een gezicht. 'Niet echt. Hij liep de kamer uit en kwam terug met een paar rode lakleren schoenen met hakken van twíntig centimeter, plateauzolen van ácht centimeter en metalen spikes langs de randen en zwarte leren riempjes tot halverwege mijn kuiten.'

'En wat wilde hij dat je deed – op zijn buik gaan staan terwijl hij om genade smeekte?'

'Nee.' Polly huiverde. 'Hij vroeg me ze heel langzaam aan te trekken en dicht te maken... heel langzaam.'

'Aha...'

'Terwijl hij me filmde.'

'O.'

Polly's ogen waren zo groot als schoteltjes. 'Dat is het enige wat hij wilde: me filmen terwijl ik die afschuwelijke schoenen aantrok.'

'En... Heb je dat gedaan?'

'En eeltknobbels en doorgezakte voeten riskeren? Geen denken aan! Mijn voeten betalen Lola's schoolgeld. Hij smeekte me het te doen, maar ik weigerde.'

'Je zou op YouTube zijn gekomen als je het wel had gedaan.'

'Precies. Of hij had het filmpje kunnen verkopen aan een site voor fetisjisten. Maar goed, ik heb mijn Hush Puppies weer aangedaan en ben vertrokken.'

'Dus... dat was een beetje teleurstellend.'

'Inderdaad. En het enige wat ik wilde was een kop Nescafé en een knuffel.' Polly trok een gezicht. 'Dat heb ik nou áltijd. Zodra ik een man vertel dat ik voetmodel ben, krijgt hij allemaal perverse ideeën. Nou ja... Einde verhaal voor meneer WC-Eend.'

'Er komen wel andere, Pol.'

'Daar maak ik me juist zorgen over.'

'Nee... Je prins komt heus wel, met een mooi en comfortabel... glazen muiltje.'

'Ik heb liever dat hij een mooie comfortabele Ugg voor me meebrengt. De muiltjes van Assepoester waren trouwens niet van glas, dat is een wijdverbreide misvatting.'

'O ja?'

'In de vroegste Franse versies van het sprookje droeg ze *pantoufles de vair* – v, a, i, r – wat schoentjes van eekhoornvacht zijn. Tegen de tijd dat Charles Perrault die vroege versies las, was het woord niet meer in gebruik, dus nam hij aan dat *vair* een verkeerde vertaling van *verre* – v, e, dubbel r, e – was en dus kreeg Assepoester in zijn versie glazen muiltjes.'

'Aha. Je kennis op het voetenfront is encyclopedisch, Polly.'

Ze haalde haar schouders op. 'Dat soort dingen pik je gewoon op als je in de tenenbusiness zit.' Ze keek me aan. 'En... Verder nog nieuws?'

'Nee,' antwoordde ik. 'Of eigenlijk wel.' Ik vertelde haar over mijn vaders e-mail.

Polly's hand vloog naar haar borst. 'Heeft je vader contact met je opgenomen?' Haar ogen werden groot van verbazing. 'Vanwege dat stuk in *The Times*?'

'Ja, en dat is precies waar ik bang voor was. Daarom probeerde ik die journalist zover te krijgen dat hij het stuk aanpaste.'

'Ik dacht dat dat was omdat je het te persoonlijk vond.'

'Dat vond ik ook. Maar mijn grootste zorg was dat mijn vader zou kunnen proberen contact op te nemen als hij het zag.' Ik slaakte een zucht. 'Ik weet nog steeds niet hoe Hamish Watt te weten is gekomen wat hij wist. Ik praat er nooit met iemand over, en Chloë ook niet. En ik weet dat jij het er ook niet over zou hebben.'

'In geen duizend jaar.'

‘Maar dat verdraaide artikel is dus de reden van mijn vaders e-mail.’

‘Misschien was hij al naar je op zoek.’

‘Hij zei dat de *Western Australian* een artikel had over de hertogin van Cornwall, waarin mijn portret van haar werd genoemd en waarin een link stond naar het interview met mij in *The Times*. Dat was de aanleiding voor zijn berichtje, dat hij toevallig op internet iets over me las. Maar ik heb het gewist.’

‘Ella!’ Polly’s gezicht was een masker van ontzetting.

Het maakte me moedeloos. ‘Kijk me niet zo aan, Pol. Ik heb meer dan dertig jaar geen contact met die man gehad en dat wil ik nu ook niet... Dat had ik al tegen je gezegd.’

‘Ik vind het sneu voor hem.’

Ik zette mijn kopje neer. ‘Waarom sta je nou aan zijn kant?’

‘Dat sta ik niet,’ protesteerde ze zacht. ‘Ik sta aan jouw kant, maar ik vind gewoon... Nou ja, je weet wat ik vind, Ella.’

Ik haalde mijn schouders op. ‘Hij zei dat hij het graag goed wilde maken, maar wat hij echt wil is zichzelf een beter gevoel geven over wat hij heeft gedaan. Waarom zou ik hem daarbij helpen?’

‘Omdat... je er in de toekomst misschien hevig spijt van zult krijgen als je dat niet doet.’

‘Dat risico neem ik.’

‘En misschien...’ Polly keek me scherpzinnig aan. ‘Misschien heeft het verhaal nog een andere kant. Misschien is het allemaal niet zo erg als je denkt.’

‘Nee.’ Ik voelde een golf van verontwaardiging. ‘Het was gewoon een afschuwelijke daad van verraad. Mijn moeder was dol op hem, hij was de liefde van haar leven. Ze zei dat ze deed wat ze kon om hem gelukkig te maken, en ik geloof haar. Maar in september 1979 liet hij ons in de steek en we hebben nooit meer iets van hem gehoord... Tot nu.’

‘Oké. Wat hij heeft gedaan was harteloos. Maar hij komt naar Londen, misschien zelfs wel in de buurt.’

Ik zag mijn vader voor me, die naar me toe kwam lopen. Zou ik hem herkennen? Ik had niet eens een foto van hem. Ik herinnerde me dat zijn haar donker was, net als het mijne. Het zou nu wel grijs zijn, of misschien zelfs wit. Misschien had hij niet eens veel haar meer. Hij kon wel magerder zijn dan toen ik hem kende, of juist zwaarder. Hij had misschien veel rimpels in zijn gezicht gekregen.

'Zou het niet leuk zijn hem te ontmoeten,' zei Polly, 'al was het maar één keer? Gewoon even met hem praten, en het misschien een beetje... afsluiten.'

'Ik heb geen behoefte aan afsluiting, dank je, met mij gaat het prima.'

'Maar je wilt hem toch vast wel wat dingen vragen?'

'O, dat wel. Ik zou hem willen vragen waarom zijn huwelijksgeloften zo weinig voor hem betekenden en hoe hij mijn moeder in de steek kon laten terwijl die zo veel van hem hield. Ik zou hem willen vragen hoe hij het over zijn hart kon verkrijgen zijn enige kind in de steek te laten, en waarom hij niet op z'n minst heeft geprobeerd het me uit te leggen of me zelfs gedag te zeggen.'

'Dus je wist niet dat hij... wegging?'

'Nee.' Ik zocht in mijn herinnering. 'Hij was er gewoon opeens niet meer. Ik vroeg mijn moeder steeds waar hij was, maar ze gaf me gewoon geen antwoord. Ze zal zelf ook wel erg van streek zijn geweest, ook omdat ze net was gevallen. Uiteindelijk vertelde mijn grootmoeder dat ik dapper moest zijn, omdat mijn vader was weggegaan en niet meer terug zou komen. Ik was ervan overtuigd dat ze het mis had. Dus ging ik voor het raam van onze flat in Moss Side naar hem zitten uitkijken. Ik zat daar wekenlang, maar hij kwam niet. Ik ging zijn vertrek in verband brengen met mijn moeders val en begon te denken dat mijn vader moest zijn vertrokken omdat mam niet meer kon dansen.'

'Je vertelde me dat je je niet veel meer over je vader herinnerde, maar kennelijk is dat toch zo,' merkte Polly op.

Ik knikte. 'Ik herinner me steeds meer sinds hij contact met me heeft opgenomen.'

Een, twee, drie, en hoog in de lucht... Ik vroeg me nu af waarom dat zo'n duidelijke herinnering was. En waarom stond mijn moeders rood-witte rok me zo scherp voor de geest?

Polly legde haar hand op mijn arm. 'Ik wou dat je naar hem toe ging, Ella.'

'Nee.' Ik perste mijn lippen op elkaar. 'Hij heeft te lang gewacht. Hij had jaren geleden contact met me moeten opnemen.'

'Hij wist niet waar je was.'

'Dat is waar, maar hij had mam kunnen opsporen. Hij had navraag kunnen doen bij het English National Ballet of het Northern Ballet Theatre. Er waren aanknopingspunten genoeg. Oké, hij zal niet geweten hebben dat ze niet langer Sue Young heette – dat was haar meisjesnaam en de naam waaronder ze danste. Maar als hij per se had gewild, had hij haar best kunnen vinden en dan had hij mij ook gevonden.'

'Nou... Misschien heeft hij inderdaad geprobeerd contact op te nemen.'

'Dat heeft hij niet. Ik heb al die jaren helemaal niets van hem gehoord. En dan leest hij op internet iets over me en heeft hij met twee muisklikken contact met me. Dat is te gemakkelijk gegaan, Polly, dus het betekent niets.'

'Ik begrijp best dat je er zo over denkt, maar misschien had hij het gevoel dat hij geen contact met je moeder kón opnemen na wat hij had gedaan.'

'Dat is mogelijk. Misschien schaamde hij zich te zeer. Dat mag ook wel, want hij liet haar zonder geld achter.'

Polly's ogen werden groter. 'Ze heeft toch wel iets gekregen?'

'Volgens mij niet.'

'Dan had ze een waardeloze advocaat.'

'Misschien, maar destijds kreeg een vrouw niet zo veel als nu. De wetten zijn veranderd.'

'En was hij in goeden doen?'

'Ik heb geen idee. Hij was architect, maar of hij succesvol was weet ik niet.'

'Hoelang zijn je ouders getrouwd geweest?'

Ik haalde mijn schouders op. 'Vijf of zes jaar.'

'Hij moest toch zeker wel alimentatie betalen?'

'Ik heb geen idee. Ik weet nog wel dat mam liep te mopperen dat ze nog geen cent van hem zou aannemen na wat hij had gedaan. Ze was erg verbitterd, en dat is ze nog steeds. Dus ik ben niet van plan een beerput open te trekken door haar te vertellen dat hij contact met me heeft opgenomen, laat staan dat hij naar Londen komt.'

'Kun je niet met hem afspreken zonder het haar te vertellen?'

Ik aarzelde. 'Daar heb ik ook aan gedacht... Maar het is te belangrijk om te verzwijgen, en het haar vertellen zou de boel flink op z'n kop kunnen zetten en Chloës bruiloft verpesten.'

'Ga je het tegen Chloë zelf zeggen?'

'Nee. Dat risico kan ik niet nemen, voor het geval ze het mam vertelt. Niet dat Chloë ooit over mijn vader nadenkt,' voegde ik eraan toe. 'Wat haar betreft is Roy mijn vader. En dat is ook nog zoiets: ik wil hém niet kwetsen.'

'Maar hij zou blij voor je zijn.'

'Nee... Het zou hem van streek maken.'

'Ik denk dat hij het zou begrijpen. Hij zou je steunen,' vervolgde Polly. 'Dat weet ik zeker. Hij houdt van je, Ella.'

Polly drong te veel aan. Ik stond op. 'Ik kan maar beter gaan, Pol. Ik moet nog van alles doen... Doeken voorbehandelen en dat soort dingen.'

'Oké,' zei ze vermoeid en we liepen de gang in. 'Maar je hebt nog even tot je vader komt.' Ze keek me indringend aan. 'Ik hoop dat je van gedachten zult veranderen, Ella. Ik hoop dat je met hem gaat praten.'

Ik schudde mijn hoofd. 'Dat gaat niet gebeuren.'

Ik kon trouwens niet eens van gedachten veranderen, besefte ik toen ik de volgende morgen onderweg was naar Barnes: ik had mijn vaders e-mail gewist en uit de prullenbak verwijderd. Ik had niets van hem. Hij was weg. Toen de taxi bij Celine de oprit in draaide, besloot ik te vergeten dat hij contact met me had opgenomen.

Ik betaalde de chauffeur en belde aan. De huishoudster liet me binnen en vroeg me weer in de studeerkamer te wachten. Ik zei tegen haar dat ik er de voorkeur aan gaf alles alvast klaar te zetten om tijd te besparen. Dus bracht ze me naar de salon en legde ze wat stoflakens neer terwijl ik mijn ezel opzette en de stoel voor Celine goed zette. Daarna mengde ik de verdunde okerkleurige verf, zette het doek op de ezel en wachtte. Ik keek naar de schoorsteenmantel, waar enkele formeel uitziende uitnodigingen tussen het antieke zilver stonden. Op de glazen salontafel lag een exemplaar van *Hello!*, en ik bladerde het even door. Tussen de advertenties zag ik Clive Owens gezicht dat werd gestreeld door Polly's handen. Ik zou haar vingers overal herkennen. Toen ik de bladzijde omsloeg keek ik tot mijn verbazing naar een foto van Max. Hij had een glas champagne in zijn hand en stond naast zijn vrouw, *bestsellerauteur Sylvia Shaw bij de lancering van haar nieuwe thriller:* Dead Right. Max zag er beter uit dan ik me hem herinnerde: zijn gezicht gladgeschoren, zijn halflange haar nu kort. De foto deed Sylvia echter geen recht: haar hoekige trekken leken veel te scherp, als bij een late Picasso. Het zou interessant zijn om haar te schilderen, bedacht ik.

'Het spijt me, ik ben een beetje laat,' hoorde ik Celine zeggen. Ik keek op. Ze was érg laat, maar ze had in elk geval de lichtblauwe jurk al aan. 'Ik zie dat je er al klaar voor bent,' vervolgde ze vriendelijk.

Ik weerstond de verleiding om haar te vertellen dat ik al twintig minuten klaar was, legde het tijdschrift op tafel en liep naar mijn ezel.

Celine nam plaats in de stoel, zette haar tas naast haar voeten en wendde zich naar mij. 'Zo zat ik, nietwaar?'

'Inderdaad. Maar zou je iets verder naar achteren kunnen gaan zitten? Je zit nu op het puntje van de stoel. Zo is het prima.' Toen ik mijn penseel oppakte hoorden we het *plink* van een sms'je.

'Sorry,' mompelde Celine en ze boog naar voren en viste haar telefoon uit haar tas, las het berichtje en begon toen tot mijn verbijstering terug te sms'en. 'Ik moet gewoon even antwoorden,' mompelde ze terwijl ze bezig was. 'Bijna klaar... *et voilà!*' Ze stopte de telefoon terug en nam haar pose weer aan.

Ik begon te werken. 'Ik ben nog met de onderste lagen bezig,' legde ik uit. 'Volgende week begin ik met wat details, en ik gebruik elke keer dikkere verf – dun naar dik, noemen we dat – totdat... O...'

We hoorden de jingle van Celines beltoon. Ze dook meteen in haar tas.

'Celine...' protesteerde ik, maar ze had het gesprek al aangenomen.

'*Oui?*' Ze stond op. '*Oui, chéri, je t'entends,*' zei ze zacht, steels bijna. '*Bien sûr, chéri.*' Toen ze de kamer uit liep vloekte ik in stilte.

Ik zou willen dat ik haar achterste op de stoel vast kon lijmen.

Tien minuten later kwam ze terug. Ze liet haar mobiele telefoon weer in haar tas vallen en ging zitten. 'Oké.' Ze legde haar handen in haar schoot. 'Nu kunnen we beginnen.'

'Geweldig,' zei ik opgewekt. Ik bracht weer verf op het penseel aan, keek naar Celine en begon de linkerkant van haar gezicht te omlijnen. Ik was drie of vier minuten aan het werk toen de deurbel ging.

Celine stond op. 'Ik kan maar beter even gaan opendoen.'

'Dat kan je huishoudster –'

'Ze is boven in het huis... Ik wil haar niet storen.'

'Celine,' protesteerde ik, maar ze was al halverwege de kamer. 'Je stoort mij,' zei ik geluidloos tegen haar rug. Ik hoorde haar hakken door de gang tikken en toen ging de voordeur open. Er volgde een lang en geanimeerd gesprek, in het Engels, over... Ik spande me in om het te horen. De kerk?

Toen Celine eindelijk terugkwam blies ze in een overdreven vertoon van ergernis. 'Sorry hoor, maar die Jehova's getuigen kunnen zo doordrammen.'

Ik voelde mijn mond openvallen. 'Stond je met Jehova's getuigen te praten?'

'Ja.'

'Tien minuten?'

'Ja. Ik wilde duidelijk maken dat ze hun tijd verspilden. Ik heb gezegd dat ze hier niet meer moeten komen. Ik geloof niet dat ze dat nog zullen doen,' voegde ze er uitermate tevreden aan toe. 'Nou...' Ze ging zitten. 'Zullen we doorgaan?'

Ik gaf geen antwoord.

'Ik wil graag doorgaan met de sessie,' voegde Celine er met een air van statig geduld aan toe, alsof ik háár had laten wachten.

Ik liet mijn penseel zakken. 'Dat kan ik niet.'

Celine keek me aan. 'Waarom niet?'

'Omdat je niet blijft zitten. Je staat telkens weer op, Celine. Je neemt telefoontjes aan, pleegt zelf telefoontjes, stuurt sms'jes en loopt naar de voordeur. Dat was vorige keer ook al zo. Dus ik ga niet door als je niet aan twee voorwaarden voldoet: ten eerste zet je je telefoon uit...'

Celines ogen werden groot. 'Ik moet hem aan laten. Het zou belangrijk kunnen zijn.'

'De sessies zijn ook belangrijk.'

'Maar de beller zou daar aanstoot aan kunnen nemen.'

'Ík zou er aanstoot aan kunnen nemen. Ik neem er nu al aanstoot aan. Tweede punt: blijf alsjeblieft op die stoel zitten. Je mag er alleen nog af komen als het huis in brand staat.'

Celine keek me aan alsof ik haar geslagen had. 'Vertel me niet wat ik wel en niet mag doen in mijn eigen huis!'

Ik telde in stilte tot tien. 'Celine, als je me niet je aandacht geeft, kan ik je niet schilderen.'

Ze haalde haar schouders op alsof het haar helemaal niets kon schelen.

'En ik wil je graag schilderen, niet in het minst omdat je man daar al een aanzienlijk bedrag voor heeft betaald.'

'Daar heb ik hem niet om gevraagd!' Celines gezicht was rood geworden. 'Ik wílde niet geschilderd geworden. Dat wil ik nog steeds niet!'

'Tja...' De aap kwam uit de mouw. 'Dat is wel duidelijk. Maar... Kun je me vertellen waarom niet?'

Celine zuchtte. 'O, ik weet het niet. Ik heb gewoon het gevoel...'

Ik legde mijn penseel neer. 'Ben je bang dat het portret je niet zal flatteren?'

Ze gaf geen antwoord.

'Je bent een erg mooie vrouw, Celine, en zo zul je er ook uitzien, want ik schilder gewoon wat ik zie: een mooie vrouw.'

'Van veertig.' Ze keek geschokt. 'Ik word veertig!'

Ik dacht even dat ze zou gaan huilen. 'Veertig is niet oud!' Ging het daar allemaal om? Een of andere neurose over haar leeftijd? 'Je ziet er niet eens uit als veertig. Je lijkt nog jonger dan ik.'

Celine keek me aan. 'Hoe oud ben je?'

'Vijfendertig.'

'En ben je getrouwd?'

'Nee.'

'Heb je kinderen?'

Ik schudde mijn hoofd.

Celine keek me triest aan. 'Dus je bent nooit getrouwd en je hebt geen kinderen?'

Ik hield me in om niet te steigeren bij haar air van medeleven. 'Dat klopt, maar ik ben heel gelukkig. Er zijn veel manieren van leven.'

Celine knikte langzaam, bijna somber.

'Maar luister eens, Celine, kunnen we alsjeblieft over jou praten? Het zou me helpen als ik wist waarom je niet geschilderd wilt worden.'

Ze ademde uit. 'Ik... weet het niet. Het is moeilijk uit te leggen. Ik kan gewoon... Ik wil...' Ze haalde verslagen haar schouders op. Wat de reden ook was, ze zou het me niet vertellen.

'Geschilderd worden is ook niet gemakkelijk,' zei ik. 'Voor de schilder is de sessie een fascinerende, intense ervaring. Maar voor degene die geschilderd wordt kan het frustrerend zijn, omdat die de hele tijd naar hetzelfde stukje van de muur zit te staren. Ben je daarom zo rusteloos?'

Ze knipperde langzaam met haar ogen. 'Ja. Ik vind het moeilijk,' zei ze, 'om hier alleen maar te zitten. Dat is de reden. Precies.'

'Nou, je zult het een stuk gemakkelijker vinden als we een praatje maken. Maar dat kan alleen als je de voordeur negeert en je telefoon uitschakelt.'

Ze haalde haar mobieltje uit haar tas. 'Ik zet hem niet uit...' Ze begon weer toetsen in te drukken en het hart zonk me in de schoenen. 'Maar ik zal hem wel naar de voicemail doorschakelen en het geluid uitzetten.'

Opgelucht sloot ik even mijn ogen.

'En ik beloof je dat ik niet meer zal opstaan... tenzij ik vlammen zie.'

'Dank je!'

Celine legde de telefoon in haar schoot en hernam haar pose. Omdat ik dolgraag een zekere verstandhouding met haar wilde opbouwen, begon ik met haar te praten. Ik vroeg haar uit welk deel van Frankrijk ze kwam en ze vertelde me dat haar familie in Fontainebleau bij Parijs woonde. Daarna vroeg ik haar wat haar echtgenoot deed.

'Hij is voorzitter van Sunrise Insurance. Zo hebben we elkaar ontmoet. Ik wilde een jaar of twee in Londen werken – ik had Engels gestudeerd aan de universiteit – en vond een baan op de afdeling die Victor destijds runde. We trouwden toen ik drieëntwintig was. Niet veel later kreeg ik Philippe, en' – ze haalde haar schouders op – 'nu zit ik nog steeds hier.'

'Je zei dat Philippe op kostschool zit. Vindt hij het daar leuk?'

'Hij vindt het geweldig,' zei ze mat. 'Hij wilde er heel graag naartoe, dus ging hij van de dagschool naar Stowe om daar het atheneum te volgen.'

'En hij is nu... zestien?'

'Ja... En nu al heel zelfstandig. Hij komt nauwelijks nog naar huis.' Celine keek me terneergeslagen aan. 'Het leven gaat zo snel voorbij. Gisteren duwde ik hem nog in zijn buggy naar de vijver om de eendjes te voeren. Vandaag is hij een tiener met een iPod en een laptop. Morgen heeft hij een baan en zijn eigen flat, en overmorgen heeft hij zelf kinderen en... Maar jij bent niet getrouwd.'

Ik onderdrukte een geërgerde zucht. 'Dat klopt.'

'Maar je hebt wel iemand.'

'Nee.' Ik kneep een beetje mangaanviolet op mijn palet. 'Aan mijn laatste relatie kwam een jaar geleden een eind.'

'Wie was hij?'

'Een beeldhouwer die David heette. Hij was nogal wat ouder dan ik.'

'Hoeveel?'

'Elf jaar.'

Celine keek me indringend aan. 'Dus jij hebt de relatie verbroken?'

'Ja, zij het niet om die reden. Het was omdat...'

'Omdat wat?' Het was alsof mijn antwoord heel belangrijk voor haar was.

Ik wilde het niet over mijn privéleven hebben, maar ik wilde Celine ook niet voor het hoofd stoten nu ze begon mee te werken. 'Ik ben twee jaar met hem samen geweest,' legde ik uit. 'We konden het heel goed vinden samen, maar het voelde gewoon te... Ik weet het niet, te comfortabel, te...'

'Veilig?'

Ik keek Celine aan. 'Ja. Hij was heel aardig, maar ik wilde meer voelen. Misschien vind ik dat wel nooit, maar ik kan in elk geval blijven hopen.'

Celine knikte peinzend. 'Maar er is wel iemand die je leuk vindt.'

Ik begon aan haar onderlip. 'Nee. Die is er niet.'

'Die is er wel,' hield ze vol. 'Er is iemand tot wie je je aangetrokken voelt. Ik zie het aan je gezicht.'

Ik voelde mijn huid tintelen.

'Ik voel het. Ik ben erg intuïtief.'

'Dat geloof ik graag.' Ik veegde mijn penseel af. 'Maar je hebt het mis.'

De rest van de sessie verliep zonder bijzonderheden. Celines mobieltje zoemde een paar keer, maar ze keek alleen naar het scherm. De bel ging ook weer, maar ze liet de huishoudster opendoen. Ze leek zich eindelijk bij het portret neer te leggen.

Om vijf over een stopten we. Celine stond op en kwam kijken naar wat ik had gedaan.

'Zoals ik zei, zijn het nog maar de basisvormen,' legde ik uit. 'Maar volgende keer begin ik aan je gelaatstrekken.' Ik schoof het portret in de draagtas. 'Dus, volgende week dezelfde tijd?'

'Dat is prima. Heb je een taxi gereserveerd?'

'Ja, voor kwart over één.'

Hij kwam precies op tijd. Ik legde mijn ezel en de reservedoeken in de kofferbak en zette het portret naast me op de achterbank. Daarna vertrokken we. Toen we over Hammersmith Bridge reden, blonk de rivier als bladmetaal in het zonlicht.

Er is iemand die je leuk vindt.

Celine had het mis. Ik overdacht wat voor kleuren ik zou gebruiken om Nates ogen te schilderen...

Ik zie het aan je gezicht.

Azuurblauw met ongebrande siena...

Ik voel het.

Met een tikje damiumgeel.

De rit leek snel te verlopen. Ik bekeek intussen mijn e-mails. Er was er eentje van mam die vroeg of ik, omdat ik Cecilia Bartoli had geschilderd, haar wilde vragen of ze op Chloës bruiloft zou willen zingen. Ik schreef haar één woord terug. *Nee!!!* Er was ook een mailtje van Clare, de radioverslaggeefster, met de datum en tijd waarop haar documentaire zou worden uitgezonden. Terwijl ik het in mijn agenda zette, realiseerde ik me dat de taxi al een poosje niet bewoog.

'Wat is dat nou?' zei de chauffeur en ik keek op. Hij kneep in het stuur en keek recht vooruit. 'Moet je dat nou zien!' We waren vlak bij Fulham Broadway, waar het verkeer aan onze kant van de weg stilstond.

'Is er een voetbalwedstrijd?' vroeg ik hem.

'Nee. Een bus met pech. Daarginds, kijk: hij blokkeert beide rijbanen.'

We kropen in een kakofonie van blèrende claxons naar de verkeerslichten toe en zagen ze rood, toen groen en weer rood worden.

Ik pakte mijn portemonnee uit mijn tas. 'Ik loop vanaf hier wel naar huis. Het is niet ver meer.'

De chauffeur keek naar me om. 'Lukt dat met al die spullen?'

'Jawel, dank u.' Ik betaalde hem. 'Het is niet zo zwaar, alleen wat onhandig.'

'Nou, doe maar voorzichtig met uitstappen.'

Ik haalde snel mijn ezel en de doeken uit de kofferbak en liep toen de pakweg tweehonderd meter naar het zebrapad. Het gele bord stond er nog en er lagen nog meer boeketten, zelfs eentje met het prijskaartje er nog aan. Ik drukte op de knop voor het voetgangerslicht en keek naar de foto van Grace. Het was voor het eerst dat ik die van dichtbij zag. Haar gezicht straalde een soort verbaasde blijdschap uit, alsof ze net fantastisch nieuws had gehoord. Nu zag ik onder de foto een gelamineerd briefje:

Mooi, sprankelend, grappig, warm, gelukkig, loyaal, dapper, sterk, fietsster, vastberaden, attent, cool, leuk gekleed, juf, bruisend, uniek, zachtaardig, betrouwbaar, Nutella, groot hart, gevoelig, vriendelijk, Lake District, pienter, energie, tuinierster, sympathiek, Three Peaks, Gracie, geduldig, kinderen, groen, Tic-Tacs, avontuurlijk, open, muntthee, inspirerend, zonnig, zorgzaam, knuffels, vrolijk, salsa, surfster, snowboardster, collega, nicht, achternicht, tante, zus, dochter, kleindochter, juf Clarke, beste vriendin ter wereld, onze lieveling, door iedereen geliefd.

Aan de rand van mijn gezichtsveld had ik het groene mannetje zien komen en verdwijnen en weer terug zien komen. Nu keek ik op en zag ik het rode mannetje, maar dat maakte niet uit, want de auto's kwamen toch niet vooruit. Dus stak ik peinzend over.

Ik liep naar huis en naar binnen, pakte mijn adresboekje uit mijn bureau, vond het nummer dat ik zocht en belde. De telefoon ging drie keer over voordat er werd opgenomen.

'Koninklijk genootschap van portretschilders, met Alison.'

'Alison, je spreekt met Ella Graham.'

'Hallo, Ella. Wat kan ik voor je doen?'

'Nou... Je herinnert je vast nog wel de opdracht waarover je me voor Pasen belde? Voor dat portret van die fietsster... Grace?'

'Natuurlijk herinner ik me dat. Ik heb de familie verteld dat je meende dat je zoiets niet kon.'

'Dat was ook zo. Maar zou je ze alsjeblieft willen bellen om te zeggen dat ik van gedachten veranderd ben?'

5

Op zaterdagochtend besloot ik mijn atelier schoon te maken voordat Nate kwam. Om halftien ging de telefoon. Ik wist meteen dat hij het was, dat hij belde om af te zeggen.

Ik nam op. 'Hallo?'

'Ella?'

'O, hoi, Pol. Ik ben blij dat jij het bent.' Ik klemde de telefoon tegen mijn schouder en begon de tafel schoon te vegen.

'Je klinkt buiten adem. Wat ben je aan het doen?'

'Ik bereid me voor op Nates tweede komst.'

'Zijn wat?'

'Zijn tweede sessie. Nate komt straks voor zijn tweede sessie, dus ben ik aan het opruimen.'

'Aha... En wat voor lekkers heb je uitgekozen? Biscotti of florentines?'

'Hobnobs.' Ik gaf de kussens van de bank ervan langs om het stof eruit te slaan. 'Ik vraag me af of hij die lekker vindt.'

'Ella, hij is een Amerikaan... Hij weet waarschijnlijk niet eens wat een Hobnob is.'

'Dat is waar.' Ik zette het boek met portretten van John Singer Sargent terug op de boekenplank. 'In dat geval kan ik misschien beter chocoladekoekjes doen. Ik heb trouwens ook nog een paar pinguïnkoekjes. Misschien had ik cupcakes moeten bakken.' Ik keek op de klok. 'Ik zou er nog net een paar kunnen maken.'

Er viel een vreemde stilte. 'Ella?' zei Polly toen.
Ik gooide een leeg verfblik in de vuilnisbak. 'Ja?'
'Ella...?'
Ik raapte wat oude schetsen van de vloer. 'Wat?'
'Eh... Ben je niet...?'
'Wát?' herhaalde ik.
'Niets.' Ik hoorde Polly uitademen. 'Laat maar.'
'In dat geval hang ik op, want ik heb het druk, Pol.'
'Wacht! Ik belde niet zomaar. Herinner je je Ginny Parks nog, van de lagere school?'
'Ja.' Ik begon mijn werktafel op te ruimen en zette de penselen in potten. 'Ik dacht toevallig laatst nog aan haar. Ze was heel irritant, had kort bruin haar en een roze bril.'
'Nou, ze is nu heel aantrekkelijk, heeft lang blond haar en draagt contactlenzen.'
'Bel je me daarvoor? Om te zeggen dat Ginny Parks knapper is geworden sinds we zes waren?'
'Nee, ik bel je omdat ze me gisteren als vriend heeft uitgenodigd op Facebook en omdat ik net haar profiel heb bekeken. Er staat in dat ze advocaat is...'
'Geweldig.' Ik zag opeens dat de ramen vies waren. Ik liep naar het aanrecht en spoelde een spons uit.
'...voor een advocatenkantoor in de City.'
'Fantastisch.'
'Gespecialiseerd in zakelijke geschillen.'
'Super.' Ik begon de ruit schoon te maken.
'En dat ze een relatie heeft met Hamish Watt.'
Mijn hand viel midden in een beweging stil. 'Die eikel die me heeft geïnterviewd?'
'Die, ja.'
'Dus daarom wist hij zo veel.' Door het raam zag ik een vliegtuig door de blauwe leegte trekken en een licht spoor achterlaten. 'Ginny vroeg altijd naar mijn vader. Ik vond dat vreselijk. En nu...

Dit is vreemd, Polly, maar ik realiseer me net dat zij me op een vreemde, omslachtige manier weer met hem heeft herenigd.' Ik kreeg kippenvel op mijn armen.

'Herenigd?' zei Polly me na. 'Wil dat zeggen dat je hebt besloten...'

'Nee, nee, dat betekent het niet.' Ik hoorde een gefrustreerde zucht. 'Sorry, Polly, maar kunnen we daar alsjeblieft over ophouden? Er valt niets meer te zeggen. Mijn vader heeft na drie decennia van verwaarlozing besloten contact op te nemen. En ik heb besloten niet te reageren. Einde verhaal.'

Het bleef even stil. 'Sorry, Ella... Ik wil je niets opdringen.'

'Het is goed, Pol. Ik weet dat je het goed bedoelt, maar ik zet er nu een streep onder. Maar bedankt dat je me over Ginny hebt verteld.' Ik keek weer op de klok. 'Ik heb nog maar een uur voordat Nate hier is, dus moet ik nu *ciao* zeggen.'

'*Ciao?*' hoorde ik haar nog net zeggen toen ik de verbinding verbrak.

Ik maakte verder schoon, deed mijn haar, bracht een beetje make-up aan en ging, met nog een paar minuten over, het nieuws bekijken op internet. Toen googelde ik puur uit nieuwsgierigheid 'John Sharp, architect, West-Australië'. Dat leverde niets op, behalve een links naar de AAA, het Australisch genootschap van architecten. Ik klikte erop, maar zijn naam stond er niet bij. Toen vond ik in een online architectuurmagazine een verwijzing naar een John Sharp die in 1986 een basisschool in Busselton had ontworpen. Ik ging ervan uit dat hij het was, maar omdat ik verder geen verwijzingen kon vinden naar iets wat hij had gebouwd, nam ik aan dat hij in Australië niet lang als architect had gewerkt. Toen ik verder wilde gaan zoeken naar wat hij dan wel was gaan doen, herinnerde ik me dat ik geen belangstelling had en hield ik ermee op.

In plaats daarvan ging ik naar Facebook. Ik had er de afgelopen week twee nieuwe fans bij gekregen. Een van hen was een jongen die ik op Heatherly's les had gegeven. Hij had een vriendelijk bericht voor me achtergelaten, dus ik antwoordde ook vriendelijk. Dat zette me aan het denken over Heatherly's en toen over Guy Lennox, die daar bijna een eeuw geleden ook had gestudeerd. Ik dacht eraan dat Lennox verliefd was geworden op iemand die hij moest schilderen. Ik stelde me voor hoe hij achter zijn ezel naar Edith stond te turen en met elke streek van zijn penseel steeds heviger en hopelozer verliefd op haar werd.

Drrrrrrinnnngggg.

Ik schrok op door het geluid van de bel, wierp snel een blik in de spiegel aan de muur en rende de trap af.

Ik deed de deur open en daar stond Nate wat verlegen naar me te glimlachen, alsof hij het nog steeds amusant vond dat we vrede hadden gesloten. 'Hoi, Ella.'

'Hoi,' zei ik blij.

Nate drukte een kus op mijn wang toen hij naar binnen liep – een vredeskus, vermoedde ik. Hij rook heerlijk naar gras en limoen.

'Hoe ben je hier gekomen?'

'Te voet... Het is maar tien minuten. We zijn bijna buren,' voegde hij eraan toe terwijl hij zijn jas uittrok.

'Geef die maar aan mij. O mooi zo, je hebt eraan gedacht de groene trui aan te trekken.'

'Krijg ik daar extra punten voor?'

'Zeker. Het is lastig als modellen telkens vergeten de kleren aan te trekken waarin ze geschilderd worden.'

Nate liep achter me aan naar boven. 'Hoe was je week?'

'O... Niet slecht.' Ik trok de slaapkamerdeur dicht. 'Al leek hij wel wat lang te duren. Maar goed...' We waren in het licht en de ruimte van mijn atelier. 'Daar zijn we weer.' Ik trok mijn schort aan en gaf een knikje naar de stoel. 'Poseren, jij!'

Nate lachte en ging zitten. 'Ik zal mijn best doen.'

Ik bond mijn haren met een geel elastiekje bijeen en pakte mijn palet op. Toen Nate zijn hoofd ophief en me aankeek voelde ik een plotselinge spanning. Ik hield me voor dat het niet meer was dan een artistieke huivering omdat ik zo opgetogen was over het portret.

Ik ging achter de ezel staan. 'Nu ga ik dus weer naar je kijken.'

Ik bestudeerde Nates gezicht, dat me al zo vertrouwd was dat ik het uit mijn hoofd zou kunnen schilderen. Ik keek naar zijn neus, naar zijn ogen. Zijn wimpers waren erg donker en van zijn rechterooglid was wat meer te zien dan van het linkse. Ik bestudeerde zijn voorhoofd en vroeg me af hoe hij aan dat kleine ronde litteken was gekomen. Zijn haar was erg kort en groeide voor zijn oren in een puntje naar beneden.

Nate glimlachte. 'Ik geloof niet dat ik ooit door iemand zo indringend ben bekeken, zelfs niet door mijn ma.'

Ik hield een potlood omhoog en keek hem met half dichtgeknepen ogen aan terwijl ik de afstand tussen zijn onderlip en kin mat. 'Tja... Dat is mijn werk. Het komt erop neer dat ik mensen aanstaar voor de kost.'

'Dat moet een raar gevoel zijn.'

'Dat is zo.' Ik legde het potlood neer en pakte een penseel op. 'Het geeft me een beetje het gevoel een roofdier te zijn, een stalker bijna, vooral wanneer mijn modellen zeggen dat ik hen goed vastgelegd heb.' Ik begon de verdunde verf te mengen.

'Nou, ik hoop dat je mij ook goed zult vastleggen.'

Nate zei het nuchter, maar ik voelde mijn gezicht rood worden. 'Ik zal het proberen,' hakkelde ik. 'Ik bedoel, ik wil dat mijn modellen tevreden zijn.'

'En zijn ze dat?'

'Meestal. En als ze dat niet zijn, zijn ze te aardig om het te zeggen.'

'Hou je ooit contact met hen?'

'Ja... Een paar zijn vrienden geworden.'

'Dus je hebt ze je leven in geschilderd.'

Ik glimlachte bij dat idee en bedacht toen dat Nate al in mijn leven wás. Hij wordt mijn zwager, hield ik mezelf voor. Mijn zus wordt zijn vrouw. 'En... Krijgt de trouwerij al een beetje vorm?' vroeg ik opgewekt.

'Nou en of... Razendsnel zelfs.' Nate zoog de lucht tussen zijn tanden door. 'Je moeders efficiëntie is indrukwekkend, om niet te zeggen... angstaanjagend.'

Ik doopte mijn penseel in de terpentine, me ervan bewust dat hij mijn moeder daarmee niet echt een compliment gaf. 'Nou, je moet ook toegeven dat drieënhalve maand niet lang is.'

Nate knipperde. 'Helemaal niet lang.'

'Maar een korte verloving is wel romantisch,' zei ik. 'En het is leuk dat jullie op Chloës verjaardag trouwen.'

'Dat was ook een idee van je moeder.'

'Echt waar?' Ik glimlachte bij mezelf om haar manipulatie.

Nate knikte. 'Chloë en ik waren pas een paar uur verloofd. We hadden het vaag over oktober gehad, maar toen zei je moeder plotseling dat we ook op Chloës verjaardag konden trouwen, omdat die op een zaterdag valt. Chloë keek zo verrukt dat ik geen nee kon zeggen. Niet dat ik dat wilde,' voegde hij er haastig aan toe. 'Ik was alleen... verrast.'

'Het maakt het wel gemakkelijker om je trouwdag te onthouden.'

'Dat is waar. En zoals je moeder zei, het is het weekend van de vierde juli, waardoor mensen uit de States gemakkelijker kunnen komen omdat de maandag een vrije dag is, dus...' Hij stak in een gebaar van overgave zijn handen op. 'De derde juli is... geweldig.'

'En komen je zussen ook?' Ik stelde me hen voor, buiten voor de kerk, met hun handen vol rijst.

Nate knikte. 'Die willen het voor geen goud missen. Ze zullen er allemaal zijn en me vertellen wat ik moet doen.'

'Dus het wordt een grote bruiloft.'

'Daar ziet het naar uit. De gastenlijst lijkt reusachtig, maar...' Hij schudde zijn hoofd.

'Maar wat?'

'Het idee om zulke persoonlijke geloften te doen waar zo veel mensen bij zijn...'

'O... Je redt je wel. Het enige wat je hoeft te doen is daar staan en "ja, ik wil" zeggen.'

Toen besloot ik dat ik het niet meer over de bruiloft wilde hebben, dus stuurde ik het gesprek naar Florence en New York. We praatten over wat er in de Uffizi Galerij en de Frick Collection te zien was. Ik vroeg Nate naar zijn jeugd en hij vertelde me wat meer over hoe het was om op te groeien in Brooklyn met zijn zussen, over hoe hij aan het litteken op zijn voorhoofd kwam en over de hond die hij als jongetje had gehad. Daarna praatten we over films en toneelstukken die we allebei hadden gezien, over boeken die we hadden gelezen en plotseling stond Nate op.

'Moet je even je benen strekken?' vroeg ik hem.

'Nee.'

'Laten we toch maar even pauzeren.' Ik legde mijn penseel weg. 'We zijn vast al minstens een uur bezig.'

Nate fronste verbijsterd en knikte toen naar de klok aan de muur achter me. 'Ella, we zijn al tweeënhalf uur bezig.'

'Dat kan niet.' Ik keek. Het was waar. 'Ik had geen idee...'

'Nou, we hebben veel gepraat... Net als vorige keer.'

'Maar dan nog...' Ik draaide me weer naar hem om. 'Hoe kan het nou vijf voor één zijn?'

Nate glimlachte. 'Misschien zijn we in een tijdlus terechtgekomen, of in een wormgat gezogen.'

'Dat is de enige plausibele verklaring.' Ik legde mijn palet op de werktafel. Mijn hand deed pijn van het langdurig vasthouden. 'Waarom heb je niets gezegd? Je verlangde vast naar een pauze.'

'Nee, ik vond het prima.'

'Maar je hebt niet eens koffie gehad, laat staan een Hobnob.'

'Een wat?'

'Dat zijn koekjes. Wil je er nu een?'

Nate schudde zijn hoofd. 'Dank je, ik heb met Chloë afgesproken voor de lunch.'

Ik voelde een steek alsof iemand een spies in mijn borst had gestoken. Ik glimlachte. 'Doe haar alsjeblieft de groeten en zeg dat ik haar gauw zal bellen.' Ik trok mijn schort uit en hing hem op. 'Is volgende week zaterdag oké?'

Nate kwam naar het doek kijken. Hij stond zo dicht bij me dat ik zijn lichaamswarmte bijna kon voelen. 'Het is nog in een vroeg stadium,' zei ik terwijl we naar de brede lijnen en grote gebieden in fletse kleuren keken. 'Maar ik heb de basisvorm van je gezicht te pakken en vanaf volgende week zul je jezelf...'

'...tevoorschijn zien komen?'

'Ja. Elke keer zul je iets meer van jezelf herkennen, tot het plaatje compleet is. Of in elk geval zoals ík je zie.'

'Ik vraag me af wat je van me zult maken.'

Ik haalde mijn schouders op. 'Ik weet het niet... Ik heb je nog niet helemaal doorgrond. Maar je bent een goed model.'

'Dat komt doordat ik er plezier in heb.'

Ik keek hem aan. 'Dat is... geweldig.'

Hij verplaatste zijn gewicht en draaide zich weer om naar het onvoltooide schilderij. 'Het is grappig te bedenken dat ik tegen deze sessies opzag. Nu kijk ik ernaar uit.'

Ik voelde een verbazingwekkende euforie. 'Ik ook.'

We gingen naar beneden en ik haalde Nates jas van de haak, deed de deur voor hem open en draaide me naar hem om. 'Dus dan zie ik je volgende week. Weer om halfelf?'

Hij knikte. 'Ik zal er zijn.'

Ik wachtte tot hij weg zou gaan, maar om een of andere reden bleef hij me staan aankijken. Mijn hart maakte een zweefduik.

'Ella?' zei Nate even later.

'Hm?' Zijn ogen leken plotseling niet meer zo groen als eerst, maar heel donker.

'Ella?' herhaalde hij zacht.

'Ja?'

'Mag ik mijn jas?'

'O.' Ik hield hem nog steeds tegen me aangedrukt. 'Sorry.' Ik moest lachen. 'Hier heb je hem.'

Nate trok de jas aan, boog toen naar voren en kuste me op mijn wang. '*Ciao*, Ella.' Hij liep het huis uit en draaide zich toen glimlachend om. 'Tot ziens.'

'Tot ziens,' echode ik.

Ik deed de deur dicht, leunde ertegenaan en luisterde naar zijn vervagende voetstappen.

Er is iemand die je leuk vindt.

'Ja,' mompelde ik.

Je voelt je tot hem aangetrokken.

'Dat klopt.'

Ik zie het aan je gezicht.

'Maar hij is verloofd met mijn zus.'

Mijn euforie maakte plaats voor ontzetting.

Ik viel niet voor Nate, besloot ik de volgende morgen toen ik in bed lag. Het was gewoon een bevlieging, een dwaze, gezien de omstandigheden zelfs krankzinnige bevlieging. Als ik die negeerde zou die snel genoeg over zijn. Op een dag, toen mam weer eens tegen Chloë tekeerging over Max, zei ze tegen haar dat ze niet verliefd op hem had moeten worden. Chloë had gepareerd dat ze er niet voor had gekozen om verliefd op hem te worden. 'Je had ervoor moeten kiezen dat niet te doen!' had mam woedend geroepen.

Ik besloot dat mam gelijk had gehad. Ik zou nu heel doelbewust en rationeel de keus maken om niet verliefd te worden op de aanstaande echtgenoot van mijn zus. De rest van de sessies zouden Nate en ik een aangename, maar puur professionele relatie met elkaar hebben, waarna we zouden terugvallen in het vriendelijke contact dat je van ons als aangetrouwde familieleden mocht verwachten.

'Mooi.' Ik zwaaide mijn benen uit bed. 'Dat is dan geregeld.'
Ik nam snel een douche en kleedde me aan. Toen ik mijn mobiele telefoon oppakte zag ik dat er die nacht weer een bericht van mijn vader was gekomen. Ik opende het gelaten.

> Beste Ella, ik hoop dat je mijn bericht van veertien dagen geleden hebt ontvangen.

'Heb ik.'

> Ik realiseer me dat je misschien niet zult willen reageren.

'Klopt.'

> Maar dit is om je de data door te geven dat ik in Londen ben, voor het geval je besluit dat je me wilt ontmoeten. Ik ben er vanaf 23 mei vier dagen.

Ik voelde mijn hartslag versnellen.

> Het zou heel veel voor me betekenen als ik je kon zien.

Er ging een golf van woede door me heen. 'Het zou heel veel voor mij hebben betekend als ik je wanneer dan ook in de afgelopen dertig jaar had kunnen zien!'

> Intussen heb ik hier mijn mobiele telefoonnummer voor je...
> en een foto.
> Hartelijke groet,
> Je vader

'Mijn ex-vader,' mompelde ik. Hij had in elk geval niet ondertekend met 'papa' of 'pap'.

Ik las het bericht zes of zeven keer. Toen opende ik met bevende hand de bijlage.

Ik voelde een plotseling bons in mijn ribbenkast toen ik mezelf zag op ongeveer vierjarige leeftijd, hand in hand ergens op een strand met een man van wie ik meteen wist dat hij mijn vader was. Ik droeg een blauw-wit gestreepte jurk en keek met half dichtgeknepen ogen naar de late middagzon. Mijn korte zwarte haar danste in de wind. Mijn vader, blootsvoets, in een knielange broek en een eenvoudig shirt, had donker haar, was stevig gebouwd en had brede schouders; een grote, knappe man. In de hand die niet de mijne vasthield had hij een rood schepje en achter ons op een gele handdoek stond een picknickmand naast een witte zonnehoed. Ik had geen idee waar we waren, maar wist dat de foto was genomen door mijn moeder, omdat ik op de voorgrond haar schaduw op het lichte zand zag.

Ik realiseerde me geschokt dat dit de enige foto van mijn vader was die ik ooit had gezien. Ik troostte mezelf met de gedachte dat hij genoeg van me had gehouden om hem te bewaren, maar dat hij hem me nu toestuurde was gewoon een vorm van manipulatie. Ik scrolde omlaag naar OPTIES en BERICHT WISSEN?.

Ik aarzelde. Toen zag ik aan zijn linkerhand zijn trouwring glimmen in het zonlicht. Ik ademde uit, deed mijn ogen dicht en tikte op JA.

Ik had gedacht dat ik me opgelucht zou voelen, maar ik was van streek. Zozeer zelfs dat ik probeerde de foto terug te halen, maar dat kon niet. Met een groeiend gevoel van paniek rende ik de trap op naar mijn atelier en trok de onderste la van mijn bureau open. Achterin lag een grote witte envelop, die aan de randen vergeeld was door ouderdom. Ik pakte hem, opende de klep en liet de tekening van mijn vader eruit schuiven – de enige tekening die ik nooit had kunnen weggooien. Die leek erg op hem, zag ik nu. Ik moest er tevreden over zijn geweest, want ik had hem gesigneerd. Ik probeerde net uit te rekenen hoe oud ik geweest moest zijn toen ik hem maakte – negen of tien – toen ik een auto hoorde stoppen. Ik keek naar buiten en zag Mike, die zijn BMW parkeerde. Ik schoof de tekening snel terug in de envelop, legde hem in mijn bureau en liep toen de trap af om de deur open te doen.

'Hoi, Mike.' Ik was blij met de afleiding van de portretteersessie.

'Goedemorgen, Ella.' Hij sloot zijn auto af en kwam naar binnen.

'Wil je een kop koffie?'

'Nee. Dank je.'

Ik trok een grimas toen ik zijn jas van hem aannam. 'Je bent vergeten de blauwe trui aan te trekken.'

Hij kreunde. 'Sorry, maar ik heb zó veel aan mijn hoofd.'

'Natuurlijk, maar de volgende sessie is de laatste, dus dan stuur ik je de dag van tevoren een sms'je om je eraan te herinneren, oké?'

'Tuurlijk.'

We gingen naar mijn atelier en ik haalde Mikes doek uit het rek en zette het op de ezel. Terwijl ik de kleuren mengde praatten we over de verkiezing, waarvan de datum eindelijk was aangekondigd. 'Dat zal wel een opluchting zijn.'

'Dat is zo,' antwoordde hij vermoeid. Hij ging zitten. 'Maar het wordt zwaar.'

Ik kneep een beetje Pruisisch blauw op het palet. 'Maar je hebt toch een flinke meerderheid, of niet?'

'Jawel, maar ik kan niets voor vanzelfsprekend nemen.'

Mike vertelde over de opiniepeilingen en zei hoe moeilijk hij het vond om langs de deuren te gaan, de mensen over te halen en te paaien. 'Ik voel me net een Jehova's getuige,' zei hij quasizielig. 'Alleen minder welkom.'

'Ik weet het niet.' Ik dacht aan Celine. 'Sommige mensen zijn best blij als de Jehova's getuigen aan de deur komen.'

'Misschien. Vertel me eens wie je op het moment nog meer aan het schilderen bent?'

'Een heel mooie Franse vrouw... Maar dat valt niet mee, want ze wil helemaal niet geschilderd worden.' Ik zag Celine en mezelf voor me, ruziënd over het doek.

Mike keek verbaasd. 'Waarom niet?'

'Ze zegt dat ze het stilzitten frustrerend vindt, wat ik me ergens wel kan voorstellen, maar...' Ik haalde mijn schouders op, want ik wilde niet zeggen dat ik dacht dat er meer achter zat. 'Verder schilder ik een heel elegante Engelse vrouw van in de tachtig.' Ik bedacht hoezeer ik me erop verheugde Iris weer te zien, maar dat zou nog minstens een week duren. Sophia had me gebeld om te zeggen dat haar moeder erg verkouden was. 'Ik ben ook de verloofde van mijn zus aan het schilderen.' Ik voelde dat ik bloosde. 'En ik ben nog aan het portret van mam bezig.' Ik knikte naar het doek, dat tegen de muur stond. 'Het is bijna klaar.'

Mike keek ernaar. 'Ze is een mooie vrouw.' Hij hield zijn hoofd schuin. 'Haar gelaatsuitdrukking is interessant.'

'Wat zie je erin?' vroeg ik nieuwsgierig.

'Ze lijkt... op haar hoede.'

'Zo kijkt ze inderdaad een beetje, dat is waar.' Ik doopte het penseel in de terpentine.

'Ik bedoel geheimzinnig,' mijmerde hij. 'Alsof ze iets verborgen houdt.'

'O.' Ik keek zelf naar het schilderij. 'Nou, ik zie dat niet.' Ik had er nu spijt van dat ik Mike om zijn mening had gevraagd. Wat wist hij er nou van? 'Ik heb met haar geen echte portretteersessies,' legde ik uit. 'Ze komt meestal maar voor een halfuurtje binnenvallen nadat ze les heeft gegeven op de balletschool. Ze komt morgen weer, dus dan gaan we weer even verder.'

'Dus je hebt het druk,' zei Mike.

'Ja, plezierig druk.' Ik bestudeerde het puntje van zijn neus en voegde wat licht aan de geschilderde neus toe. 'En ik heb net opdracht gekregen voor een postuum portret.'

'Echt waar? Dat lijkt me vreemd.'

Ik pakte een kleiner penseel. 'Daar kom ik binnenkort achter. Ik heb dat nog nooit eerder gedaan. Ik vind het nogal triest en het lijkt me technisch lastig. Toen ik erover benaderd werd, heb ik aanvankelijk ook nee gezegd.'

'Waardoor ben je van gedachten veranderd?'

'Doordat ik een eerbetoon las aan de persoon die is overleden. Haar vrienden en vriendinnen hadden ieder een woord bijgedragen waarvan ze vonden dat het bij die vrouw paste. Dat ontroerde me en om een of andere reden blijf ik maar aan haar denken.'

Ik voelde de spanning in het vertrek oplopen. 'Wie was ze dan?'

Toen ik het Mike vertelde kneep hij even zijn ogen dicht, alsof hij net slecht nieuws had gekregen.

'Er staat nogal wat over haar dood in de kranten,' zei ik. 'Je hebt het vast wel gelezen.'

De stoel kraakte toen Mike zich afwendde. 'Ja...'

'Haar familie heeft het er heel moeilijk mee, niet in het minst omdat ze nog steeds niet weten hoe het is gebeurd, of waarom ze op dat tijdstip op Fulham Broadway fietste, aangezien ze daar helemaal niet in de buurt woonde of werkte.'

Ik dacht nu aan mijn ontmoeting met de oom van Grace. Hij was een rustige man van achter in de vijftig, die de vorige dag naar mijn atelier was gekomen om een paar uur met me over Grace te praten. Hij vertelde me dat ze in Chiswick had gewoond en les had gegeven op een basisschool in Bedford Park. Hij had vier fotoalbums meegebracht – twee die van haarzelf waren geweest en twee van haar ouders.

Ik had naar de foto's gekeken van Grace op de schommel toen ze drie was, met een tand uit haar mond glimlachend toen ze vijf was, op een nieuwe fiets toen ze zes was, op een bruine pony op haar achtste, haar eerste dag op de middelbare school toen ze elf was, op haar veertiende boven op Mount Snowdon, arm in arm met vriendinnen bij haar diploma-uitreiking en op een zonnige dag in september op het trapje voor de school, omringd door de kinderen die ze lesgaf.

'De chauffeur is doorgereden na het ongeluk,' zei ik tegen Mike.

Zijn mond vertrok. 'Dat weten ze niet. De chauffeur had misschien geen idee wat er was gebeurd.'

'Hij zal zich toch wel gerealiseerd hebben wat hij had gedaan?'

'Waarom zeg je "hij"?' vroeg Mike kortaf.

'Nou...' Mikes toon had me verrast.

'Hoe weet je dat het een "hij" was?' vroeg hij.

'Dat... weet ik niet,' capituleerde ik. Mijn hart ging tekeer.

'Wie het ook was,' – Mikes plotselinge boosheid was verdwenen en hij leek nu alleen nog maar verdrietig – 'het is goed mogelijk dat diegene zich er niet van bewust was.' Hij knipperde snel met zijn ogen alsof hij zijn best deed iets uit te dokteren. 'Vooral omdat het in het donker gebeurde.'

Ik ademde uit. 'Dat is waar. Het kan zijn dat de buitenspiegel haar net heeft geraakt. En een fietshelm biedt niet altijd voldoende bescherming bij een zware val.'

Mike knikte somber.

'Maar ze proberen de beelden van de verkeerscamera te verbeteren. Die waren kennelijk heel korrelig zodat ze het kenteken niet konden lezen, maar ze kunnen daar nog wel wat aan doen.' Ik doopte mijn penseel in de terpentine. 'Maar goed, dat is dus mijn meest recente opdracht... Grace.'

Er verscheen een droevige blik in Mikes ogen en er viel een stilte.

Ik had geen idee wat ik van Mikes heftige reactie moest denken. Hij was duidelijk toch al gespannen, maar nu leek hij... defensief. Terwijl ik verder ging met schilderen, liep er plotseling een rilling over mijn rug. Misschien wist hij wel wat Grace was overkomen. Hij reed immers vaak door Fulham Broadway, en hij had een zwarte BMW. Ik had daar al aan gedacht, en het toen als toeval terzijde geschoven. Misschien was het echter wel zijn auto die haar had geraakt, en had hij daar op dat moment geen idee van gehad, maar het zich pas naderhand gerealiseerd door de aandacht in de media.

Dat zou zijn beroering verklaren. Hij zou ontzet zijn over wat hij had gedaan en in spanning zitten over wat de verbeterde beelden van de verkeerscamera zouden onthullen. Hij zou ook doodsbang zijn voor de krantenkoppen, aangezien hij in het parlement zat, en in een transportcommissie, om fietsers te beschermen. Hij zou aan het kruis genageld worden omdat hij niet was gestopt. Er kon zelfs wel een aanklacht tegen hem worden ingediend. Dat zou zijn carrière verpesten, zo niet zijn leven...

Terwijl ik in gedachten dat scenario doornam, herinnerde ik me dat Mike eind januari, een paar dagen na de dood van Grace, plotseling zijn sessies had afgezegd. De e-mail die hij had gestuurd waarin stond dat hij 'het plotseling heel druk had gekregen' was zo onsamenhangend geweest dat ik bij het lezen ervan dacht dat hij dronken moest zijn geweest. Nu was hij een schim van de grote, blije man vol zelfvertrouwen die ik vier maanden geleden was begonnen te schilderen. En hij had gehuild bij een triest liedje op de radio. Het was duidelijk dat hij het emotioneel heel moeilijk had. Misschien had hij daarom in mijn moeders gezicht gezien wat hij zei: omdat hij zelf iets wanhopig probeerde stil te houden.

Hij zuchtte gekweld. 'En... Ben je al aan het schilderij begonnen?'

'Eh, nee, nog niet.' Het voelde nu vreemd om de opdracht met Mike te bespreken, maar hij leek er meer over te willen weten. 'Ik moet eerst een idee krijgen van wie Grace was. Ik heb wel foto's van haar.'

Mike kromp ineen.

'Maar ik wil dat het portret meer is dan simpelweg een gelijkenis. Ik wil dat het Grace' levenskracht laat zien. Maar omdat ik haar nooit heb ontmoet, zal dat niet gemakkelijk zijn.'

'Nee,' stemde Mike zachtjes in. 'Dat wordt moeilijk.'

'Ik kan maar een halfuur blijven,' zei mam toen ze die middag arriveerde. 'Ik moet nog zó veel doen. Er komt geen eind aan,' voegde ze er met een vreemde mengeling van tevredenheid en ergernis aan toe. Ze trok haar jas uit en gaf hem aan mij. 'De uitnodigingen zijn naar de drukker,' zei ze terwijl ik haar jas ophing. 'Ik heb besloten er antwoordkaartjes bij te doen. Mensen zijn soms zo vreselijk nonchalant, zelfs als het om een bruiloft gaat. Wil jij me helpen ze te schrijven?' vroeg ze toen we naar boven liepen.

'Natuurlijk. Ik breng mijn kalligrafeerpen wel mee.' Ik duwde de deur van het atelier open. 'Hoeveel mensen nodig je uit?'

'Tweehonderdtien.'

'Lieve hemel!'

'Nou, er zijn mensen bij die ons hebben uitgenodigd voor de trouwerij van hun kinderen, en Nate heeft natuurlijk een grote familie.'

Ik stelde me zijn zussen voor, als Russische poppetjes op een rij.

'Chloë heeft veel vrienden en vriendinnen,' ging mam verder, 'en ze wil ook een paar collega's uitnodigen, dus zo moeilijk is het niet om aan dat aantal te komen.' Ze liep naar de spiegel en wierp er een blik in. 'Gelukkig kunnen we dat aantal wel kwijt omdat de tuin zo groot is.' Ze opende haar tas en haalde haar gouden make-updoosje eruit. 'Maar het is leuk om het groots aan te pakken.'

'Is dat zo?' vroeg ik terwijl ze haar lippenstift bijwerkte.

'Ja.' Ze klikte het make-updoosje dicht. 'Dat is zo.' Ze stopte het doosje terug in haar tas en keek toen rond in het atelier. 'Het ziet er leuk uit, hier, Ella. Minder rommelig.'

'Ik heb opgeruimd.' Ik haalde mijn schort van het haakje en bond hem voor. 'O, goed zo,' zei ik toen mam haar vest uittrok. 'Je hebt eraan gedacht om je zijden blouse aan te trekken.'

'Dat verbaast mij ook, omdat ik zo vreselijk veel aan mijn hoofd heb.' Ze schudde haar hoofd als om het leeg te maken. Daarna ging ze zitten, hief haar kin op en legde haar hand op haar borst.

Mijn moeder was nog steeds een echte prima ballerina. Ze ging niet zomaar in een stoel zitten, ze plooide zich erin en zorgde ervoor dat haar lichaam een gracieuze lijn volgde, dat haar ledematen harmonieus geplaatst waren en dat haar hoofd in een elegante hoek op haar hals stond.

'Ik ben boos op de organist,' bekende ze.
Ik draaide de luxaflex iets dicht. 'Waarom?'
'Hij wil met alle geweld Purcells "Trumpet Tune" spelen, maar dat heb ik al op zó veel trouwerijen gehoord.'
Ik liep terug naar de ezel. 'Het klinkt ook wel vrolijk.'
Mam boog haar hoofd. 'Dat is waar. En Chloës trouwdag wordt heel vrolijk.'
Ik voelde de spies weer in mijn borst. 'Jazeker.' Voor iedereen behalve voor mij, dacht ik, maar meteen schaamde ik me voor die gedachte.
'Maar ik hou mijn poot stijf wat de "Widor Toccata" betreft.'
Ik pakte mijn palet op. 'Die wordt inderdaad te vaak gebruikt. Wil je deze kant op kijken?'
Mam richtte haar lichtblauwe ogen op mij. 'Maar ik heb een fantastische sopraan gevonden. Ze zingt in het koor van Covent Garden en haar stém...' Mam sloot als in extase haar ogen en deed ze toen langzaam weer open. 'We zullen het geen van allen droog houden. Misschien stop ik wel een tissue in iedere uitnodiging.'
'Goed idee. Ik weet zeker dat ik er een nodig zal hebben,' zei ik mismoedig. Ik doopte mijn penseel in de lichte huidskleur die ik had klaargemaakt. 'En wat gaat die diva dan zingen?'
'Het "Ave Maria" na de eerste lezing – van Bach-Gounod, niet van Schubert – en dan het "Panis Angelicus" tijdens het tekenen van het huwelijksregister. Ik vind die allebei prachtig.'
'Vindt Chloë dat ook?'
Mam haalde haar schouders op. 'Ze lijkt het met al mijn ideeën eens te zijn. Ze is verbazingwekkend meegaand in alles.'
'Dat is een geluk.'
'Zeker. Vooral omdat ik zo weinig tijd heb. Ik zou nu echt geen discussies kunnen hebben, en je weet zelf hoe koppig ze kan zijn.' Mam duwde een paar verdwaalde haren achter haar oor. 'Maar ze heeft nog steeds haar jurk niet gekozen. Ik dacht dat jíj haar daarmee zou helpen, lieverd.'

'Dat doe ik ook,' zei ik, en ik probeerde mijn verontwaardiging te onderdrukken over de suggestie dat ik met opzet treuzelde. 'Ik ga volgende week met haar naar een winkel in vintage trouwkleding. Ze gaat een paar jurken aanpassen die we op hun website hebben gezien.'

Mam maakte ts-ts-geluiden. 'Ik wou dat ze een nieuwe kocht. Ik wil haar niet in vergeeld kant zien.'

'Daar hoef je niet bang voor te zijn, mam.' Ik ging met haar linkerhand aan de slag. 'Die jurken zijn prachtig gerestaureerd, en ze zijn duur. Waarschuw Roy maar alvast dat de jurk die ze het mooist vindt tweeduizend pond kost.'

Mam sperde haar ogen open. 'Daar heeft ze ook een Amanda Wakeley voor.'

'Ze wil nou eenmaal een oude jurk.'

'Nou, maar ík draag een nieuwe.'

Mam vertelde me over de outfit die ze bij Caroline Charles had besteld, het sjaaltje van Philip Treacy dat haar hoofd zou sieren, de menu's die ze had uitgekozen maar nog met Chloë en Nate moest bespreken, de ijssculptuur waar ze nog over nadacht, en ze vroeg me of ik dacht dat een pauw beter zou zijn dan een zwaan. Ze praatte over de hardhouten vloer die ze voor de feesttent had besteld en over het werk dat Roy in de tuin verzette om die 'tiptop' te maken. Daarna begon ze over de bloemen.

'De kerk heeft natuurlijk al bloemen staan van de dienst van elf uur,' zei ze terwijl ik een crèmekleurig glanspunt op het goud van haar trouwring schilderde. Toen ik daarmee bezig was vroeg ik me af wat mam met haar eerste trouwring had gedaan. Misschien had ze hem doorgespoeld of in zee gegooid. Waarschijnlijk was echter dat ze hem in een doosje in een ander doosje in een tas achter in een lade had liggen.

'Dat is mooi,' zei ik. 'Dan hoef je die niet te kopen.'

'Dat is helemaal niet mooi,' protesteerde mam. 'Ze zijn misschien wel vreselijk lelijk, en ik wil beslist geen anjers en chrysanten. Dus heb ik de bloemist gevraagd ze allemaal weg te halen, dan nemen we tuberozen, roze pioenen en groene sneeuwballen voor de grote stukken, met ruikertjes lathyrus aan het eind van elke bank. Ik ben dol op lathyrus...' Mam rilde van blijdschap, als een klein kind dat zich verheugt op Kerstmis.

Ik vond haar opwinding ontroerend. Het was alsof zijzelf degene was die...

Ik doopte mijn penseel in zinkgeel. 'Mag ik je wat vragen, mam?'

'Ja.'

'Ik heb het je nooit eerder gevraagd, of misschien ooit toen ik heel klein was, maar nu Chloë gaat trouwen vraag ik me af...'

'Wat vraag je je af?' vroeg ze sereen.

'Had jij een grote bruiloft? De eerste keer, bedoel ik.' Ik zag plotseling mijn moeder voor het altaar staan met het hele *corps de ballet* in een waaier achter haar.

'Nee,' zei ze, 'dat had ik niet.'

'Dus... Het was maar een kleine? Maar wel in de kerk, neem ik aan.'

Mam knipperde met haar ogen. 'Nee.'

'Wilde je niet in de kerk trouwen?'

'Ik wel,' antwoordde ze. 'Maar, nou ja... Je vader geloofde niet. Maar weet je, het is zo vreselijk lang geleden en ik wil het er echt niet –'

Ik stak mijn handen op in een gebaar van overgave. 'Oké.'

Dus mam was beide keren alleen voor de burgerlijke stand getrouwd. Dat verklaarde wel waarom ze zo groots wilde uitpakken met Chloës trouwdag. Het moest het grote, chique feest met een grote taart en een luxe tent worden dat ze zelf nooit had gehad.

Ik doopte het penseel in de terpentine. 'Er is nog iets wat ik wil vragen.'

Mam onderdrukte een geërgerde zucht. 'Wat dan?'

'Zijn we ooit ergens naar het strand geweest, toen ik een jaar of vier was?'

Ze hield haar hoofd schuin, als een vogel die zich plotseling bewust wordt van een roofdier. 'Waarom vraag je dat?'

'Omdat ik me laatst herinnerde dat ik ergens aan het strand was. In een blauw-wit gestreepte jurk.'

Ik hield mijn adem in terwijl mam over de vraag nadacht. Even dacht ik dat ze hem niet zou beantwoorden. 'We zijn weleens op vakantie geweest in Wales,' antwoordde ze toen langzaam. 'De zomer voordat je vijf werd. We zijn toen drie dagen naar Anglesey geweest. Je had inderdaad een blauw-wit gestreepte jurk. Het verbaast me dat je dat nog weet.'

'Dus die vakantie moet met mijn vader zijn geweest. Klopt dat?' vroeg ik door.

'Ja,' antwoordde ze met tegenzin. 'En nu zou ik graag –'

'Drie dagen is niet lang voor een vakantie,' onderbrak ik haar voor ze van onderwerp kon veranderen.

Ik hoorde mam slikken. 'We hadden nooit lange vakanties.'

'O, waarom niet?'

'Omdat... dat niet kon.' Ze veegde een pluisje van haar rok. 'Ik danste hoofdrollen, dus twee weken of zelfs maar één week vrij nemen kon gewoon niet.'

'Aha...'

'Daarom gingen we af en toe een paar dagen weg, wanneer dat kon.'

Ik knikte.

'Is alles wel goed me je, Ella? Je lijkt zo... gespannen.'

Ik keek haar aan. Mijn vader heeft me twee e-mails en een foto gestuurd, dacht ik. Hij komt over een paar weken naar Londen. Hij wil me zien, maar ik weet dat jij daar grote problemen mee zou hebben, dus heb ik hem tot dusver genegeerd, maar dat maakt wel dat ik me verward en ongelukkig voel. Bovendien ben ik verliefd geworden op Nate, waardoor ik me ook verward en ongelukkig voel. Dus ja, al met al ben ik nogal gespannen.

'Ik voel me prima,' zei ik.

Mam glimlachte. 'Mooi. Nu moet ik nog een jazzband zoeken. Er speelt er donderdags altijd een aan de rivier, dus daar gaan Roy en ik deze week naar luisteren. Ik denk er ook over een entertainer te huren. Een karikaturist zou wel amusant zijn. Wat vind jij, lieverd?'

'Dat lijkt me leuk.'

'Ik wou dat jíj iemand vond.'

'Ik ken niemand die karikaturen tekent.'

'Ik bedoel een man,' zei mam met een overdreven zucht. 'Ik heb het altijd jammer gevonden dat je je niet met David gesetteld hebt.'

Ik pakte de tube cadmiumgroen. 'Dat wilde ik niet.' Ik draaide het dopje eraf.

'Waarom niet?'

Ik kneep een beetje op het palet. 'Hij was weliswaar heel aardig, maar het was vreselijk... behaaglijk. Ik voelde me te jong om de rest van mijn leven in de "comfort zone" te blijven.'

Mam ging iets verzitten. 'Die is anders wel te verkiezen boven een hoop andere, gevaarlijkere zones, Ella. Ik hoop dat je geen spijt van die beslissing zult krijgen.'

'Ik weet zeker van niet, want een paar weken geleden kwam ik David toevallig tegen in de Chelsea Arts Club. Hij was met iemand anders en dat deed me niets. Maar als je echt van iemand hebt gehouden, moet het moeilijk zijn die persoon met iemand anders te zien.'

'Heel moeilijk...' stemde mam zachtjes in.

Ik wist dat ze aan mijn vader moest denken, omdat ze hém met iemand anders had gezien – de vrouw voor wie hij haar uiteindelijk zou verlaten. Ze had me een keer verteld dat ze 'hen was tegengekomen', wat deed vermoeden dat de ontmoeting buiten had plaatsgevonden. Ik vroeg me af of ik toen bij haar was. En plotseling wist ik dat zeker, want ik zag het verschrikte gezicht van mijn vader voor me, en ik zag een witte rok met grote rode bloemen.

'Is er dan helemaal geen aardige man die je leuk vindt?' vroeg mam me nu.

'Eh, nee. Er is niemand.'

Mijn moeder raakte haar wang aan en legde toen haar hand weer tegen haar borst. 'En hoe zit het met Nate?'

Het was alsof ik in een beerput stortte. 'Wat bedoel je?'

'Ik bedoel, hoe zit het met Nates portret? Sorry, lieverd, ik ben weer van onderwerp veranderd, ik spring van de hak op de tak... Maar vertel, hoe gaat het met het schilderij?'

Ik ademde opgelucht uit, alsof ik een misdrijf had begaan en op het nippertje aan ontdekking was ontsnapt. 'Dat gaat... prima.' Mijn hartslag werd weer normaal. 'We hebben twee sessies achter de rug.' Nog maar vier te gaan, bedacht ik triest. En dan te bedenken dat ik de sessies tot een minimum had willen beperken. Nu wilde ik dat er nog minstens twee keer zoveel zouden komen.

'Wanneer is het klaar?'

'Het is de bedoeling dat het halverwege juni klaar is, zodat het op tijd kan drogen. Dan komt Chloë het de dag voor hun trouwdag ophalen. Ik hoop dat ze het mooi vindt.'

'Ik weet zeker dat ze het prachtig zal vinden. Ik weet dat je Nates intelligentie en charme... en zijn vriendelijkheid zult weten vast te leggen. Hij is een heel medelevend mens.' Mam schudde verbaasd haar hoofd. 'Ik begrijp nog steeds niet dat je hem niet mocht, Ella.'

Het gesprek maakte me zo gespannen dat ik per ongeluk de contour van mams hand uitveegde. 'Dat was gewoon zo.'

'Maar nu mag je hem wel?'

Ik weet gewoon dat je hem fantastisch zult vinden!

'Dat klopt.' Chloë had dus toch gelijk gehad.

'En je komt toch naar het verlovingsfeest, hè? Dat is aanstaande zaterdag.'

Ik begon mijn fout te corrigeren. 'Chloë heeft me erover verteld, maar ik weet niet zeker...'

'Nou, je moet het hun laten weten, want het is een diner voor naaste vrienden en familie. Ze geven geen groot feest omdat ze al zo snel trouwen. Het is in Nates flat.'

'Aha.' Ik wou dat ik niet hoefde te gaan. Het zou pijnlijk zijn hem met Chloë te zien. Ik vroeg me af hoe ik eronderuit zou kunnen komen.

Mam hief haar kin. 'Ik neem trouwens aan dat Nate en jij tijdens de sessies met elkaar praten.'

'Ja-a.'

'Nou, vertel hem dan maar niet, als het onderwerp ter sprake mocht komen, dat Chloës vorige vriend getrouwd was.'

'Daar peins ik niet over. Ik praat met Nate helemaal niet over Chloë.'

'Mooi zo. Want ik heb haar verteld dat hij het maar beter niet kan weten.'

'Waarom?' Ik keek haar aan. 'Het heeft helemaal niets met hem te maken.'

'Nee, maar sommige mannen reageren nogal... raar op dat soort dingen. Ze hoeft hem niet alles te vertellen.'

Ik vroeg me af wat mam Roy allemaal níét had verteld.

'Ze kennen elkaar immers nog niet zo lang,' vervolgde ze. 'Dus heb ik haar geadviseerd er niets over te zeggen tot ze minstens een jaar getrouwd zijn. Of beter nog, het hem helemaal niet te vertellen.'

Ik plukte een losgelaten penseelhaar van het doek. 'Weet je, mam, volgens mij is het aan Chloë om te bepalen wat ze haar verloofde wel of niet vertelt.'

'Ik vind dat ze haar relatie met Max niet van de daken hoeft te schreeuwen.'

Ik haalde mijn schouders op. 'Nate zou wel een pedante kwast moeten zijn als hij daar iets om gaf, en ik geloof niet dat hij dat is.'

'Maar goed, dat is hoe ik erover denk en Chloë is het met me eens.' De stoel kraakte toen mam ging verzitten. 'Maar goddank heeft ze Nate ontmoet. Ik kan de gedachte aan hoe ongelukkig ze eerst was nog steeds niet verdragen, doordat Max haar zo afschuwelijk behandelde.'

Ik kneep een beetje napelsgeel op het palet. 'Max was helemaal niet "afschuwelijk" tegen Chloë, mam. Ze zei dat hij heel lief voor haar was. Ze was alleen verdrietig omdat ze niet bij hem kon zijn.'

Mam lachte. 'Natuurlijk kon ze dat niet – de man was getrouwd!'

Mam was altijd vol kritiek als het om overspel ging, bedacht ik. Maar ze wist dan ook al te goed wat voor schade het kon aanrichten.

'Hoe dan ook, hij heeft haar niet goed behandeld, want hij bleef bij zijn vrouw.'

'O.' Ik wilde mijn moeder aanspreken op haar nogal kromme analyse van de situatie, maar ze ging al verder.

'Waarom hij bij haar bleef begrijp ik trouwens niet. Ze hadden geen kinderen, dus ik neem aan dat het was omdat ze veel geld verdiende met haar boeken.'

'Ik heb geen idee. Misschien hield hij van haar. Misschien hield hij van hen allebei. Misschien was hij gewoon... in de war.'

'In de war?' Mam schonk me een ijskoude blik. 'Als je mannen toestaat "in de war" te raken, geef je ze een excuus om allerlei vrouwen aan het lijntje te houden, zonder ze ook maar iets te geven.'

'Dan moeten die "andere vrouwen" uit de buurt blijven.'

In mams mondhoek begon een spiertje te trillen. Ze had het idee dat haar dochter een 'andere vrouw' was altijd verafschuwd.

Ik haalde het penseel door een doekje. 'Maar Chloë hield echt van Max.'

Mam snoof. 'De hemel mag weten waarom. Hij is niet aantrekkelijk, en hij kan nooit veel verdienen, met een baantje bij een liefdadigheidsinstantie.'

'Hij heeft geen baantje bij een liefdadigheidsinstantie, mam. Hij staat aan het hoofd van Well-Spring, de internationale liefdadigheidsorganisatie die ijvert voor schoon water. En hij is niet onaantrekkelijk, alleen een beetje onverzorgd.'

'Nou vooruit, wat hij doet is waardevol,' capituleerde mam. 'Maar dat verandert niets aan het feit dat hij van Chloë af had moeten blijven.'

'Zij had van hém af moeten blijven. Ik was geschokt toen ze me vertelde dat ze een relatie met hem was begonnen. Maar ze geloofde hem toen hij haar vertelde dat hij niet gelukkig getrouwd was.'

Mam glimlachte cynisch. 'Hij was zo ongelukkig dat we hem nu trots met zijn vrouw in *Hello!* zien poseren.'

Daar zat wat in. 'Dus dat heb je gezien.'

'Inderdaad... En ik werd er misselijk van. Maar het deed me ook beseffen dat ik er goed aan heb gedaan Chloë in de richting te sturen waarin ik haar gestuurd heb.' Mams lippen waren een dunne streep geworden. 'Want toen ze erover begon dat ze een kind van hem wilde, wist ik dat er een eind aan moest komen. Herinner je je dat nog, Ella?'

'Ja.' Ik pakte de doek weer op. 'Geen geweldig idee.'

'Daarom besloot ik dat het tijd was om de vrouw van Max te vertellen wat er gaande was. Ik bedoel maar, ze schreef detectiveverhalen en had zelf niet eens in de gaten dat haar man al een jaar een verhouding had!'

Ik keek ontsteld aan. 'Je was toch niet echt van plan het de vrouw van Max te vertellen, of wel?'

'Dat was ik wel.' Ze ademde door haar neus uit. 'Maar Roy heeft me dat afgeraden.'

Ik liet mijn palet zakken. 'Godzijdank! Chloë was een volwassen vrouw, mam. Je moest haar haar eigen fouten laten maken. Het zou vreselijk zijn geweest als je met Sylvia was gaan praten.'

'Dat weet ik,' zei mam geïrriteerd. 'Maar de verleiding was erg groot, omdat ik zag dat Chloë op het punt stond haar leven te verwoesten. Ik zei tegen haar dat de tijd verstreek en dat het heel duidelijk was dat Max niet van plan was Sylvia te verlaten. Chloë had zichzelf ervan overtuigd dat hij dat zou doen als zij zwanger raakte. Dus was het aan mij om haar te vertellen dat ze misleid was en dat het...'

'...verkeerd zou zijn?' opperde ik.

Mam sperde haar neusvleugels open. 'Een te groot risico. Ik was vastbesloten haar te beschermen,' voegde ze er zacht aan toe, 'zoals ik jou ook zou hebben beschermd. Alleen ben jij niet zo stom om voor een man te vallen die niet beschikbaar is.'

'Hm.'

'Dus heb ik Chloë nog maar eens verteld wat voor leven een minnares werkelijk heeft.' Mams stem, normaal zo kalm en zacht, was luider geworden. 'Ik zei tegen haar dat ze voor altijd zou zitten wachten tot hij belde, en dat ze nooit openlijk en eerlijk iets samen zou kunnen doen. Ik zei dat haar relatie met Max gemeen was. Ze hield vol dat ze van elkaar hielden. Ik zei dat Max haar in dat geval zijn liefde moest bewijzen, door voor haar te kiezen, maar dat deed hij niet. Chloë erkende eindelijk de bittere waarheid en maakte een eind aan de relatie... Eindelijk!' Mam ademde door haar neus in alsof ze zichzelf probeerde te kalmeren na een of ander trauma.

'Mam,' zei ik voorzichtig. 'Waarom wind je je er zo over op? Het is allemaal voorbij.'

Ze knipperde met haar ogen alsof ze uit een akelige droom ontwaakte. 'Ja,' prevelde ze. 'Dat is zo.' Ze lachte zacht. 'Waarom heb ik het er eigenlijk over? Chloë is niet met Max samen, maar met Nate. Ze gaan trouwen en dat vinden we allemaal fantastisch.' Ze huiverde even van geluk. 'Nietwaar, Ella?'

'Ja. Ja, natuurlijk vinden we dat...'

6

'Bedankt dat je mee bent gegaan,' zei Chloë de donderdag daarna om halfzeven. We stonden voor de Vintage Wedding-Dress Store in Neal Street in Covent Garden. Ze drukte op de ouderwetse koperen bel. 'Het is maar goed dat we 's avonds langs mogen komen. Ik kan overdag nu echt geen moment vrij nemen.'

'Dus het is hard werken?'

'Ja, heel hard. Ik loop behoorlijk op mijn tenen,' zei ze glimlachend. Toen ging de deur zoemend van het slot en ze duwde hem verder open.

'Maar je hebt wel plezier in je werk?' vroeg ik haar.

'Ja... En het is heerlijk om die verantwoordelijkheid te hebben. O, hoi.' Chloë glimlachte naar de eigenares van de winkel, die naar ons toe kwam lopen. 'Ben jij Annie?'

'Dat ben ik, en jij bent vast Chloë.' Annie was ongeveer van mijn leeftijd, slank en met kort donker haar. Ze droeg een cirkelrok met aardbeiendessin, in de stijl van de jaren vijftig, een gele kasjmieren trui en witte pumps.

'Dit is mijn zus Ella,' legde Chloë uit. 'Ze is meegekomen om me een second opinion te geven.'

'Geweldig.' Annie glimlachte. 'Kom verder.'

We liepen met haar mee naar de achterkant van de winkel. De muren waren in rustig lichtgroen geschilderd en er hingen ingelijste schetsen aan van trouwjurken van Balenciaga, Norman Hartnell en Dior. Er lagen antieke sluiers, vintage hoedjes en prachtig geborduurde satijnen ballerina's uitgestald. Het roomkleurige fluwelen tapijt onder onze voeten was heerlijk dik – een behaaglijk oppervlak voor gestreste bruiden.

Het pashok was heel groot, met twee mahoniehouten stoelen als tronen, met blauwe fluwelen zittingen. Aan de antieke koperen haken hingen diverse trouwjurken, net zichtbaar onder de beschermende zakken van mousseline.

'Ik heb de jurken gepakt waar we het aan de telefoon over hebben gehad,' zei Annie tegen ons. 'Dit is "Gina", hier.' Ze ritste de zak open. 'Ik heb ook "Greta" klaar gehangen, de zijden jurk uit de jaren dertig, en "Jackie", die uit de jaren zestig die je zo mooi vond.' Ze gaf een knikje naar de jurk. 'Hij is van Lanvin, vandaar de prijs. Er zijn ook nog drie andere die je misschien wel wilt passen, waaronder eentje die door Marc Bohan is ontworpen voor hij bij Dior ging werken. Draag je veel vintage?' vroeg ze aan Chloë.

'Best veel,' antwoordde Chloë. 'Maar ik heb altijd al gedacht dat ik een vintage jurk zou dragen als ik ooit ging trouwen, om iets echt origineels te hebben.'

'Nou, deze zijn uniek,' zei Annie zacht.

'Waar haal je ze vandaan?' vroeg Chloë.

'Ik koop ze op veilingen,' antwoordde Annie. 'Ik haal er heel wat uit New York, zoals deze hier.' Ze haalde voorzichtig "Gina" uit de zak. 'Deze jurk is van Will Steinman, een grote naam in Amerika in de jaren veertig en vijftig. En natuurlijk brengen mensen zelf jurken naar me toe. Bovendien heb ik een vriendin die een vintage winkel runt in Blackheath. Villa Vintage.'

'Daar heb ik van gehoord,' zei Chloë.

'Die vriendin – ik heb een tijd voor haar gewerkt – verkoopt zelf geen trouwjurken, dus als ze wat moois tegenkomt stuurt ze het naar mij.' Annie stak haar hand in haar zak en haalde er een paar witte katoenen handschoenen uit zoals Polly die vaak draagt. 'Nou...' Ze trok ze aan. 'Laten we beginnen.'

'Moet ik ook handschoenen aantrekken?' vroeg Chloë.

'Nee, maar mag ik je vragen of je veel make-up op hebt?'

'Nauwelijks,' antwoordde Chloë, 'maar ik zal voorzichtig zijn.' Ze wendde zich naar mij. 'Ga je mee naar binnen, Ella?'

'Natuurlijk.'

Ik ging op een van de stoelen zitten en Annie trok het bedrukte katoenen gordijn dicht. Chloë kleedde zich zwijgend uit. Het was lang geleden sinds ik haar in alleen een beha en slipje had gezien.

'Je bent weer afgevallen, Chloë.' Ze was het afgelopen jaar weer wat zwaarder geworden, maar nu staken haar heupbeenderen uit.

Ze keek bezorgd in de spiegel. 'Het zal de stress van het werk wel zijn... En van de bruiloft, natuurlijk, en... Nou ja... Alles bij elkaar.' Ze hing haar kleren op de andere stoel.

'Ik wou dat ik jou een paar kilo kon geven,' zei ik met een quasizielige glimlach.

'Je bent niet te dik, Ella, alleen stevig gebouwd.'

'Ik weet het, maar het is moeilijk te geloven dat mam mij ooit heeft gebaard!' Ik had de robuustheid en brede schouders van mijn vader, wist ik sinds ik de foto had gezien. Ik zag mezelf naast hem op het strand van Anglesey staan, mijn hand in de zijne. Ik vroeg me af of hij toen, terwijl hij naar mijn moeders camera lachte, al wist dat hij ons weldra zou verlaten. Waarschijnlijk wel. Nog een goede reden om de foto niet te houden, besloot ik.

'Ik ben klaar, Annie,' zei Chloë.

Annie schoof het gordijn open en kwam binnen. Ze pakte de jurk 'Gina' van het hangertje en hield hem omhoog. De zijde ruiste zacht. Chloë stapte voorzichtig in de jurk, alsof ze in heet water stapte.

Annie trok de jurk omhoog naar Chloës schouders, maakte een paar van de lusknoopjes vast en trok hem aan de achterkant iets strakker, zodat Chloë in de spiegel kon zien wat het effect was als hij op maat was gemaakt.

Chloë bekeek haar spiegelbeeld. 'Hij is prachtig,' zei ze, 'maar ik ben er te mager voor.' Haar hand ging naar de jurk. 'Ik heb van boven niet genoeg, en een jurk als deze moet goed gevuld zijn.' Ze keek naar mij. 'Hij zou jou wel staan, Ella.'

'Maar ik ben niet degene die gaat trouwen,' zei ik, iets te scherp, realiseerde ik me toen ik Chloë met haar ogen zag knipperen. 'Je zou er natuurlijk van die kipfiletjes in kunnen stoppen.'

Ze schudde haar hoofd. 'Dan zou ik me nep voelen, en je trouwdag is toch wel dé dag in je leven dat je het gevoel wilt hebben dat je trouw bent aan jezelf.'

'Ik ben het met je eens,' zei Annie. 'Je bent er inderdaad wat te tenger voor.' Ze maakte de knoopjes los. 'Laten we de "Greta" proberen.'

Chloe trok de 'Greta' aan. Die stond haar veel beter dan de 'Gina', en het satijn viel erg mooi en glansde prachtig. Chloë had geen problemen met de lage rug, maar de jurk was kennelijk gemaakt voor iemand die lang was, want zelfs toen ze schoenen met hakken aantrok, lag de stof nog op de grond.

Ze probeerde een andere uit de jaren vijftig, de 'Grace'. Die stond haar niet, maar hij herinnerde me aan Grace Clarke, aan wier portret ik was begonnen. De foto's die haar oom me had geleend waren goed, maar het zou nog altijd moeilijk zijn de illusie van drie dimensies te wekken uit de tweedimensionale afbeeldingen. Ik besloot haar oom te vragen of er recent videomateriaal van Grace was dat ik zou mogen zien.

Chloë trok de 'Jackie' aan, die was gemaakt van dikke tussorzijde, wat hem een geconstrueerde, 'gebouwde' uitstraling gaf. Het was een mooie jurk, maar zoals ik had verwacht was hij haar veel te groot.

Daarna probeerde ze weer een jurk uit de jaren zestig met een plooirok en toen de jurk van Marc Bohan, een eenvoudige ivoorkleurige tuniek met eentje van zilverachtig kant eroverheen, als een spinnenweb. Vervolgens paste ze een jurk uit de jaren tachtig van duchessezijde met halflange mouwen die met kant waren afgezet. Chloë trok een grimas toen ze zichzelf zag.

Annie was het met haar eens. 'Dit is niets voor jou. Hij lijkt erg op de trouwjurk van Sarah Ferguson. Dat was in 1986, dus ik denk niet dat je je dat nog herinnert.'

'Ik niet,' antwoordde Chloë terwijl ze de jurk uittrok.

'Je hebt de trouwerij wel gezien,' zei ik. 'Je was net vijf geworden. Ik herinner het me nog goed.' Ik was het nooit vergeten, door wat mijn moeder me die dag had verteld.

'Weet je zeker dat je de "Giselle" niet wilt passen?' vroeg Annie toen ze de jurk weer ophing.

'Ik weet het heel zeker,' antwoordde Chloë. 'Ik wil absoluut niet dat mijn jurk negatieve associaties heeft, en Giselle heeft het zwaar te verduren wat het huwelijk betreft.'

Annie ritste de zak dicht. 'Hoezo? Wat gebeurt er dan met haar?'

'Ze is een onschuldig meisje,' begon Chloë, 'dat verliefd wordt op een knappe jager, Loys, die vreselijk met haar flirt. Als Giselle ontdekt dat Loys in feite hertog Albrecht is en dat hij verloofd is met prinses Bathilde, wordt ze krankzinnig van verdriet, pakt het zwaard van Albrecht en steekt zichzelf neer –'

'Nee,' onderbrak ik. 'Ze stort in door haar toch al zwakke gezondheid voordat ze zichzelf kan neersteken.'

'Oké,' zei Chloë. 'Hoe dan ook, haar hart is gebroken en ze sterft en wordt dan een Wili, een geest van een afgewezen bruid, wat de enige manier is waarop ze een trouwjurk kan dragen. Arm kind.'

Ik dacht aan mam op die poster, in haar lange tutu en sluier.

'Hoor je ooit het verhaal achter deze jurken?' vroeg Chloë aan Annie.

'Soms,' antwoordde ze. 'Toevallig weet ik het verhaal van deze jurk.' Uit de laatste zak haalde ze een jurk uit de jaren vijftig met een aangerimpelde rok van zijden tule en een hartvormig satijnen lijfje. De kleine tournure was bezaaid met blauwe bloemetjes.

Chloës gezicht begon te stralen. 'Hij is prachtig!'

Annie haalde de jurk van het hangertje. 'Ik heb hem van mijn buurvrouw gekocht. Toen ik haar vertelde dat ik mijn eigen winkel in vintage trouwjurken wilde openen, bood ze hem me aan. Ze had hem heel goed bewaard, maar de rode rozen op de tournure waren verbleekt, dus heb ik die vervangen door deze vergeet-mij-nietjes.'

'Iets blauws,' zei Chloë blij toen Annie haar de jurk voorhield. Ze stapte erin en Annie trok de ritssluiting dicht. Chloë bekeek zichzelf in de spiegel en haar ogen werden groot van plezier. 'Hij is... geweldig.'

Ik keek naar Chloës spiegelbeeld en zag Nate voor me, die bij het altaar stond te wachten, zich toen omdraaide en haar in deze fantastische jurk naar hem toe zag komen lopen. Ik zag zijn ogen beginnen te schitteren van opgetogenheid en trots.

'Voel je je wel goed, Ella?' vroeg Chloë. 'Je lijkt een beetje triest.'

'O, ik ben gewoon moe. Het is een geweldige jurk.'

'Dat is het zeker,' mompelde Annie. 'En hij past precies.'

Chloë wendde zich tot Annie. 'Wat is het verhaal erachter dan?'

'Het verhaal is... dat hij nooit gedragen is.'

'Echt waar?' zei Chloë. 'Waarom niet?' voegde ze er bezorgd aan toe.

'Mijn buurvrouw, Pam, vertelde me dat ze in 1958 verloofd was met een jongen die Jack heette en op wie ze dol was. Ze was drieëntwintig en woonde nog thuis, in een dorpje in de buurt van Sevenoaks. Ze zag de jurk bij Dickins and Jones. Hij kost veertig guinjes, wat toen een hoop geld was, maar haar ouders gunden haar een droombruiloft, dus kochten ze hem. Pam vertelde me dat ze niet kon wachten tot Jack haar erin zou zien. Maar een week voor de grote dag kwam Jack naar haar huis en vertelde haar dat hij er niet mee door kon gaan.'

Chloë keek geschokt en keek toen weer in de spiegel, alsof ze de jurk nu in een heel ander licht zag.

'Pams ouders probeerden Jack over te halen van gedachten te veranderen, maar hij zei dat het hem speet. Hij wilde niet trouwen omdat hij te veel twijfels had. Haar ouders realiseerden zich toen dat ze niets anders konden doen dan alles afzeggen en de gasten inlichten. Er was dus geen bruiloft en hun relatie was voorbij, omdat Pam hem vertelde dat ze hem nooit meer wilde zien. Alles was verpest. Ze was radeloos.'

'Arme meid.' Chloës gezicht was vol sympathie. 'Maar... Ik geloof niet dat ik de jurk nog wil, nu ik dit weet.'

Ik vroeg me af wat Annie ertoe had gebracht zo'n negatief verhaal te vertellen. Wilde ze de jurk misschien niet verkopen?

Ze stak haar hand op. 'Wacht, er komt nog meer. Drie jaar later...'

'...ontmoette ze iemand anders?' vulde Chloë in. 'Ik hoop het echt.'

'Pam was naar Londen verhuisd, deels om de herinnering aan wat er was gebeurd te ontvluchten. Ze liep op een ochtend door Regent Street toen ze opkeek en Jack in de menigte in haar richting zag lopen. Haar hart begon te bonken. Ze vertelde me dat ze had besloten gewoon langs hem heen te lopen alsof ze hem niet kende.'

Dat zou mam ook gedaan hebben, dacht ik.

'Maar een innerlijke stem zei haar dat niet te doen, dus riep ze zijn naam en hij bleef staan, duidelijk geschokt. Daar stonden ze dan op de stoep terwijl iedereen om hen heen doorliep. Pam vroeg hem hoe het met hem ging en hij zei goed; en hij vroeg hoe het met haar ging en zij zei goed. En ze wilde al glimlachend gedag zeggen en doorlopen, toen hij vroeg of ze tijd had om even koffie met hem te drinken. Pam aarzelde, maar stemde toch in. De volgende dag belde hij haar op haar werk en vroeg of ze een keer met hem wilde gaan eten, en om een lang verhaal kort te maken...'

'Ze kregen weer een relatie,' zei Chloë.

Annie knikte. 'Ze trouwden een paar weken later voor de burgerlijke stand met alleen twee vrienden als getuigen. Pam droeg een pakje, maar ze had haar trouwjurk bewaard, omdat ze er geen afstand van kon doen. Daarom is hij nooit gedragen. Ze had niet haar droombruiloft gekregen, maar wel een happy end. Ze zei zelfs dat ze nu gelukkiger was met Jack omdat ze had gedacht dat ze hem kwijt was.'

'Was het moeilijk voor haar om hem te vergeven?' vroeg Chloë.

'Ze zei van niet, omdat ze nog steeds van hem hield. Ze was van hem blijven houden.'

'Maar waarom had hij in de tussentijd geen contact met haar opgenomen?'

'Dat wilde hij heel graag, maar hij geloofde niet dat het kon. Ze had immers gezegd dat ze hem nooit meer wilde zien. Maar ze zijn vijfenveertig jaar getrouwd geweest en kregen twee zoons. Dus het verhaal liep gelukkig toch goed af.'

'Uiteindelijk wel,' zei Chloë zacht. Ze keek fronsend naar haar spiegelbeeld, alsof ze ergens mee worstelde.

'Nate zou jou dat niet aandoen,' zei ik, 'als je daar soms aan denkt.'

'Ik kan de jurk voor je apart houden,' zei Annie. 'Als je het niet zeker weet.'

Chloë keek naar zichzelf en de twijfel in haar blik verdween. 'Nee, ik weet het zeker. Ik koop hem nu meteen.'

Ik had gehoopt dat mijn hulp aan Chloë bij het kiezen van de jurk waarin ze met Nate zou trouwen een kalmerend effect op mijn gevoelens zou hebben. Dat was niet zo. In de paar weken daarna werden ze alleen maar heftiger. Daarbij viel ik ten prooi aan een soort schizofrenie: ik verheugde me erop Nate weer te zien en zag daar tegelijkertijd tegen op. Ik moest professioneel naar hem staren, terwijl ik dat zo graag op het persoonlijke vlak wilde doen. Ik moest zijn gezicht op het doek zetten alsof dat slechts een technische handeling was, terwijl ik het inmiddels uit liefde deed. Ik dacht aan Guy Lennox en stelde me zijn frustratie voor toen hij vanachter zijn ezel naar zijn model moest kijken terwijl hij niets liever wilde dan naar haar toe lopen en haar gezicht in zijn handen nemen.

Tussen de sessies door gingen, als een screensaver, mijn gedachten steeds naar Nate. Wanneer ik 's morgens mijn ogen opendeed was hij er, en ook wanneer ik ze 's avonds weer dichtdeed. Ik werd wakker met een gevoel van euforie, maar zodra de realiteit zich aan me opdrong voelde ik me verdrietig en in de war. Ik wist niet eens of het Nates eigen gezicht was dat ik zag of de beeltenis ervan die ik aan het schilderen was. Ze leken met elkaar verweven. Ik werkte aan zijn portret om me dicht bij hem te voelen. Ik verkeerde in een toestand van verheugde wanhoop.

Dus toen ik op Nate zat te wachten voor zijn vierde sessie besloot ik gereserveerd tegen hem te zijn, om weer een zekere afstand tussen ons te scheppen. Hoewel mijn verstand echter blij was met die strategie, verzette mijn lichaam zich ertegen. Vijf minuten voor hij zou komen begon mijn hartslag te versnellen. Het was alsof mijn zenuwuiteinden aan trillende draden vastzaten. Het geluid van de bel veroorzaakte een adrenalinestoot die wel iets van een elektrische schok had. Toen ik de deur opendeed ging mijn hart zo tekeer dat ik dacht dat hij het kon zien kloppen. Toen hij glimlachte begon mijn gezicht plotseling te gloeien.

Ik had nog nooit zo'n sterk fysiek verlangen naar een man ervaren. Toen Nate met me mee naar boven liep, langs mijn slaapkamer waarvan de deur op een kier stond zodat er een stukje van het bed te zien was, stelde ik me voor dat ik zijn hand vastpakte, hem mee naar binnen trok, mijn hand tegen zijn achterhoofd legde, zijn mond tegen de mijne trok en zijn shirt open knoopte en...

Wat bezielde me? Hij ging met mijn zus trouwen! Ik voelde een golf van schuldgevoel en schaamte.

Toen we mijn atelier binnen stapten wenste ik dat Chloë me nooit had gevraagd hem te schilderen. Dan had ik kunnen blijven denken dat Nate een onbetrouwbare gluiperd was, en niet de fatsoenlijke en begerenswaardige man zoals ik hem nu kende.

Ik herinnerde me mijn besluit me afstandelijk te gedragen, dus vroeg ik hem hoe het met het project in Finland ging en wat hij van de fusie vond. Ik zei dat ik zin had in het verlovingsfeestje van die avond, wat een leugen was, want ik zag er vreselijk tegen op en had van alles proberen te bedenken om eronderuit te komen. Ik zou zeggen dat ik migraine had. Chloë wist dat ik daar soms last van had.

'Ella...' Nate keek verbaasd. 'Is alles goed met je?'

'Natuurlijk. Hoezo?'

'Zomaar... Je lijkt een beetje stil.'

'O.'

'Weet je zeker dat je je goed voelt?'

'Nee, ik bedoel ja. Jawel... Hoewel ik denk dat er een migraineaanval aankomt.'

'Wil je een aspirientje? Of een glas water?'

'Nee, het gaat best, heus... Dank je.' Ik doopte het penseel in de vleeskleur. 'Het gaat... prima, oké... Ik...'

Barst maar met die gereserveerdheid, dacht ik toen. Waarom zou ik niet met Nate kunnen praten, er gewoon van genieten dat hij hier was? Ik had niets verkeerd gedaan, en ik ging ook niets verkeerds doen. Toch?

Dus praatten we over Nates schooltijd, over zijn hond Chopsy en over de operazanger Raymond, die in het appartement onder hen woonde en hun vaak vrijkaartjes voor het Metropolitan gaf. Daarna vertelde Nate over zijn eerste vriendinnetje, Suzanne, met wie hij op Yale verkering had. 'Suze en ik waren twee jaar samen, en ik was gek op haar.'

Ik voelde een steek van jaloezie.

'Nadat we geslaagd waren, wilde ik dat we gingen samenwonen in New York, maar zij was net als leerling-verslaggever aangenomen bij NBC en zei dat ze geen vaste relatie wilde. Ze wilde zich vrij voelen omdat ze veel weg zou zijn voor opdrachten, vaak een poos in het buitenland zou zitten, en dus...' Nate haalde zijn vinger langs zijn keel.

'Maakte ze het uit?'

Hij knikte. 'Ze brak mijn hart.'

Weer zo'n zelfde steek. 'En... Na Suze?'

Hij haalde zijn schouders op. 'Ik heb een paar relaties gehad, maar geen van alle bijzonder. Ik ging meestal uit met vrouwen van wie ik wist dat ik nooit een serieuze relatie met ze zou krijgen.'

'Waarom? Uit angst om je te binden?'

Hij dacht even na. 'Nee, omdat ik nog steeds hoopte dat het goed zou komen met Suze. Telkens als zij terug in New York was, zagen we elkaar. We belden en mailden vaak. We bleven allebei het vuur opporren terwijl we het hadden moeten laten doven. We gekscheerden vaak dat we ooit nog weleens samen zouden komen. Maar een paar jaar geleden belde Suze me dat ze ging trouwen met een kerel die ze drie maanden daarvoor had leren kennen. En dat ze heel gelukkig was.' Hij haalde filosofisch zijn schouders op. 'Dus... *Finita la comedia.* Honey zeurde al lang aan mijn hoofd dat ik bij haar in Londen moest komen werken, dus dat leek een goed moment om daarop in te gaan.'

'Aha. Dus het was niet zozeer omdat je moeder en je zussen zeurden dat je je moest settelen?'

'Nou, dat deden ze wel. Ze zeiden al jaren tegen me dat ik Suze moest vergeten en gewoon iemand moest zoeken met wie ik kon samenleven, zonder een grootse liefde te verwachten of zoiets. En ik begon hun denkwijze net te accepteren toen ik Chloë ontmoette.'

'Bij de Harbour Club?'

'Ja.' Nate grinnikte. 'Aanvankelijk irriteerde ze me mateloos, want ze kwam telkens mijn veld op om haar ballen terug te halen, maar toen realiseerde ik me wat er aan de hand was en vond ik het best grappig. Daarna raakten we aan de praat in de bar.' Hij haalde verbijsterd zijn schouders op. 'En zo zijn we gekomen waar we nu zijn. Maar Chloë is erg... lief.'

'Dat is ze zeker. Ze is een schat... En in dat verhaal zit vast wel wat materiaal voor je bruiloftstoespraak. Je kunt zeggen dat ze de bal bij jou neerlegde, of dat ze dubbelspel wilde spelen.' Of al het werk deed, dacht ik wrang. Chloë was niet bepaald verlegen wanneer ze haar zinnen op een man had gezet. Ze had Max ontmoet waar zijn vrouw bij stond.

'Ze heeft het kennelijk moeilijk gehad met haar laatste vriend,' hoorde ik Nate zeggen. 'Niet dat ze erover praat, maar je kunt het zien in dat portret van haar.'

'Hij... wilde zich gewoon niet aan haar binden,' zei ik naar waarheid. 'Het gebruikelijke verhaal,' voegde ik er achteloos aan toe. 'Maar ze is heel gelukkig nu ze jou heeft ontmoet.'

'Ze lijkt inderdaad gelukkig, ja.' Hij zweeg even. 'Maar goed... Nu weet je alles over mijn verleden.'

'Ik ben wel teleurgesteld dat het niet wat choquerender is.'

'Sorry.' Hij haalde zijn schouders op. 'Maar kom op, Ella, nu ben jij aan de beurt. Hoe zit het met jouw verleden?'

'O. Moet dat?'

'Natuurlijk. Je kunt mij niet zomaar al die informatie ontfutselen zonder ook maar iets over jezelf te onthullen.'

'Daar zit wat in. Oké...' Ik schraapte mijn keel. 'Eens even kijken...' Ik vertelde over Patrick, met wie ik op Slade verkering had gehad, en over de twee of drie korte relaties die ik had gehad toen ik in de twintig was. Daarna vertelde ik Nate over David.

'Twee jaar is een hele tijd,' merkte Nate op. 'Wat mankeerde er aan hem?'

'Niets. Hij was lief, en heel talentvol. Maar... Ik weet het niet. We vonden elkaar aardig, maar we waren niet verliefd.'

'Op die manier.'

'Ik ga meestal met mannen uit op wie ik niet echt verliefd ben.'

'Waarom? Om het gemakkelijker te maken als er een eind aan komt?'

'Misschien.' Ik kende de werkelijke reden, maar daar wilde ik het met Nate niet over hebben. En ik wilde het eigenlijk helemaal niet meer over relaties hebben, want ik wilde niet horen hoe fantastisch hij Chloë vond of hoe gelukkig hij met haar was, dus stuurde ik het gesprek naar het veiliger onderwerp van zijn familie. En terwijl ik de lijn van zijn linkerschouder opnieuw trok – ik had de hoek verkeerd – vertelde Nate me hoe graag hij Roy mocht.

'Roy is een fantastische man,' stemde ik trots met hem in. 'Hij zal een geweldige schoonvader zijn,' voegde ik eraan toe om mezelf aan Nates ophanden zijnde huwelijk te herinneren.

Nate keek me vragend aan. 'Heb je hem altijd al "Roy" genoemd?'

'Ja, want ik was vijfenhalf toen ik hem leerde kennen, dus ik kon mezelf er nooit toe brengen hem "papa" te noemen, als je dat bedoelt.'

Nate knikte.

'En ik wist dat mijn eigen vader er nog ergens was... Niet dat ik enig idee had waar.' Ik wilde plotseling dat Nate mijn verhaal kende. 'Misschien heeft Chloë er iets over gezegd.'

'Erg weinig... Alleen dat je je vader niet meer hebt gezien sinds je vijf was.'

'Dat klopt. Hij was met zijn vriendin naar Australië vertrokken, al weet ik dat pas sinds mijn elfde.'

'Waar dacht je voor die tijd dan dat hij was?'

Ik haalde mijn schouders op. 'Ik had geen idee. Mijn moeder wilde alleen zeggen dat hij ons had verlaten en dat we maar het beste niet meer aan hem konden denken. Ik was er echter van overtuigd dat hij ergens in de buurt was. Ik bleef me voorstellen dat ik hem in zijn grote blauwe auto naar ons huis toe zou zien rijden, zoals toen we in onze flat woonden.'

Ik herinnerde me dat mijn moeder dan voor het raam van de woonkamer stond en over de straat uitkeek. Dan hoorde ik haar roepen: 'Papa is er!' en rende ik naar haar toe en zagen we hem stoppen.

Ik hoorde de stoel kraken toen Nate ging verzitten. 'Je moet hem vreselijk gemist hebben.'

'Dat is zo. En natuurlijk dacht ik toch aan hem... Bijna constant zelfs. Altijd als ik een auto zag keek ik of hij erin zat. Ik keek naar hem uit tussen de mensen op straat en door de ramen van passerende bussen en treinen. Ik herinner me dat ik op mijn tiende een keer een man door de hele supermarkt achterna ben gelopen omdat hij op mijn vader leek. Maar als ik mijn moeder vroeg waar hij was gaf ze me altijd hetzelfde antwoord: dat hij weg was en niet meer terugkwam. Ik herinner me dat ik in paniek raakte en dacht dat hij dood was. Mam verzekerde me dat hij nog leefde, maar dat we hem niet meer konden zien en hem daarom maar het beste uit onze gedachten konden zetten. Elke keer als ik haar vroeg waarom we hem niet meer konden zien, gaf ze me het gevoel dat het te pijnlijk voor haar was om over te praten, dus hield ik op ernaar te vragen.'

Nate ging weer verzitten. 'Wist zij waar hij was?'

'Ja...'

'Waarom vertelde ze je dat dan niet gewoon?'

Ik veegde een druppel verf van de hoek van het doek. 'Ze zei dat ze dat niet had gedaan om me tegen onnodige pijn te beschermen. Ze zei dat het als een extra afwijzing zou voelen als ik wist dat hij zo ver weg was gegaan. En ze had gelijk, want toen ze het me uiteindelijk wel vertelde, was ik erg geschokt en van streek, want toen begreep ik dat hij niet alleen nooit meer terug zou komen, maar dat ook nooit van plan was geweest.'

'En wie was die vriendin?'

'Dat weet ik niet. Ik weet alleen dat ze Australische was en dat ze Frances heette. Zelfs dat weet ik pas sinds mijn tienerjaren. Mijn moeder had het altijd over "de andere vrouw". Maar Frances moet een verbazingwekkende macht over mijn vader hebben gehad, als hij niet alleen zijn vrouw en kind voor haar wilde opgeven, maar ook nog zo ver bij hen vandaan ging.'

'Wist Roy dat hij in Australië zat?'

Ik schudde mijn hoofd. 'Mam had het ook voor hem stilgehouden, omdat ze bang was dat hij het me zou vertellen als hij het wist. Ze had een sluier over haar eerste huwelijk heen getrokken vanwege de pijnlijke manier waarop het geëindigd was. Ze was zich ervan bewust geweest dat er een andere vrouw was. Ze vertelde me een keer dat ze een hotelrekening in zijn jaszak had gevonden, en een andere keer had ze de liefdesbrief gevonden die Frances hem had gestuurd. Maar toen mijn moeder hen werkelijk samen zag was dat een vreselijke schok. Ze zei dat het "een traumatische ervaring" was geweest.'

'Ook al was ze al op de hoogte van de verhouding?'

'Ja. Het zal het wel heel echt hebben gemaakt. Niet lang daarna is mam gevallen. Ze zei dat ze zo van streek en afgeleid was dat ze haar voet verkeerd neerzette, dus ze leek mijn vader daar ook de schuld van te geven. In haar duisterder momenten zei ze dat hij haar niet alleen had bedrogen, maar haar had "kapotgemaakt".'

'Arme vrouw...'

'Maar ze had geluk, want een paar maanden later ontmoette ze Roy, die verliefd op haar werd, en ze zag in dat ze met hem een kans op een nieuw begin had. Daarom wilde ze dat Roy me adopteerde... om mijn vader weg te vagen. Dus toen ik acht was werd ik Ella Graham.'

'Dat moet een heel vreemd gevoel zijn geweest.'

'Het veranderde mijn hele besef van wie ik was. Het duurde jaren voor ik eraan gewend was.' Terwijl ik wat zinkwit op het palet kneep, vroeg ik me af hoe de adoptie in haar werk was gegaan. Moest de biologische vader daarmee instemmen, vooral als hij met de moeder van het kind getrouwd was geweest? En was er een formele overdracht van ouderlijke gezag geweest? Ik besloot Roy er een keer naar te vragen.

Ik begon aan Nates rechterarm. 'Maar Roy is een fantastische vader voor me. Al was het in het begin niet gemakkelijk. Ik herinner me nog dat mijn moeder me vertelde dat ze een baby van hem kreeg. Ik was erg van streek. En ze kwam met nog wat meer verrassingen, want ze zei dat Roy en zij gingen trouwen en dat we allemaal samen in Londen zouden gaan wonen op een plek die Richmond heette. Ze zei dat Roy in een ziekenhuis in de buurt ging werken en dat ik naar een leuke nieuwe school mocht, ook al ging ik graag naar de school waar ik al op zat.'

'Wat een hoop veranderingen in je leven,' zei Nate vol sympathie.

Ik knikte. 'Ik zei tegen mam dat ik niet wilde dat ze met Roy trouwde en dat er een nieuwe baby kwam.' Ik doopte mijn penseel in kobaltblauw. 'Ik zei dat we niet uit onze flat konden verhuizen voor het geval pap terug zou komen en ons niet zou kunnen vinden. Op de dag van de verhuizing moest ik er schreeuwend uit gesleurd worden en ik wilde pas mee toen ik toestemming had gekregen een briefje voor hem achter te laten om hem te vertellen waar we heen waren gegaan. Niet dat het erg leesbaar geweest zal zijn, want ik kon op die leeftijd waarschijnlijk amper schrijven.'

'Arm klein meisje,' zei Nate.

'Dus ik haatte Roy omdat ik hem als de oorzaak van alle veranderingen beschouwde. Ik klampte me aan mijn moeder vast om hem bij haar vandaan te houden. Als hij iets tegen me zei gaf ik geen antwoord en ik verstopte zijn schoenen in de tuin. Ik vond het vreselijk zijn foto's en boeken te zien staan en zei tegen mijn moeder dat ze die in een groot vuur moest verbranden. Maar Roy was altijd fantastisch. Hij zei tegen me dat hij begreep waarom ik boos was. Hij zei dat hij ook boos zou zijn als hij mij was. Maar hij voegde eraan toe dat ik misschien niet meer zo boos zou zijn als ik de baby zag.'

Terwijl ik nu de kleur voor Nates haren stond te mengen, herinnerde ik me dat ik in de tuin van het huis in Richmond zat waar we toen woonden. Roy zat naast me op het bankje en vertelde me dat de baby nu snel zou komen, binnen een dag of twee. Ik begon te huilen. Hij vertelde me dat ik niet verdrietig moest zijn, want dat er iemand ter wereld zou komen die van mij zou houden. Hij zei dat dat alles was wat ik hoefde te weten.'

Ik keek op van het schilderij. 'En Roy had gelijk. Want toen ik Chloë voor het eerst zag, verdween al mijn woede gewoon. Roy legde haar in mijn armen en ik keek alleen maar naar haar, praatte uren tegen haar, vertelde haar wat ik haar allemaal zou laten zien wanneer ze groter was. 's Ochtends vonden ze me slapend op de vloer naast haar wiegje. En vanaf toen vond ik het niet meer erg dat Roy in mijn leven was, want ik begreep dat ik zonder hem Chloë ook niet gehad zou hebben. Maar natuurlijk hoopte ik nog steeds...' Mijn penseel bleef hangen. 'Ik ben altijd blijven hopen...' Ik hoorde de klok tikken.

'Dat je je vader weer zou zien?' vroeg Nate rustig.

Ik knikte. 'Maar dat was heel moeilijk voor te stellen, want ik begon al te vergeten hoe hij eruitzag.'

'Had je geen foto's van hem?'

'Nee, mijn moeder zei dat ze die was kwijtgeraakt. Dus tekende en schilderde ik hem, obsessief, om hem niet te vergeten.' Ik dacht aan de verbleekte tekening in mijn bureau. 'En ik dacht dat als ik echt een goede tekening van hem maakte, die echt zijn evenbeeld was, dat hij dan misschien terug zou komen.'

'En daarom ben je portretschilder geworden,' zei Nate zacht.

Ik knikte. 'Waarschijnlijk wel. Want ik was steeds op zoek naar dat ene gezicht en hoopte hem weer te zien. Ik bleef hopen... Zelfs toen ik de waarheid wist.' Ik voelde mijn keel samentrekken. 'Ik hield mezelf voor dat ik hem niet wilde zien.' De schildering op het canvas was wazig geworden. 'Maar natuurlijk wilde ik dat wel, natuurlijk wel...' Mijn handen vlogen naar mijn gezicht.

Ik hoorde de stoel kraken, toen voetstappen en toen voelde ik Nates armen om mijn schouders. Er liep een zoute traan in mijn mondhoek.

Ik was me bewust van de zachtheid van Nates trui, van de lichte druk van zijn armen, en van zijn ademhaling, warm tegen mijn oor.

Ik sloot even mijn ogen en maakte me toen gegeneerd van hem los. Daarbij zag ik een rode vlek op Nates borst. 'Ik heb verf op je gemorst,' zei ik schor. 'Van mijn penseel. Ik maak het wel schoon.' Ik liep naar mijn werktafel en deed wat spiritus op een doekje; daarna liep ik terug naar Nate en zonder erbij na te denken schoof ik mijn linkerhand onder zijn trui en wreef met de rechter voorzichtig over de wol. 'Zo...' mompelde ik. 'Het is weg.'

Ik wist dat als ik Nate aankeek ik hem zou willen kussen, dus wendde ik me af, maar hij stak zijn hand uit, pakte me bij mijn kin en veegde met zijn duim mijn tranen weg.

'Het gaat wel,' fluisterde ik. 'Het gaat wel weer. Dank je.' Ik liep naar de wasbak en begon het penseel schoon te maken om mijn verwarring te verbergen.

'Nu weet ik waarom je zo stil leek,' hoorde ik Nate zeggen. 'Je was met je gedachten bij je vader.'

'Dat klopt.' Ik draaide de kraan dicht. 'Heel erg.' Ik vertelde Nate niet waarom, of dat hij ook in mijn gedachten was.

'Misschien hoor je op een dag wel van hem.'

Ik ademde uit. 'Misschien.'

'Wat zou je doen als hij inderdaad contact met je opnam? Zou je met hem willen praten... hem willen zien?'

'Hem zien?' Ik keek Nate aan. 'Ik weet het echt niet.'

Tjonge, wat was ik gereserveerd geweest, dacht ik toen ik me een paar uur later klaarmaakte voor het feest. Ik had mijn hart gelucht bij Nate, had hem impulsief dingen verteld die ik zelfs nooit tegen Polly had gezegd, en hij had me in zijn armen genomen. En nu moest ik op zijn verlovingsfeest over koetjes en kalfjes met hem gaan praten.

Het zou om acht uur beginnen, maar ik was zo nerveus dat ik te laat kwam. Ik kon niet beslissen wat ik zou aantrekken en verkleedde me drie keer. Toen besloot ik niet te gaan, vervolgens besloot ik dat ik wel zou gaan, maar moest ik te voet omdat mijn voorband zacht was en de bus niet kwam en ik niet genoeg geld bij me had voor een taxi, omdat ik was vergeten te gaan pinnen. Dus tegen de tijd dat ik Redcliffe Square op liep, was het kwart over negen en voelde ik me verhit en ellendig.

Nates flat was aan de zuidzijde van het plein in een groot huis met een portiek en een reusachtige magnolia ervoor, die zijn laatste wasachtige witte bloembladeren liet vallen. Ik belde aan en een cateraar met een schort voor deed de deur open, nam mijn jas aan en bood me toen een glas champagne aan van het dienblad op het gangtafeltje. Ik pakte het dankbaar aan en nam twee grote, kalmerende slokken. Ik bereidde me voor om de kamer links van me binnen te stappen, waar het feest volop in gang was, toen Chloë de gang in kwam. Ik voelde een steek van jaloezie en haatte mezelf daarom.

Chloë schonk me een stralende glimlach. 'Daar ben je, Ella!'

'Ik ben vreselijk laat,' mompelde ik.' Sorry.'

'Dat geeft niets, je bent er nu. Kom mee naar binnen.'

'Vind je het goed als ik nog even hier blijf? Ik ben een beetje... gespannen.' Ik kon Chloë natuurlijk niet vertellen waarom. Ik nam nog een slok champagne en begon het kalmerende effect te voelen. Ik slaagde erin te glimlachen. 'Je ziet er fantastisch uit.'

Chloë droeg een turquoise zijden hemdjurk die soepel om haar slanke gestalte viel. Ze leek erg jong, maar ik bedacht dat ze net zo oud was als mam toen mijn vader vertrok, alleen had mam een kind van vijf. Ik bedacht weer hoe ongebruikelijk het was dat een ambitieuze jonge danseres haar carrière op het spel zette door een kind te krijgen. Misschien was mams zwangerschap een ongelukje geweest en was dat de werkelijke reden dat ze alleen voor de burgerlijke stand waren getrouwd. Wat ze over zijn gebrek aan geloof had gezegd, had op een of andere manier onwaar geklonken.

'Dank je,' zei Chloë.

Toen ze een haarlok achter haar oor duwde zag ik iets glinsteren en de spies stak weer toe. 'O, laat je ring eens zien!'

Ze hield haar hand omhoog, waaraan een grote marquisediamant flonkerde en schitterde. 'Nu voel ik me echt verloofd,' zei ze, en ze sperde haar ogen open in gemaakte nervositeit. 'We hebben hem een maand geleden uitgekozen, maar hij moest kleiner gemaakt worden, dus heb ik hem vanmorgen opgehaald terwijl jij Nate aan het schilderen was. Hij geniet van de sessies,' voegde ze eraan toe terwijl ik achter haar aan de woonkamer in liep.

Gespannen vroeg ik me af of Nate met haar over de sessies praatte.

'Niet dat hij me vertelt waar jullie het allemaal over hebben.'

Ik ademde opgelucht uit.

'Maar vandaag stonk hij naar terpentine toen hij thuiskwam. Ik plaagde hem dat hij zeker zelf wat geschilderd had.'

Er stonden misschien twintig mensen in de kamer, die lang en breed was en een diepe erker had. Op de witte marmeren schoorsteenmantel stonden een paar verlovingskaarten en aan de muur erboven hing een groot semiabstract zeegezicht in kolkend blauw en groen. Aan de andere kant van de kamer stond een licht, met damast bekleed bankstel, waarop ik Nate en Chloë meteen voor me zag, dicht tegen elkaar aan.

Aan de tuinzijde van de kamer zag ik Nate in spijkerbroek en een wit overhemd met zijn gasten staan praten. Toen hij me zag verontschuldigde hij zich bij hen en kwam naar me toe. Het was als in een van mijn dromen over hem, waarin zijn gezicht langzaam uit een menigte vreemden opdoemt en ik me heel gelukkig en opgelucht voel. Maar nu, wetend hoe sterk ik me tot hem aangetrokken voelde, ervoer ik alleen maar pijn en wanhoop.

'Ella,' zei hij hartelijk.

Ik herinnerde me de zachte druk van zijn armen om mijn schouders, het gevoel van zijn handen tegen mijn gezicht.

'Hoi, Nate... Sorry dat ik zo laat ben. Wat een prachtige flat!' Ik wendde me tot Chloë. 'Dus hier gaan jullie na de bruiloft wonen?'

'Dat is het plan. Nate huurt het, dus wanneer de huur afloopt willen we iets kopen. Ik vind de straat waar jij woont trouwens erg leuk, Ella.'

Ik werd moedeloos bij het vooruitzicht dat Chloë en Nate vlakbij zouden komen wonen. Dat ik ze hand in hand voorbij zou zien lopen, of de boodschappen uit de auto zou zien laden, of een buggy zou zien duwen...

'Dat zou gezellig zijn,' zei ik, 'maar hou wel rekening met wat overlast zo dicht bij het voetbalstadion.'

'Dat is waar,' zei Chloë. 'Hoe vaak speelt Chelsea thuis?'

'Om de andere zaterdag, maar ze trainen doordeweeks. Dan staat het verkeer helemaal vast en het is vreselijk lawaaierig.' Ik wou plotseling dat zij en Nate in New York gingen wonen, een scenario dat ik aan het begin van hun verloving had gevreesd.

'Nou, we zullen wel zien,' zei ze. 'Het heeft geen haast, hè Nate?'

'Nee. Helemaal geen haast.'

Plotseling klonk Chloës beltoon boven het lawaai en gepraat uit. Ze pakte haar mobiel uit haar zak, keek naar het schermpje en fronste. 'Neem me niet kwalijk... Ik ga even...' Ze liep de hal in en liet Nate en mij staan.

Dus praatten we over de prijzen van onroerend goed in dit deel van Londen en vroegen we ons af wanneer de rente weer zou gaan stijgen. Buiten de intimiteit van mijn atelier babbelden we beleefd met elkaar. Zo zal het voortaan moeten zijn, bedacht ik, wanneer het portret klaar is.

Een van de cateraars kwam naar Nate toe. Ik keek om me heen en zag dat Chloë met Jane stond te kletsen, een oude schoolvriendin van haar. Ik glipte langs hen heen om met mam en Roy te gaan praten, die bij het raam stonden. Onderweg naar hen ving ik flarden van gesprekken op.

– Niet lang meer tot de bruiloft.

– Is hij voor je op zijn knieën gegaan?

– Capri is fantastisch voor de huwelijksreis.

– Eerlijk gezegd heb ik hém gevraagd!

Mam was in gesprek met een andere vriendin van Chloë, Trish, en haar man Don. Toen ze me zag, stak ze elegant een hand naar me uit en trok me naar zich toe, terwijl ze gewoon doorging met haar lyrische uitspraken over Nate.

'Hij is zó aantrekkelijk,' stemde Trish met haar in. 'Duidelijk heel stabiel... Ja... Perfect voor Chloë. Hij zou trouwens voor elke vrouw perfect zijn, maar niet zo perfect als jij,' zei ze lachend tegen Don. Toen begon Trish tegen mijn moeder over de jazzband die Don en zij voor hun bruiloft hadden ingehuurd, en over de vreselijke problemen die ze hadden gehad met de tafelschikking voor zijn gescheiden ouders. Terwijl mam en zij over de voors en tegens van een formele ontvangst begonnen, liep ik bij hen weg om met Roy te gaan praten.

Hij glimlachte naar me. 'En, hoe is het met onze Ella-Bella?'

'Goed, dank je.' Ik nam nog een slokje van mijn champagne. 'Alleen een beetje bruiloftsmoe.'

Roy zuchtte. 'Ik weet wat je bedoelt.' Hij trok aan zijn vlinderdasje. 'Maar ik hoop wel dat je blij bent voor Chloë, Ella.'

Ik keek hem geschrokken aan. 'Natuurlijk ben ik dat. Waarom vraag je dat?'

Roys hals begon rood te kleuren. Ik vroeg me af of hij het wist. Had hij het aan mijn gezicht gezien, net als Celine? Stond er *I ♥ Nate!* op mijn voorhoofd?

'Waarom vraag je dat?' herhaalde ik nerveus.

'Nou...' Roy verplaatste zijn gewicht. 'Eerlijk gezegd dacht ik dat je misschien niet zo blij zou zijn dat ze gaat trouwen.'

'Waarom zou ik niet blij voor haar zijn?' Mijn hartslag schoot omhoog.

Roy stak een vinger achter zijn kraag. Hij wist het. Mam en hij wisten het allebei. 'Omdat het voor jou best moeilijk zal zijn,' zei hij, 'om te zien dat je moeder en ik zo met je zus bezig zijn. Om nog maar te zwijgen van de bakken met geld die we aan haar uitgeven, dus ik hoop maar...'

'O, op die manier.' Ik begon opgelucht te lachen. 'Denk je dat ik jaloers ben op Chloë, omdat ze gaat trouwen?'

'Nou... Dat dacht ik niet echt, maar ik wil dat je weet dat we voor jou net zo groots zullen uitpakken als voor haar. Ik ben al jaren voor jullie allebei aan het sparen.'

Ik glimlachte. 'Dank je, Roy.' Hij was echt ontzettend aardig. Ik legde mijn hand op zijn arm. 'Maar omdat ik betwijfel dat ik het ooit nodig zal hebben, hoop ik dat je het aan mam en jezelf zult uitgeven.'

Hij nipte van zijn champagne. 'Je weet niet wat de toekomst nog brengt, Ella. Hoe dan ook, het is goed om te weten dat je blij bent voor je zus.'

'Natuurlijk ben ik dat.' Ik wou alleen dat ze met iemand anders trouwde dan met Nate.

Iedereen liep nu naar de brede houten trap die naar het souterrain leidde.

'Ik denk dat het eten klaar is,' zei Roy. 'Erg aardig van Nate om dit te doen.'

'Dat is het zeker. Maar ik wil graag eerst even mijn handen wassen, dus ik zie je beneden wel.'

Ik liep de hal in en een cateraar vertelde me dat de badkamer direct boven aan de trap was. Ik liep naar boven.

Toen ik de deur openduwde, zag ik een grote victoriaanse badkuip met klauwpoten. Op de rand ervan stond Chloës shampoo en crèmespoeling en een paar theelichthouders in de kleuren van juwelen. Ik kwelde mezelf met beelden van haar en Nate, badend bij kaarslicht. Naast het bad, tussen Nates scheerspullen, zag ik Chloës Cath Kidston-toilettas, een roze tandenborstel en een grote pot Elizabeth Arden-bodycrème.

Ik had toch moeten zeggen dat ik migraine had, bedacht ik triest toen ik de kraan opendraaide. Ik sloeg mijn ogen naar de spiegel op en wendde ze toen af, niet in staat mezelf onder ogen te zien. 'Ik ben niet verliefd,' fluisterde ik terwijl ik koud water tegen mijn gloeiende wangen spatte. 'Het is maar een... bevlieging, een stomme en volstrekt ongepaste bevlieging.' Ik schaamde me het toe te geven, zelfs tegenover mezelf. Ik wilde beslist niet dat iemand anders het wist, dus ik was vastbesloten mijn gevoelens te verbergen.

Toen ik de badkamer uit kwam, zag ik dat de deur van de kamer ernaast op een kier stond. Door de opening zag ik Nates groene trui op een stoel liggen. Een mouw bungelde omlaag, alsof hij uitgeput was. Zonder erbij na te denken duwde ik de deur verder open en keek naar het grote bed. Ik stelde me tegen wil en dank Chloë en Nate voor, die daar lepeltje lepeltje tegen elkaar aan lagen, of met hun gezichten naar elkaar toe, hun ledematen met elkaar verstrengeld.

Op de ladekast zag ik wat foto's in zilveren lijstjes staan. Ik wilde ze bekijken, wilde meer van Nate weten, dus stapte ik – al voelde ik me een indringer – naar binnen.

Er was een foto van een jong stel bij een stenen muur, vermoedelijk Nates ouders. De *Duomo* van Florence stak boven de gebouwen achter hen uit. Er stond ook een foto van een vrouw op haar trouwdag. Ik vermoedde dat het Maria was, zijn jongste zus, omdat hij had gezegd dat hij met haar de hechtste band had. Er was ook een foto van Nate als jongetje van acht of negen op een bank met zijn hond als een baby in zijn armen. In een glazen lijstje zat een kiekje van Chloë en Nate tijdens een of ander deftig diner. Haar arm lag over de rugleuning van zijn stoel. Ik voelde weer een steek van jaloezie en schrok van de hevigheid ervan.

Ik liep de kamer uit, trok de deur achter me dicht en haastte me naar beneden.

De keuken was erg groot en er was een grote serre bij die als eetkamer dienstdeed. Voor de ramen hingen snoeren kleine lampjes, die twinkelden in de toenemende duisternis. Iedereen zocht zijn plekje aan de lange schragentafel.

Ik vond mijn naam, geschreven in Chloës grote, ronde handschrift, en er kwam een vrouw van rond de veertig met schouderlang blond haar en cyclaamkleurige lippenstift naast me staan.

'Hoi,' zei ze met een hartelijke glimlach. 'Ik ben Nates nicht, Honeysuckle.'

Ik beantwoordde haar glimlach. 'Dat is een prachtige naam.'

'Tja, mijn vader was dol op Fats Waller, dus heet ik Honeysuckle Rose, maar iedereen noemt me Honey of Hon.'

Ik herinnerde me mijn vergissing daarover op de avond van Chloës feestje. Ik was woedend geweest bij het idee dat Nate Chloë bedroog met een ander, en nu *wílde* een duister deel van mezelf dat hij haar bedroog... met mij!

'Dit is mijn man Doug.' Honey wees naar een man met zandkleurig haar, die links van me stond.

Ik schudde zijn uitgestoken hand. 'Ik ben Ella... Chloës zus.'

'Ik heb al over je gehoord,' zei Doug. 'Jij schildert Nate, nietwaar?'

'Dat klopt.'

'Gedraagt hij zich tijdens het poseren?' vroeg Honey toen we gingen zitten.

'Natuurlijk gedraagt hij zich.' Ik zag dat Honey mijn verontwaardigde toon opmerkte. 'Ik bedoel... Hij zit heel goed stil en hij is erg... aardig.'

'O, Nate is een schat,' zei Honey toen Doug wat witte wijn voor ons alle drie inschonk. 'We zijn samen opgegroeid in New York, maar mijn ouders verhuisden naar Londen toen ik twaalf was, vandaar mijn bijna Engelse accent. Maar Nate en ik hebben altijd goed met elkaar overweg gekund en nu werken we samen.'

'Hij heeft me veel over je verteld,' zei ik. 'Leuke dingen,' voegde ik er haastig aan toe. Toen herinnerde ik me dat Nate had gezegd dat Honey erg nieuwsgierig kon zijn. Ik zou dus op mijn hoede moeten zijn.

Ze glimlachte. 'En... Hoelang duren de portretteersessies?'

Ik legde het haar uit.

'Hoe goed kende je hem toen je begon?'

'Ik kende hem helemaal niet... Ik had hem twee keer gezien. Maar ik ken mijn modellen meestal niet voor ik ze ga schilderen.'

Honey schudde haar hoofd. 'Wat raar, om zo lang samen met een vreemde opgesloten te zitten.' Ze lachte. 'Dat moet zoiets zijn als een blind date!'

Ik knikte. 'In zekere zin wel.' Alleen was er in Nates geval nooit een kans geweest dat de ontmoeting zich tot iets meer zou ontwikkelen. Ik voelde een golf van woede jegens Chloë. Door me te vragen hem te schilderen had ze me zonder het te weten een feestmaal voorgezet dat ik nooit zou mogen aanraken. Ik voelde me als Tantalus, tot aan zijn nek in water dat hij niet kon drinken, naar vruchten graaiend die altijd net buiten zijn bereik waren.

Ik wierp een steelse blik op Nate, die aan de andere kant van de serre naast Chloë zat. Ik probeerde te doorgronden wat er die ochtend tussen ons was voorgevallen, maar toen hield ik me voor dat er niets te doorgronden viel. Hij had gezien dat ik van streek was en had me spontaan getroost. Meer was het niet. En toch...

Nates vriend James kwam naast me zitten met zijn vrouw Kay. Ik wist al dat James in Londen voor de Citibank werkte, met Nate op de middelbare school had gezeten en zijn getuige zou zijn. James en Honey kenden elkaar duidelijk al en toen ze begonnen te praten, babbelde ik met Kay, die me vertelde dat ze een deeltijdstudie kunstgeschiedenis deed.

De cateraars brachten de voorgerechtjes, maar ik was te gespannen om te eten. Terwijl ik in mijn gerookte forel prikte, vroeg ik me af hoe vroeg ik weg zou kunnen gaan. Mijn tafelgenoten waren erg leuke mensen, maar ik vond het moeilijk om over koetjes en kalfjes te praten in de stemming waarin ik verkeerde. Goddank leken ze belangstelling te hebben voor portretkunst, dus ik hoefde in elk geval niet te zoeken naar iets wat ik kon zeggen.

'Is er iemand die je níét zou willen schilderen?' vroeg Kay me.

Ik liet mijn vork zakken. 'Ik vind jonge kinderen moeilijk, omdat hun gezichtsuitdrukkingen zo vluchtig zijn. En ik schilder niet graag vrouwen die plastische chirurgie hebben gehad, dat is heel lastig omdat het er nooit... juist uitziet. Vorig jaar heb ik een vrouw van in de vijftig geschilderd die duidelijk haar oogleden had laten liften. Het zag eruit alsof er twee verdovingsgranaten in haar oogkassen waren ontploft. Maar op het moment schilder ik een vrouw van drieëntachtig, die niets heeft laten doen en nog steeds erg mooi is.' Ik hoopte dat ik gauw verder zou kunnen met het portret van Iris, niet in het minst omdat ik graag meer wilde horen over Guy Lennox. Zijn tragische verhaal had me echt aangegrepen.

Nu begon Kay over zelfportretten, die van Rembrandt, van Francis Bacon en van Lucian Freud. 'En er is een zelfportret van Dürer dat ik geweldig vind,' voegde ze eraan toe. 'Dat is zó sexy.'

'Bedoel je dat waarop hij eruitziet als Christus?' zei ik. 'Met dat lange krullende haar?'

'Ja, dat bedoel ik. Hij is écht een stuk!' Ze giechelde. 'Ik was als tiener vreselijk verliefd op hem vanwege dat portret!'

Ik glimlachte van herkenning. 'Ik ook. Het was alsof hij echt was, geen tweedimensionale afbeelding van hemzelf die hij vijf eeuwen geleden heeft geschilderd.'

'Zal Nate er ook zo echt uitzien?' vroeg Honey. 'Zodat vrouwen over honderden jaren nog bij zijn portret zwijmelen?'

Ik glimlachte. 'Dat lijkt me leuk. Maar ik ben in elk geval ambitieus voor dit portret.'

'Ambitieus?' vroeg Honey. 'In welke zin?'

'In die zin dat een kundig portret slechts de gelijkenis laat zien, een goed portret toont aspecten van het karakter van het model, maar een geweldig portret zal iets over het model onthullen dat hij of zij zelf niet eens wist. Dat is wat ik met dat van Nate probeer te bereiken.'

Doug hief zijn glas naar me. 'Op een geweldig portret van Nate dan. Hij zal het nog officieel moeten onthullen.'

'Uitstekend idee,' zei Honey. 'Dan komen we er allemaal naar kijken. Maar ik weet nu al dat het adembenemend zal zijn, want dat is hij zelf ook.' Ze ving Nates blik op en blies hem een kus toe.

Nate glimlachte naar Honey terug en toen zij zich afwendde om iets tegen Doug te zeggen bleef Nates blik een paar tellen op mij rusten. Ik schonk hem een korte glimlach en keek toen met gloeiende wangen de andere kant op. Hij wil alleen weten of het goed met me gaat, zei ik resoluut tegen mezelf.

'Vergeet dat kleine litteken op zijn voorhoofd niet.'

Ik keek naar Honey.

'Een van zijn zussen heeft hem als baby laten vallen,' vervolgde ze. 'Ik geloof dat het Valentina was.'

'Nee.' Ik zette mijn glas neer. 'Dat was Maria.'

Honey keek me met een verbaasde blik aan. 'Hoe weet jij dat?'

'Nate heeft me verteld dat Maria hem heeft laten vallen toen hij vier maanden oud was. Ze was zes en had hem uit zijn wieg gehaald omdat ze hem wilde knuffelen. Ze reden met hem naar het ziekenhuis en Maria was zo van streek dat ze een grote pop voor haar moesten kopen voordat ze stopte met huilen. Hij zei dat ze er nog steeds niet over wil praten.'

Honey knikte langzaam. 'Dat was ik vergeten.'

Terwijl onze borden werden weggehaald, vertelde Honey over Roberto, de vader van Nate. 'Oom Rob kende een aantal beroemde pianisten,' zei ze tegen Kay. 'Hij heeft met Asjkenazi, Horowitz, Martha Argerich en Alfred Brendel gewerkt, en hij was zelf een heel goede pianist – hij gaf altijd recitals in een plaatselijke kerk, de Saint Thomas Aquinas.'

'Het was de Saint Vincent de Paul,' corrigeerde ik haar gedachteloos.

Honey keek me verrast aan. 'Is dat zo?'

'Ja. Dat wil zeggen... dat is wat Nate me vertelde.'

'Dan moet het wel waar zijn. Je pikt kennelijk goed op wat hij zegt.'

'Dat doe ik altijd bij mijn modellen, ik moet ze immers leren kennen om ze te kunnen schilderen. Nietwaar?' voegde ik eraan toe, maar ik wou meteen dat ik dat niet had gedaan.

Nate was opgestaan en tikte tegen zijn glas. Ik nam aan dat hij een toespraak zou houden, maar hij vroeg alleen of sommigen van ons van plaats wilden verwisselen voor het dessert en de koffie. Doug stond op en Kay ook, en even later ging mam op Kays stoel zitten. Toen ik haar aan iedereen voorstelde, realiseerde ik me dat ze net als ik te veel had gedronken.

'En hoe gaat het met de trouwplannen?' vroeg James haar gemoedelijk.

'Prima,' antwoordde ze met een glimlach. 'We sturen de uitnodigingen volgende week. Dat wordt een hele klus, want we hebben een gigantische acteurslijst.'

'Ik denk dat je gastenlijst bedoelt,' opperde Honey.

Mam keek verbaasd. 'Zei ik dat dan niet?'

'Zitten er ook Italiaanse elementen in?' vroeg Honey haar.

'Ja, de sopraan zingt iets van Rossini en ik denk erover buiten de kerk een paar duiven los te laten, voor een beetje drama.'

'Niet dat je te veel drama wilt tijdens een trouwerij,' waarschuwde Kay.

Mam slaakte een aangeschoten zucht. 'Dat is waar. Het is jammer dat we niet katholiek zijn, zoals Nate, anders hadden Chloë en hij een katholieke trouwmis kunnen hebben, maar we nemen wél van die kleine zakjes met gesuikerde amandelen, én ik wil dat Chloë en Nate een glas kapot gooien.'

Ik nam nog een slokje. 'Waar dient dat voor?'

'Tijdens de receptie gooien de bruid en bruidegom een glas kapot,' legde Honey uit. 'Het aantal stukjes staat voor het aantal jaren dat ze gelukkig getrouwd zullen zijn, zoals bij een joodse trouwerij.'

'Dat klopt,' zei mam toen Chloë zich bij ons voegde. 'Hallo, lieverd.'

Chloë ging naast haar zitten.

'We hebben het over je trouwdag en ik zei net dat ik wil dat jij en Nate een glas kapot gooien. En ik denk ook nog over confessie.'

'Confessie?' Chloë glimlachte. 'Heb je wat op te biechten, mam? Kom op, gooi het er maar uit!'

'Confetti,' corrigeerde mam zichzelf lachend. 'Ik probeer een keus te maken tussen delphiniumblaaadjes en hydrangea; geen gemakkelijke beslissing.'

Honey had duidelijk genoeg van de details van de voorbereidingen en haalde herinneringen aan Nate op. 'Hij had een hond, Chopsy,' zei ze tegen James. 'Het was een lelijke kleine straathond, maar Nate was gek op hem.'

'Hij was niet lelijk,' protesteerde ik. 'Hij zag er heel leuk uit. En het was geen straathond. Het was een raszuivere borderterriër.'

'Echt waar?' zei Honey. 'Je hebt trouwens gelijk. Dat was ik helemaal vergeten.' Ze lachte verbijsterd. 'Maar hoe weet jij nou hoe Nates hond eruitzag?'

Mijn hart stond stil. Ik kon moeilijk zeggen dat ik in Nates slaapkamer was geweest. 'Nate heeft hem me beschreven,' antwoordde ik naar waarheid. 'Ik heb een duidelijk beeld van hem.'

Honey knikte. 'Aha.'

Toen onze koffie werd gebracht, kwam Nate op de stoel naast Honey zitten. Ik durfde hem nauwelijks aan te kijken uit angst dat mijn gezicht mijn gevoelens zou verraden. Ik drukte mijn knieën tegen de onderkant van de tafel om het trillen te stoppen. En ik bedacht hoe vreemd het was dat ik in mijn atelier ongeremd – schaamteloos zelfs – naar hem kon kijken, maar hier nauwelijks een blik op hem durfde te werpen.

Honey legde haar hand op Nates arm. Ik benijdde haar om de ontspannen familiariteit waarmee ze dat kon doen. 'Ik zat net over Chopsy te vertellen,' zei ze tegen hem.

Nate grinnikte. 'Het was een fantastisch hondje.'

'Waarom heette hij Chopsy?' vroeg Chloë hem.

'Dat was de afkorting voor Chopin,' legde ik uit. 'Nates vader vond hem bij een asiel. Hij was daar half verhongerd en onder de sigarettenbrandwonden binnengekomen – Chopsy, niet Nates vader. Hij is veertien geworden, al kan dat ook wel zestien zijn geweest, omdat ze niet zeker wisten hoe oud hij was toen ze hem kregen.'

'O,' zei Chloë. 'Dat wist ik niet.'

Ik werd me plotseling bewust van Honeys sluwe, begrijpende blik. 'Nou...' Ik stond op. 'Ik moet maar eens terug naar huis.' Ik blies mam een kus toe en wendde me toen tot Nate. 'Bedankt, Nate,' zei ik gemoedelijk. 'Het was geweldig.'

Hij duwde zijn stoel naar achteren alsof hij me wilde uitlaten, maar Chloë was al opgestaan. 'Ik loop wel met je mee, Ella.'

'Oké...' Ik stak mijn hand naar iedereen op. 'Ik zie jullie allemaal op hun trouwdag.'

Mam glimlachte. 'Dat duurt niet lang meer.'

Ik liep achter Chloë aan de trap op. 'Wat een fijne avond,' zei ik toen we de hal in liepen. 'Ik heb het echt naar mijn zin gehad,' loog ik.

Ze gaf me mijn jas. Ik trok hem aan en pakte toen mijn tas op.

'Ella...?'

Ik kreeg bijna een hartverzakking toen ik Chloës gekwelde uitdrukking zag. Ze wist het. Hoe kon het ook anders na mijn gekwebbel over Nate en zijn hond en zijn vader? Het was niet bepaald gelukt mijn gevoelens te verbergen. Ik had te veel gedronken en ze aan iedereen getoond.

'Ella...?' zei Chloë weer.

'Ja?'

'Ik voel me nogal... gespannen en van streek, eigenlijk.'

'Waarom?'

'Ik... denk dat je wel weet...'

'Wat weet?' vroeg ik op onschuldige toon. *Dat ik verliefd ben geworden op je verloofde? Ja. Dat klopt. Het was niet mijn bedoeling. Het spijt me.* Ik zette me schrap voor Chloës afkeuring.

'Nou...' Ze tuitte haar lippen. 'Dat trouwen best... spannend is.'

'O.' Ik werd overspoeld door opluchting. 'Dat is zo. Ik bedoel, dat zal vast wel... Maar...' Ik verzette me tegen mijn emoties. 'Je hebt in elk geval een goede keus gemaakt. Nate is erg... aardig.'

Chloë sloot haar ogen en deed ze toen weer open. 'Ik ben zo blij dat je dat zegt, want het is waar. En hij is fatsoenlijk en werkt hard... Hij is intelligent en lief. En hij is stabiel,' voegde ze er ernstig aan toe. 'Dat is belangrijk, nietwaar? Hij is ook heel gul... en trouw. En hij is aantrekkelijk, had ik dat al gezegd?'

Ik schudde mijn hoofd.

'Nou, hij is aantrekkelijk, erg aantrekkelijk, en ik weet dat ik een ontzettende... geluksvogel ben.' Chloës mond trilde en toen drupte er een traan op haar wang. 'Sorry, Ella... Ik ben een beetje... van slag.'

Ik zocht in mijn zak en vond een paar tissues. 'Dat is heel goed te begrijpen...' Ik gaf haar de tissues en Chloë drukte ze tegen haar ogen. 'Het is gewoon de emotie.'

Ze knikte en vermande zich toen. 'Nou...' Ze keek me met roodomrande ogen aan. 'Hoe kom jij thuis? Zal ik een taxi voor je bellen? Ik kan hier met je wachten tot hij er is,' zei ze plotseling opgewekter. 'We kunnen hier nog even gaan zitten praten.'

'Dat hoeft niet, Chloë, ik ga lopen... Ik heb de frisse lucht nodig. En jij moet eigenlijk terug naar je gasten.'

'Je hebt gelijk,' zei ze met een zucht. 'Nou dan...' Ze schonk me een spijtige glimlach. 'Tot gauw, Ella.'

'Ja, en maak je geen zorgen, liefje.' Ik kuste haar op de wang.

Toen ik het trapje af liep, klonken Chloës woorden nog in mijn oren na. Ze hield zo veel van Nate dat het idee alleen al haar aan het huilen maakte. Ze zou binnenkort met hem trouwen en ik zou gewoon blij voor haar moeten zijn en mijn best moeten doen anders naar hem te kijken.

Thuisgekomen ging ik naar mijn atelier. Ik pakte Nates doek, zette het op de ezel, pakte mijn palet en ging met het portret aan de slag. Terwijl ik bezig was probeerde ik uit te vogelen waarom ik me zo tot hem aangetrokken voelde. Was het omdat ik aanvankelijk een hekel aan hem had en het besef dat ik hem toch wel mocht stimulerend vond? Concurreerde ik met Chloë? Dat had ik in elk geval nooit eerder gedaan; ik was altijd alleen maar beschermend opgetreden. Ik was immers zes jaar ouder dan zij. En ik had bovendien nog nooit ook maar enige belangstelling voor haar eerdere vriendjes gehad. Ik kwam tot de conclusie dat ik me tot Nate aangetrokken voelde omdat hij zo aantrekkelijk, fatsoenlijk en gemakkelijk in de omgang was. We hadden een bijna moeiteloze verstandhouding.

Ik werkte bijna twee uur aan zijn portret. Toen maakte ik, tevreden met wat ik had gedaan, mijn penselen schoon en liep naar mijn computer om te kijken of ik nog nieuwe mail had voor ik naar bed ging.

Een meneer en mevrouw Berger informeerden naar de mogelijkheid hen te schilderen ter ere van hun zilveren huwelijksdag. Dat was goed nieuws. Ik had ook een berichtje van Sophia, die schreef dat haar moeders verkoudheid genezen was en vroeg of we een nieuwe afspraak konden maken. Daar was ik blij om. Het zou leuk zijn Iris weer te zien. Ik typte mijn reactie en toen ik op VERZENDEN klikte kwam er nog een bericht binnen. Het was van mijn vader.

Beste Ella,
Ik heb nog niets van je gehoord, maar ik blijf hopen dat je me diep in je hart zult willen zien, al is het misschien maar een paar minuten. Dit bericht is dan ook om je te laten weten waar ik zal logeren: in het Kensington Close Hotel dicht bij Earls Court Road. Ik neem tegen die tijd nog wel contact op, maar voor nu stuur ik je mijn oprecht goede wensen en mijn liefde.
Je vader,
John

Ik staarde naar het bericht. *Hoop... hart... liefde.* Het was veel te laat voor hem om zulke woorden te gebruiken.

Ik scrolde omlaag naar OPTIES en BERICHT WISSEN?. Ik zette de muis op JA.

Maar toen veranderde ik zonder te weten waarom van gedachten en klikte op NEE.

7

'Het feest was leuk, hè?' zei mam de zaterdagochtend erna. We zaten aan de keukentafel in Richmond een kop koffie te drinken voordat we aan de uitnodigingen begonnen. Ze zat in haar danskleding en had het uur pilates waar ze elke dag mee begint al achter de rug. 'Ik geloof dat ik iets meer heb gedronken dan verstandig is,' voegde ze eraan toe. 'Ik heb toch niets idioots gezegd, hè?'

'Nee. Je had alleen een beetje moeite met het woord "confetti".'

'O ja.' Mam trok een gezicht. 'Maar het was een fantastische avond. Ik vond Nates vrienden erg aardig.' Ze schoof de beduimelde exemplaren van de tijdschriften *Brides*, *You & Your Wedding* en *Perfect Wedding* naar de andere kant van de tafel. 'Weet je dat hij op het moment in Finland zit?'

'Ja, dat weet ik... Anders zou ik hem nu aan het schilderen zijn.' Was dat maar waar, dacht ik treurig. Ik verlangde er nu al weer naar hem te zien.

Door de dubbele deuren zag ik Roy helemaal achter in de tuin bij Chloës oude houten speelhuisje in het lange bloembed langs het gazon ploeteren.

'Ik hoop dat Nate niet al te veel zal hoeven reizen,' hoorde ik mam zeggen.

Ik keek naar de wilde kastanje die met zijn witte bloesemtrossen zwaaide. 'Volgens mij hoort dat bij het werk.' Ik nam een slok koffie. 'Hij gaat naar bedrijven kijken met de bedoeling ze te kopen. Op het moment is hij bezig een transportbedrijf voor vloeibare chemicaliën in Helsinki op te kopen, dat vooral in Scandinavië werkt, maar ze breiden uit naar Estland, Letland en Litouwen. Hij ging ook naar een scheepvaartmaatschappij in Zweden kijken.'

Mam fronste. 'Je lijkt er een hoop over te weten, lieverd.'

'Tja... Nate praat tijdens de sessies over zijn werk.'

Ze opende haar brillendoos. 'Het is leuk dat je zo veel aandacht besteedt aan de mensen die je schildert, dat stelt hen vast erg op hun gemak.' Ze pakte haar bril op en hing het mauve koord om haar hals. 'En heb je een drukke week gehad?'

'Nee... De verkiezing heeft alles in het honderd gestuurd. Ik kon mijn parlementslid, Mike Johns, niet schilderen... om voor de hand liggende redenen. Een ander model, Celine, moest naar een vriendin in Frankrijk – ze zei dat het heel belangrijk was – dus belde ze onze sessie af. Verder ben ik bezig geweest met het postume portret waar ik aan werk. Had ik je dat verteld?'

'Ja.' Mijn moeder schudde haar hoofd. 'Arme meid. En hoe gaat het met haar portret?'

'Niet goed.' Ik slaakte een gefrustreerde zucht. 'Het is gewoon... te vlak. Wat ik nodig heb is wat close-up video-opnamen van haar, maar die zijn er niet.' Ik vulde mijn koffiekopje opnieuw. 'En ik heb nog een sessie gehad met een fantastische vrouw van in de tachtig, Iris.' Ik had gehoopt dat Iris verder zou gaan met het verhaal over Guy Lennox, maar er was een elektricien bezig met de bedrading, dus hadden we alleen maar wat gebabbeld. Ik keek weer naar de tuin. 'Wat is Roy aan het doen?'

'Hij is riddersporen, vingerhoedskruid en stokrozen aan het planten. Die zouden net op tijd voor de bruiloft in bloei moeten staan. Daarna gaat hij onkruid wieden. Na de regen van de afgelopen week lijken de bloembedden wel Papoea-Nieuw-Guinea.'

'Ik zal hem straks wel helpen,' bood ik aan. 'Het is veel te veel werk voor hem alleen. Of misschien kan Chloë hem een handje helpen. Ze komt toch vandaag, of niet?'

'Nee, ze belde al vroeg om te zeggen dat ze niet kan.'

'Waarom niet?'

'Ze zei dat ze naar kantoor moet.'

'Aha. Maar ook al heeft ze het druk, dan zou ze toch Roy moeten helpen. Ik bedoel, hij doet dit allemaal voor haar,' voegde ik er humeurig aan toe.

'Ik help Roy straks wel,' zei mam sussend. Ze zette haar bril op haar neus. 'Maar jij en ik moeten nu aan de slag met de uitnodigingen.'

'Oké.' Ik zette mijn kopje op het aanrecht. 'Laten we beginnen.'

Ik liep naar de grote groene doos die aan de andere kant van de keukentafel stond, maakte het deksel open en haalde er de eerste uitnodiging uit. De kaart was zo dik dat hij bijna zonder hulp rechtop kon blijven staan.

'Is het lettertype niet prachtig?' vroeg mam.

Ik keek naar de lange uithalen en overdadige krullen. 'Het is... een beetje kitscherig naar mijn smaak.'

'Nou, ik vind het mooi. Het heeft me eeuwen gekost om het uit te kiezen.'

'Wilde Chloë zelf niet kiezen?'

'Nee. Ze heeft alles aan mij overgelaten. Behalve het kiezen van de jurk, die ik inmiddels heb gezien. Ik moet zeggen dat hij erg mooi is.' Mam zette haar bril af. 'Chloë vertelde me dat ze er een beetje onzeker over was geweest, gezien het verhaal erachter, maar ik heb tegen haar gezegd dat Nate absoluut niet onder hun huwelijk uit zou proberen te komen.'

'Daar ben ik ook van overtuigd.' Ik voelde me schuldig toen ik vervolgens wenste dat hij dat wel zou doen.

Mam legde wat geprinte vellen voor me neer. 'Dit is jouw exemplaar van de gastenlijst. Als jij A tot M doet, pak ik N tot Z. De adressen staan hierin...' Ze gooide haar adresboek op tafel.

Ik opende mijn rugzak, haalde er mijn kalligrafeerpen uit en oefende even op een los velletje papier. *Nate, Nate, Nate, Nate.* Ik zag mam naar me kijken, dus schreef ik *Chloë, Chloë, Chloë, Chloë* en daarna *Nate & Chloë*. 'Het gaat goed,' zei ik.

'Mooi zo.' Mam draaide de dop van haar vulpen, pakte een uitnodiging uit de doos, zette haar bril weer op en begon te schrijven. Ik hoorde de punt over de kaart krassen.

Ik schreef de uitnodiging voor mams vriendin Janet Allen en haar man Keith. Daarna zocht ik het adres op, schreef het op de envelop en depte het zorgvuldig droog. 'Zo, de eerste is klaar.' Ik schoof hem in de envelop.

Mam keek ernaar over haar bril. 'Erg mooi. Plak ze nog niet dicht, wil je? We moeten de accommodatielijst en de antwoordkaartjes er nog bij doen. Nou...' Ze keerde terug naar haar kaart. 'Hier is mijn eerste.' Ze schoof de uitnodiging in de envelop en legde hem naast de mijne. Ik pakte hem op.

Tijdens mijn cursus kalligrafie bestudeerden we ook grafologie. Ik was aanvankelijk sceptisch geweest, maar het bestuderen van mijn moeders handschrift had me ervan overtuigd dat er toch wat in moest zitten, omdat al haar persoonlijkheidskenmerken eruit af te lezen waren. Haar letters helden naar voren, wat op ambitie en voortvarendheid duidt. De woorden waren gelijkmatig gespatieerd en van gelijke hoogte, wat op organisatorische capaciteiten en zelfbeheersing duidt. De i's hadden een prachtig puntje, wat op nauwgezetheid wijst. Nu viel me op dat haar letters bovenaan perfect gesloten waren. Dat, zo herinnerde ik me nu, wees op een geheimzinnige aard.

'Wat ben je aan het doen?' vroeg mam.

Ik legde de envelop neer. 'Ik bewonder gewoon je handschrift.'

'Dank je. Het is natuurlijk niet zo elegant als dat van jou, maar het kan ermee door. Zullen we naar de radio luisteren terwijl we bezig zijn?'

'Ja... Trouwens...' Ik keek op de klok. 'Ik ben zelf op de radio, over vijf minuten. Dat was ik helemaal vergeten.' Ik vertelde mam over de BBC-documentaire waarvoor ik geïnterviewd was.

Ze liep naar het dressoir en zette de radio aan en we hoorden nog net het laatste stukje van *Travelling Light*.

'En dan nu *Artists of the Portrait*,' zei de aankondiger. 'Waarin onze verslaggeefster Clare Bridges onderzoek doet naar de schone kunst van het portretteren.'

We hoorden Clare praten over de reden dat mensen zichzelf altijd hebben willen portretteren, van de eerste krastekeningen in Lascaux tot Marc Quinns buste *Self*, uit vier liter van zijn eigen bevroren bloed gesneden. Er waren bijdragen van Jonathan Yeo en June Mendoza en een zeldzaam fragment van Lucian Freud. Toen hoorde ik mijn stem.

Ik wist vanaf mijn achtste of negende al dat ik schilderes wilde worden.

Mam glimlachte toen Clare me aankondigde.

Ik zat altijd te tekenen of te schilderen. Schilderen is in zekere zin altijd mijn... troost geweest.

Mam keek me aan en ik zag heel even een flikkering van iets wat op schuldgevoel leek in haar ogen.

Ik schilder graag mensen die naar mijn gevoel... complex zijn. Ik vind het interessant om in het gezicht dat gevecht te zien tussen de tegenstrijdige delen van iemands persoonlijkheid.

Ik realiseerde me dat ik dat gevecht vaak zag in mijn moeders gezicht: de ijzige sereniteit waaronder ik soms een glimp opving van de strijd met haar diepere emoties.

Clare praatte nu over de complexe aard van de relatie tussen het model en de kunstenaar. Daarna hoorde ik mezelf weer praten.

Een portretteersessie is heel bijzonder. Die heeft iets intiems: een ander mens schilderen ís een daad van intimiteit. Ik ben nooit verliefd geworden op een menselijk model, nee...

Daarna werd er nog gepraat over de invloed van de BP Award, en over het feit dat portretkunst, ooit als veilig en conventioneel beschouwd, bijna cool en hip is geworden. Daarna was het programma afgelopen en ik zette de radio uit.

'Dat was interessant,' zei mam. 'Je hebt erg goed gesproken,

Ella. Maar ben je echt nog nooit verliefd geworden op een van je modellen?'

'Nooit,' loog ik.

'Nou, ik hoop dat dat op een dag gebeurt, want het moet een fantastische manier zijn om iemand te ontmoeten. Denk je eens in hoe góéd je hem dan leert kennen, en diegene zal jou dan ook wel goed leren kennen.'

'Ja... Afhankelijk van wie het is, en van hoeveel ik over mezelf wil onthullen.' Ik liep op drijfzand. 'Hé...' zei ik, naar de namenlijst turend, 'waarom nodig je de Egertons uit?'

'Nou, omdat het naaste buren zijn en omdat ze ons vorig jaar ook hebben uitgenodigd voor Lara's trouwerij. Ze worden trouwens binnenkort grootouders.'

'Echt waar? Hoe oud is Lara?'

'Volgens mij is ze...' Mam kneep haar ogen tot spleetjes. 'Vierentwintig.'

'Dat is jong om een gezin te beginnen.'

'Vierentwintig is jong,' stemde mam met me in. 'Vooral vandaag de dag. Ik vind het beter om wat langer te wachten.'

'Maar...' Ik drukte het vloeipapier op de volgende kaart. 'Jij kreeg mij ook toen je vierentwintig was.'

Mams pen stopte midden in een beweging. 'Dat is waar.'

'En je was toch heel ambitieus. Het had je carrière kunnen verpesten. Het heeft me altijd verbaasd dat je mij op die leeftijd hebt gekregen. Ik vraag me soms zelfs af of het echt wel de bedoeling was dat je me toen kreeg.'

Mam bloosde. 'Bedoel je... of je een ongelukje was? Is dat wat je me vraagt, Ella?'

Ik pakte nog een uitnodiging. 'Nou ja... Het is ongebruikelijk dat jonge ballerina's een baby krijgen, nietwaar, als je bekijkt hoe vreselijk vastberaden ze moeten zijn om succes te behalen. En je bent alleen voor de burgerlijke stand getrouwd. De laatste tijd denk ik daar weleens over na en ik vroeg me af of ik wel... gepland was.'

'O, Ella.' Mam pakte mijn hand vast. 'Ik was zó blij dat ik een baby kreeg.'

'Maar maakte je je er dan geen zorgen over of je daarna weer fit genoeg zou kunnen worden?'

Ze haalde haar schouders op. 'Daar vertrouwde ik gewoon op. En ik stond binnen vier maanden weer op het podium.'

'Paste mijn vader dan 's avonds op me, wanneer jij moest optreden?'

'Nee.' Mam pakte haar pen op. 'Hij deed erg weinig op dat gebied.'

'Hoezo niet?'

'Nou... Hij was veel op reis voor zijn werk. In die periode was hij een school aan het bouwen in Nottingham.'

'Maar Nottingham ligt helemaal niet zo ver van Manchester af.'

'Maar dan nog, hij was erg vaak weg, dus had ik babysitters voor je. Soms hielp onze bovenbuurvrouw Penny me. En wanneer ik op tournee was kwam mijn moeder logeren.'

'Aha. Dus oma was met mijn vader in de flat. Dat moet raar geweest zijn. Konden ze met elkaar overweg?'

Mam knipperde met haar ogen. 'Niet echt.'

'Mocht hij haar niet?'

'Zij mocht hem niet.'

'O, omdat ze van zijn verhouding op de hoogte was, zeker?'

Mam knikte moedeloos.

'Tja, dat zal hun relatie wel onder druk hebben gezet.' Ik begon aan de uitnodiging voor een vriendin van Chloë, Eva Frost. Ik keek naar mam. 'En zijn ouders dan? Die herinner ik me helemaal niet. Zagen we die ooit?'

Mam zuchtte. 'Ze woonden in Jersey en kwamen niet vaak naar het vasteland. Ze waren niet echt... betrokken.'

'Terwijl ze een kleinkind hadden?'

Ze knikte.

'Wat gemeen... om niet wat meer moeite te doen.'

'Het was inderdaad gemeen,' zei mam emotioneel.

'Maar wij konden wel daarheen. Deden we dat nooit?'

'Nee... Zoals ik al zei, kon ik heel moeilijk vrij nemen.'

'Aha. Dus ik had het niet erg getroffen wat grootouders betrof, hè?'

Mijn moeder knikte meewarig. 'Dat is waar. Je had alleen mijn moeder, want mijn vader was twee jaar voor je geboorte overleden. Hij heette Gabriel, zoals je weet, dus ik heb je naar hem vernoemd.'

'Vertel me nog eens hoe je mijn vader hebt ontmoet.'

Ik dacht aanvankelijk dat mam niet zou antwoorden, maar toen liet ze haar pen zakken. 'We hebben elkaar in 1973 ontmoet,' zei ze zacht. 'Ik was twee jaar bij het balletgezelschap en hij kwam naar een speciale fundraisingvoorstelling van *Assepoester*. Ik was de winterfee en droeg een kostuum dat met nep-ijspegels was behangen.'

'Wat leuk.' Ik stelde me voor dat ze rinkelden wanneer ze danste. 'Had mijn vader belangstelling voor ballet?'

'Niet bepaald, hij was meegekomen met... wat andere mensen. Er was na afloop een feestje voor de cast, waarvoor ook enkele mensen uit het publiek waren uitgenodigd. Je vader en ik werden aan elkaar voorgesteld, en we...'

'Werden verliefd?'

'Ja,' antwoordde mam zacht.

'Dus wat was je toen, drieëntwintig?'

'Dat klopt. En hij was negenentwintig.'

'Was hij ook artistiek?'

Mijn moeders gezicht verstrakte. 'Ja. Hij tekende en schilderde veel, dus ik neem aan dat je je talent van hem hebt. En nu,' zei ze kordaat, 'moeten we de uitnodigingen voor Nates gasten schrijven.' Het gesprek over mijn vader was duidelijk voorbij. Mam duwde haar stoel naar achteren. 'Ik heb hun adressen op een aparte lijst... Als ik me nou maar kon herinneren waar ik die heb neergelegd. O, ik weet het weer.' Ze stond op en opende een la van het dressoir. 'Hier ligt hij.' Ze haalde de lijst eruit en bestudeerde hem.

'Dat zijn er een heleboel. Nate regelt accommodatie voor hen. Chloë vertelde me dat hij daar ook een groot deel van betaalt. Hij is erg vrijgevig.' Mam kwam terug naar de tafel. 'Goddank heeft ze zo'n goede keus gemaakt. En dat weet ze ook, want ze vertelt me steeds weer hoe gelukkig ze is. Gisteren had ik haar aan de telefoon en toen noemde ze ineens een hele lijst op van al zijn goede eigenschappen. Het was echt ontroerend.'

'Dat deed ze vorige week bij mij ook.'

Mam glimlachte. 'Mooi. Het is echt een opluchting om haar zo gelukkig te zien, en maak je geen zorgen, Ella.' Mam legde haar hand op de mijne. 'Ik weet zeker dat jij net zo'n fantastische man zult vinden.'

Die heb ik al gevonden, dacht ik gekweld.

Mam zette haar bril weer op haar neus en keek naar mijn stapeltje voltooide enveloppen. 'Bij welke letter ben je?'

'De G.' Ik schreef een uitnodiging aan Chloës peettante, Ruth Grant. Toen ik het adres op de envelop wilde schrijven, legde ik mijn pen neer. Ik kon er niet meer tegen. 'Mam... kan ik je iets vertellen?' Mijn hart begon te bonken.

Ze pakte nog een uitnodiging. 'Natuurlijk,' zei ze afwezig. 'Je kunt me alles vertellen, lieverd.'

'Want er is iets wat ik je moet...' Mijn stem stierf weg.

Mam keek me aan, haar agaatblauwe ogen vergroot door haar brillenglazen. 'Wat is er?' Ze knipperde met haar ogen, zette haar bril af en liet hem aan het koordje bungelen. 'Is er iets gebeurd, Ella?'

'Ja, inderdaad.'

Ze keek gealarmeerd. 'Je zit toch niet in moeilijkheden, hè?'

'Nee. Maar ik zit met een... dilemma.'

'Dilemma?' herhaalde ze. 'Wat voor dilemma?'

Ik gaf geen antwoord.

'Ella.' Mam legde haar pen neer. 'Wil je me alsjeblieft vertellen waar het over gaat?'

'Goed dan.' Ik ademde diep in. 'Ik heb van mijn vader gehoord.'

Mijn moeders wangen werden meteen rood, alsof al het bloed uit haar lichaam naar haar gezicht was getrokken. 'Wanneer?' fluisterde ze.

Ik vertelde het haar en legde toen uit waardoor het contact tot stand was gekomen.

Ze ademde snel door haar neus in. 'Ik was ontsteld toen ik dat stuk in *The Times* las.'

'Dat weet ik, want je zei er helemaal niets over. Ik heb de journalist gevraagd het te veranderen, maar hij weigerde.'

'Ik maakte me meteen zorgen dat, als je vader het onder ogen zou krijgen, hij je zou herkennen, en nu is dat inderdaad gebeurd.' Ze ademde nogmaals scherp in. 'Wat zei hij?'

Ik had al besloten haar niet te vertellen dat hij naar Londen zou komen.

Ik haalde mijn schouders op. 'Hij schreef gewoon dat hij graag contact met me wilde. Hij zei dat er dingen waren die hij wil uitleggen.'

Mams gezicht vertrok van woede. 'Er valt niets uit te leggen! Jij en ik weten allebei wat er is gebeurd, Ella.' Ze knipperde snel met haar ogen. 'Hij liet ons in de steek toen ik achtentwintig was en jij bijna vijf – een klein kind. Een klein meisje dat dol op hem was! Hij was harteloos.'

'Misschien is het een troost voor je dat hij zei dat hij zich erg schuldig voelt. Hij wil het goedmaken.'

Mijn moeders ogen waren groot van minachting en verbijstering. 'Het is te láát om het "goed te maken". Hij heeft zijn keus gemaakt: ons in de steek laten en een nieuw leven beginnen met... met...' Ze leek niet in staat de naam uit te spreken van de vrouw voor wie mijn vader haar had verlaten. 'Hij heeft het recht niet om nu contact op te nemen.' Mam pakte haar pen op alsof daarmee het gesprek was afgesloten.

Ik hoorde de koelkast zachtjes zoemen.

'Natuurlijk heeft hij daar het recht toe,' protesteerde ik zacht. 'Hij is mijn vader.'

Mams gezicht verkleurde van hernieuwde woede. 'Hij is niet je vader, Ella. Hij koos ervoor dat niet te zijn.' Ze knikte in de richting van de tuin. 'Daar is je vader.'

Ik keek door de dubbele deuren naar Roy, die achter in de tuin stond met zijn voet op de spade. 'Roy is inderdaad mijn vader,' zei ik. 'En hij is een fantastische vader. Maar de man die me heeft verwekt, en die in elk geval de eerste vijf jaar van mijn leven mijn vader is geweest...' Ik stokte omdat mijn keel werd dichtgeknepen. 'Die man wil nu contact met me.'

Mam keek me peinzend aan en haar borst ging snel op en neer. 'En... Wat ga je doen?'

Ik schudde mijn hoofd. 'Ik weet het niet. Ik voel me verscheurd, want enerzijds wil ik hem wel zien.'

Ze knipperde met haar ogen. 'Wat bedoel je... Hem zien?'

'Ik bedoel, ooit,' hakkelde ik, 'als ik wel contact met hem opneem.'

Mam keek me aan. 'En... Heb je geantwoord?'

'Nee. Ik ben er helemaal door van slag, dus ik heb niets gedaan.'

'Mooi zo.' Ze legde haar pen neer. 'Want ik wil niet dat je hem antwoordt.'

'Maar die beslissing is niet aan jou, mam... Ik ben degene met wie hij contact heeft opgenomen.'

Ze kromp ineen.

'Ik vond alleen dat ik het er met je over moest hebben, hoe pijnlijk dat gesprek ook zou zijn, voordat ik een beslissing neem.'

Mijn moeder wendde haar blik af. Toen ze me weer aankeek blonken haar blauwe ogen van niet-vergoten tranen. 'Reageer er niet op, Ella. Ik smeek het je.'

'Maar het is allemaal al zo lang geleden! Waarom ben je nog steeds zo verbitterd?'

'Om wat hij heeft gedaan!'

'Oké, dus hij heeft je verlaten.' Ik gooide mijn handen in de lucht. 'Dat overkomt dagelijks een hoop mensen, maar ze proberen verder te gaan. Jij bent ook verdergegaan. Je hebt een goed leven opgebouwd met Roy. Dus waarom kun je wat er met mijn vader is gebeurd niet van je afzetten?'

'Omdat ik dat gewoon niet kan. Ik heb mijn redenen. Alsjeblieft, Ella, laat het rusten.' Ze beet op haar lip. 'Er kan niets goeds uit voortkomen.'

Ik had de waarschuwende klank in haar stem opgemerkt. 'Wat bedoel je?'

Ze gaf geen antwoord.

'Wat probeer je me te vertellen?'

Ze ging verzitten. 'Alleen dat, als je wel contact met hem opneemt, dat tot een hoop verdriet kan leiden. Hij heeft besloten contact op te nemen, ongetwijfeld omdat hij ouder wordt en vergiffenis wil. Maar we hoeven hem niet te vergeven, of wel dan?'

'Ik kan dat wel, als ik dat wil!'

Er flakkerde pijn in mams ogen, toen pakte ze haar pen op. 'We moeten verder met de uitnodigingen.' Haar stem klonk kalm, maar toen ze een nieuwe kaart uit de doos pakte, zag ik dat haar hand beefde.

'Mam,' zei ik, vriendelijker nu, 'de uitnodigingen kunnen wel wachten. Want nu we het toch over mijn vader hebben, wil ik je nog wat andere dingen vragen.'

Ze begon te schrijven. 'Wat voor dingen?' vroeg ze geprikkeld. Ze drukte zo hard op de pen dat haar vingertoppen rood werden.

'Nou... Er zijn een hoop herinneringen bij me boven gekomen uit die periode. Herinneringen die teweeggebracht moeten zijn door mijn vaders poging om contact te leggen.'

Mijn moeders hand hield stil. 'Dus daarom vroeg je me naar die vakantie in Anglesey.'

'Ja. Hij had me een foto gemaild van hem en mij op het strand. Hij houdt mijn hand vast.'

Mijn moeder ademde luidruchtig uit. 'Zo wist je van de blauw-wit gestreepte jurk.'

'Ja, die had ik op de foto aan, anders zou ik het me niet herinnerd hebben. Maar er zijn een hoop dingen die ik me wel herinner, en met name één herinnering is erg verwarrend. Ik heb geprobeerd uit te vogelen hoe het zit, maar dat lukt me niet.'

Mam keek me argwanend aan. 'Wat is dat voor herinnering?'

'Een van jou en hem. Jullie lopen met mij tussen jullie in, hand in hand. Het is een heel heldere, zonnige dag, en jullie zwaaien me omhoog, van een, twee, drie, jeeee. Jij draagt een witte rok met grote rode bloemen erop.'

Mijn moeder kromp ineen.

'Maar de reden dat het me verwart is dat ik te jong zou zijn geweest om me dat te herinneren, want je kunt kinderen alleen zo de lucht in zwieren als ze niet ouder dan twee of drie jaar zijn... en toch kan ik het me herinneren, heel levendig zelfs.'

Niet loslaten, hoor...

Mijn moeders toch al bleke gezicht was nog bleker geworden.

Oké, en nu heel hoog.

'Waarom herinner ik me dat, mam?'

Nog een keer, papa! Nog een keer!

'Goed dan,' zei ze ten slotte, 'ik zal het je vertellen. Misschien begrijp je dan waarom ik me voel zoals ik me voel.' Mam legde haar pen neer en sloeg haar handen in elkaar. 'Wat jij je herinnert,' begon ze zacht, 'is de dag dat ik je vader zag met zijn... met zijn... Frances.'

Dus dat was de 'traumatische' ontmoeting. Ik was er inderdaad bij geweest.

'Ze woonde in Alderley Edge, een paar kilometer ten zuiden van Manchester, in een erg mooi huis. Ze had geld,' voegde mam er verbitterd aan toe.

'Hoe was onze flat?'

'Heel gewoontjes. Het was een deel van een roodstenen huis aan

Moss Side, maar dicht bij het University Theatre, waar het balletgezelschap toen haar basis had. En in september 1979, toen je bijna vijf was...'

De leeftijd om de lucht in gezwierd te worden dus ruimschoots voorbij, dacht ik.

'Het was een zaterdagmiddag,' vervolgde mam. 'Ik had op je vader zitten wachten.' Ze slikte. 'Hij had die ochtend naar kantoor gemoeten. We zouden na de lunch met hem gaan picknicken – het was heerlijk zonnig – maar om drie uur was hij er nog niet, en ik moest die avond het podium op – ik danste Giselle – dus er was niet veel tijd meer. Ik vermoedde dat hij bij haar was, en ik voelde me... boos en gekwetst.' Mam keek me smekend aan. 'Hij had me dat al zo vaak aangedaan; ik kon het niet uitstaan dat ik maar op hem zat te wachten, gekrenkt en teleurgesteld. Dus besloot ik hem te gaan zoeken.'

'Wat wilde je dan? Hem confronteren?'

Ze zuchtte gekweld. 'Ik wist niet wat ik zou doen. Er was een voetbalwedstrijd, we konden het vanuit het Old Trafford horen. Ik zei tegen je dat we een ritje gingen maken met de auto, zette je achterin en reed naar Alderley Edge.'

'Hoe wist je waar ze woonde?'

'Dat wist ik gewoon. Vrouwen zijn er goed in achter zulke dingen te komen, Ella. Dus reed ik langs... haar huis.' Mam keek recht voor zich uit. 'Daar stond je vaders blauwe auto op de oprit.'

Hij was dus niet eens discreet, dacht ik somber.

'Ik parkeerde ongeveer vijftien meter verderop en daar zat ik dan, ziek van ellende.'

Mijn hart trok samen van medelijden. 'Wat vreselijk voor je, mam.'

Ze sloot even haar ogen. 'Het was een hel. Jij zat achterin te babbelen en vroeg me wat we aan het doen waren, maar ik kon het niet uitleggen. Toen besloot ik dat ik helemaal niets kon doen en dat we gewoon naar huis zouden moeten gaan. Ik wilde net de auto starten toen je plotseling zei dat je honger had. Er was een krantenkiosk een paar meter verderop, dus we stapten uit en liepen erheen en ik kocht een reep chocola voor je. Maar toen we terugliepen naar de auto, keek ik op en zag ik in de verte je vader lopen, met haar en...' Mijn moeder slikte. 'Met haar en...'

Klaar, liefje? Een, twee,drie...

'En wat, mam?'

En daar gaat ze!

Mams gezicht was volkomen stil, als een bevroren waterval. 'En een klein meisje,' antwoordde ze zacht. 'Ze hielden haar bij de hand. Ze was een jaar of drie.'

Nog een keer, papa! Nog een keer!

'Ze zwierden haar omhoog en lachten.' Mam zweeg even. 'En toen begreep ik...'

Ik probeerde iets te zeggen, maar mijn mond was te droog. Mijn hart bonkte in mijn borst. 'Bedoel je dat mijn vader een kind had bij zijn minnares? En dat hij je dat nooit had verteld?'

'Nooit.'

Dus daarom was de ontmoeting 'traumatisch' geweest.

'Wat een schok,' verzuchtte ik.

'Het was meer dan een schok. Het raakte me als een mokerslag.' Mam staarde nog steeds voor zich uit. 'Ze hadden ons niet gezien, maar ik raakte in paniek en wist niet wat te doen. Ik besloot dat we moesten vertrekken voor ze ons opmerkten, dus ik haastte me terug naar de auto, maar jij probeerde me de andere kant op te trekken. Ik zei dat je met me mee moest, maar je wilde niet. Toen draaide je je om en riep: "Papa! Papa!" Hij keek op. En toen hij ons zag keek hij vreselijk...'

Ik zag mijn vaders gezicht, zijn mond die een 'o' vormde. 'Geschrokken,' fluisterde ik.

'Ja, en beschaamd en verward. Ik probeerde je tegen te houden, maar je rukte je hand los en rende naar hem toe. Ik kon niet anders dan achter je aan gaan.' Ze knipperde met haar ogen. 'Dus daar stond ik dan, pal voor hem en haar en dat... kleine meisje.'

‘Een klein meisje,’ zei ik haar na, nog steeds trachtend het te bevatten.

Mam knikte. ‘Hij had haar bestaan voor me verzwegen. Ik was op de hoogte van de... relatie.’

Ik dacht aan de hotelrekening en die liefdesbrief die mam in mijn vaders zak had gevonden.

‘Maar ik accepteerde het,’ vervolgde mam zwaarmoedig, ‘omdat ik dacht dat er vanzelf een eind aan zou komen.’ Ze ademde uit. ‘Maar ik had geen idee dat Frances...’ Mam keek me verbijsterd aan. ‘Het leek niet mogelijk.’

‘Waarom niet?’

‘Omdat John me had verteld dat ze geen kinderen kon krijgen, en ze was tien jaar ouder dan hij.’

‘Echt waar?’ Ik moest het beeld bijstellen dat ik had van de vrouw die mijn vader had verleid.

‘Dus dat ze een kind zou krijgen, was wel het laatste wat ik had verwacht. Ze moet tweeënveertig zijn geweest toen die baby werd geboren.’

‘Maar... ik begrijp nog steeds niet waarom je bij hem bleef. Hij had een langdurige verhouding, een verhouding waar je alles van wist, gezien het feit dat je zelfs je angst dat die andere vrouw zwanger zou raken met hem besprak. Wat afschuwelijk!’

Mam keek verslagen. ‘Het was ook afschuwelijk... Het was afgrijselijk!’

‘Waarom ben je dan niet meteen van hem gescheiden? Je was jong en mooi. Je had iemand anders kunnen vinden. Waarom ging je niet bij hem weg, mam?’

Haar blauwgrijze ogen glansden als smeltend ijs. ‘Omdat ik van hem hield,’ antwoordde ze zacht. ‘Ik wílde niet bij hem weg.’ Ze ademde langzaam in, alsof het haar fysiek pijn deed. ‘Dus... daar stonden we dan met z’n allen. En Frances keek me vol haat aan.’

‘Maar... waarom zou zij jou haten?’

Mam haalde hulpeloos haar schouders op. ‘Dat deed ze gewoon. En toen zei jij: "Wat ben je aan het doen, papa? Help je die mevrouw?" Toen keek Frances je aan met een blik die ik nooit zal vergeten.'

'De rok,' zei ik zacht. 'De witte rok met de rode bloemen. Dat was haar rok, nietwaar? Niet de jouwe. Zij had die rok aan.'

Mam knikte. 'Toen pakte ze het meisje op en droeg haar naar binnen. John keek me woedend aan en zei toen dat hij me nooit zou vergeven.'

'Maar... dit klinkt allemaal verkeerd om. Jij was toch de gekwetste partij?'

'Ja,' zei mam verhit. 'Dat was ik!' Ze sloeg op de rand van de tafel. 'Ik was de gekwetste partij!' Er verschenen putjes in haar kin, alsof ze haar best deed niet te gaan huilen. 'Maar ik neem aan dat hij in de war was en zich schaamde. Zijn dubbelleven was immers ontdekt.' Ze knipperde een traan weg. 'Toen ik met je wegliep had ik het gevoel dat mijn hele leven van een klif af gleed. Want er was een kind, en ik wist dat mijn leven daardoor voor altijd zou veranderen.'

'Maar... je vertelt me dat ik een zusje had.' Ik keek mijn moeder aan.' Hoe heette ze?'

'Lydia,' antwoordde ze even later.

'Lydia,' echode ik. 'En dat heb je me nooit verteld?'

Mam reageerde niet.

Ik keek de tuin in. 'Is Roy hiervan op de hoogte?'

Ze schudde haar hoofd. 'Ik wist dat hij het je zou vertellen... of mij zou dwingen het je te vertellen. En ik wilde niet dat je het wist.'

'Maar...' Ik voelde boosheid en verontwaardiging in me naar boven komen als magma in een vulkaan. 'Stel dat ik Lydia nou had willen ontmoeten... Of haar had willen leren kennen...'

Er trilde een spiertje bij mams mondhoek. 'Dat is precies wat ik wilde voorkomen, want als je dat had gedaan, had je weer contact gehad met John en dat was wel het laatste wat ik wilde!' Haar handen waren tot vuisten gebald. 'Ik was vastbesloten de integriteit en stabiliteit van mijn gezin te beschermen.'

'Dus hield je het bestaan van mijn zus voor me stil... Al die jaren... Hoe kon je? Hoe kon je dat doen, mam?'

Ze staarde me aan zonder met haar ogen te knipperen. 'Het zal toch wel bij je opgekomen zijn, Ella, dat je vader wellicht meer kinderen had?'

'Ja, natuurlijk,' antwoordde ik zwakjes. 'Ik vermoedde dat hij misschien een ander gezin had, in Australië, maar dat is een abstracte gedachte. Jij vertelt me dat hij hier in Engeland, maar een paar kilometer van ons huis vandaan, nog een kind had dat maar twee jonger was dan ik. Een kind dat ik heb gezien en dat ik had kunnen leren kennen.'

Mam glimlachte wrang. 'O, wat zou dat gezellig geweest zijn. De dochters van de echtgenote en de minnares als speelkameraadjes? Zou jij dat willen, Ella, als je ooit in dezelfde situatie zou verkeren als ik toen?'

Ik stelde me voor dat ik in mijn moeders schoenen zou staan. 'Nee,' capituleerde ik. 'Je hebt gelijk. Het zou heel pijnlijk zijn. En ja, dertig jaar geleden was het beslist...'

'Ondraaglijk!' maakte mam mijn zin af. 'Je kunt je het geroddel en de speculaties vast wel voorstellen.'

'Goed dan.' Ik blies mijn adem uit. 'Maar dan nog, het idee dat je me nooit zelfs maar iets over haar hebt verteld... Mijn god.'

'Dat kon ik niet.' Ze slaakte een geïrriteerde zucht. 'Want als ik dat wel had gedaan, had je misschien contact met haar willen zoeken en dat zou ons weer met John in contact hebben gebracht, wat ik – ik zeg het nog maar eens – niet wilde.'

Ik keek mam boos aan. 'Het draait allemaal alleen maar om wat jíj wilde.'

Ze knipperde met haar ogen. 'Nee, Ella. Nee. Ik dacht aan jou. Want het punt is niet dat je vader zichzelf in die positie gebracht had. Het voornaamste punt is dat jij toen amper vijf jaar oud was en je vader leek dan wel dol op je te zijn, maar –'

'Hoe bedoel je, "hij leek"?' onderbrak ik haar. 'Hij wás dol op me! Daarom heb ik alleen maar gelukkige herinneringen aan hem. Ik herinner me dat hij met me speelde, de schommel duwde, kinderprogramma's met me keek en me mee naar het theater nam om je te zien dansen. Ik herinner me dat hij me in bed stopte, dat hij me voorlas en dat we samen schilderden. Ik herinner me dat hij me omhelsde en mijn hand vasthield...' Mijn keel deed pijn. 'In al mijn herinneringen aan hem houdt hij mijn hand vast!' Ik voelde dat mijn ogen volliepen. 'Dus vertel me niet dat hij niet dol op me was, want dat was hij wel!'

Mam sloeg haar handen weer in elkaar en ademde diep in. 'Je snapt het nog steeds niet. Je hebt nog steeds geen idee, dus ga ik het je nu vertellen.'

'Me wat vertellen?' Ik zocht in mijn zak naar een zakdoekje. 'Wat ga je me vertellen?'

'De waarheid,' zei mam bars. 'Ik heb je nooit de waarheid willen vertellen, Ella. Ik heb je ertegen beschermd. Maar nu zal ik het je vertellen.' Mijn moeders tengere borstkas kwam omhoog en zakte weer in. 'Ella,' zei ze zacht, 'je vader koos ervoor bij dat andere kind te blijven. Hij koos ervoor zijn leven met haar te delen, niet met jou.' Er blonken tranen in haar ogen. 'Ik heb nooit gewild dat je dat wist.'

Terwijl mijn moeders woorden tot me doordrongen, stelde ik me mijn vaders hand om de mijne voor, zijn greep stevig en sterk, tot zijn vingers plotseling losser werden en weggleden.

Mam slikte moeizaam. 'Maar dat is nog niet alles.'

'Wat bedoel je?'

Ze ademde beverig in, alsof ze het plotseling koud had. 'Die dag liepen jij en ik vervolgens naar de auto terug en ik reed naar huis. Ik was in shock – ik weet niet hoe ik thuis ben gekomen zonder ongelukken te maken. Je vroeg me waarom papa met dat kleine meisje speelde en wie die mevrouw was. Ik gaf geen antwoord, ik wist niet wat ik moest zeggen. En ik wist ook niet of ik die avond wel het podium op zou kunnen gaan om te dansen, maar ik deed het wel. En terwijl ik danste had ik het gevoel dat het lijden van Giselle dat van mij was. Naderhand zei iedereen dat het het beste optreden van mijn leven was. Ik kon alleen niet weten dat het ook mijn laatste optreden zou zijn.'

'Het laatste...?'

Mam vlocht haar vingers in elkaar. 'Om elf uur was ik terug in de flat. De oppas ging naar huis en ik ging in het donker op mijn bed liggen en keek naar de lichten van passerende auto's die over het plafond streken. Na een poosje hoorde ik de sleutel in het slot van de voordeur: John was terug. Ondanks wat ik die dag had ontdekt, was ik toch vooral opgelucht. Hij was terug. Ik rende naar beneden om hem te begroeten, maar zijn gezicht zag wit... Hij beefde van emotie.'

'Wat zei hij?'

Mam staarde voor zich uit, alsof ze die momenten opnieuw beleefde. 'Hij zei dat hij er niet meer tegen kon. Hij zei dat hij de afgelopen drie jaar voortdurend uitvluchten had verzonnen en dat hij daar stapelgek van werd. Hij zei dat hij eindelijk gedwongen was een keuze te maken. Ik raakte al in paniek, maar toen liep hij vermoeid de trap op en ik voelde me zó opgelucht. Hij ging naar bed. We zouden gaan slapen en het de volgende morgen uitpraten. Ik was ervan overtuigd dat alles goed zou komen, als we maar bij elkaar bleven. Maar toen ik de slaapkamer binnen kwam, zag ik hem zijn koffer van de garderobekast pakken. Hij opende laden, haalde zijn kleren eruit en legde ze in zijn koffer. Toen keek hij me aan... en hij zei' – mams stem stokte even – 'dat hij had besloten bij Frances te blijven. Hij zei dat hij haar niet kwijt wilde. Hij zei dat hij van haar hield.' Mam veegde een traan weg. 'Dat was dus de tweede mokerslag van die dag. Ik smeekte hem ons niet te verlaten, maar hij bleef spullen in zijn koffer stoppen. Hij klikte hem dicht, pakte hem op en liep zonder me zelfs nog aan te kijken de trap af.'

Mijn hand vloog naar mijn borst. 'Zei hij mij geen gedag? Hij wilde mij toch zeker nog wel gedag zeggen?'

'Dat wilde hij inderdaad, maar je sliep en ik wilde niet dat hij je wakker maakte. Ik wilde niet dat je wist wat er aan de hand was. Dus terwijl ik achter hem aan naar beneden ging, zei ik tegen hem dat hij de volgende dag terug moest komen, om je gerust te stellen. Hij opende de voordeur en liep zonder om te kijken de trap af.'

Toen mijn moeder dat zei herinnerde ik me de buitentrap, die was steil en zwart betegeld.

Mam ademde uit. 'Ik liep achter hem aan naar buiten en zag dat hij zijn koffer achter in de auto gooide. Ik riep hem, maar hij reageerde niet, het leek wel of hij slaapwandelde. Toen stapte hij in en startte de motor. De auto kwam in beweging. Ik rende achter hem aan de trap af.' Mam zweeg even. 'Maar ik was zo van streek dat ik op de onderste trede uitgleed en mijn enkel voelde omklappen. Ik had vreselijke pijn.'

'O, mam.'

Ze schudde haar hoofd. 'Ik moet geschreeuwd hebben, want onze buurvrouw Penny kwam naar buiten gerend. Ze belde de ambulance en bleef bij jou tot mijn moeder vroeg in de ochtend arriveerde. Ik had mijn enkel gebroken. De chirurg die me opereerde vertelde me dat het een erg lelijke breuk was, een "gecompliceerde fractuur".' Mam keek me vertwijfeld aan. 'En dat was de derde klap van de moker op die vreselijke dag, tegen het eind waarvan ik het gevoel had dat alles in mijn leven... verbrijzeld was.' Ze legde haar hand op de mijne. 'Maar ik troostte mezelf met de gedachte dat ik jou nog had. Jij was in die donkere dagen mijn enige troost, Ella.'

Ik keek mam aan. 'Ik herinner me nog hoe verdrietig je was. Je zat soms urenlang aan de keukentafel en zei nauwelijks iets, of je lag met je gezicht naar de muur in bed.'

Mam draaide haar handpalmen naar boven. 'Ik had het gevoel dat ik in een diepe afgrond was geduwd. Ik weet niet wat ik gedaan zou hebben als mijn moeder er niet was geweest. Ik bleef echter geloven dat John terug zou komen, want hij was altijd nog teruggekomen en ik had hem altijd vergeven. En ik zou hem weer vergeven hebben, zelfs toen.'

'O, mama.' Nu begreep ik haar hevige gevoelens wat mijn vader betrof.

'Maar die keer hoorde ik helemaal niets van hem. En toen ik me eindelijk kalm genoeg voelde om naar zijn kantoor te bellen, vertelde zijn collega Al me dat John er niet was. Hij leek van zijn stuk gebracht,' vervolgde mam. 'Ik nam aan dat dat was omdat hij wist dat John me had verlaten.' Ze kneep haar lippen op elkaar. 'Maar dat was niet de reden. Het was omdat Al besefte dat ik geen idee had dat John daar helemaal niet meer werkte. Ik was verbijsterd toen hij me dat vertelde. Ik vroeg hem waarom en waar hij heen was. Het was zó vernederend niet te weten waar mijn eigen...' Mam ademde in en huiverde. 'Toen hoorde ik Al zeggen: "Weet je het dan niet, Sue? Dat hij naar Perth is gegaan?" Ik was inmiddels vreselijk van streek, maar deed mijn uiterste best dat niet te laten merken, dus vroeg ik of John er voor werk heen was gegaan en voegde eraan toe dat ik wist dat hij weleens een project in Dundee had gedaan. Het bleef even stil. Toen zei Al heel rustig: "Perth in Australië. Hij is tien dagen geleden vertrokken. Hij is daar voorgoed heen."' Mam sloot haar ogen als om de herinnering buiten te sluiten.

'Maar het kost toch tijd om te emigreren?' protesteerde ik. 'Al die bureaucratie... de gesprekken.'

'Dat kost een hoop tijd,' stemde mam met me in. 'Dus hij moet het al minstens anderhalf jaar hebben geweten, misschien zelfs langer.'

'Maar hoe heeft hij dat voor je verborgen kunnen houden?'

Ze liet haar hoofd in haar handen rusten. 'Ik heb geen idee, maar dat is wat hij deed.'

'Hij moet alle papieren op zijn werk hebben bewaard.'

Mam haalde haar schouders op. 'Het was vreselijk gemeen, Ella.' Ze keek me somber aan. 'Hij had die plannen samen met haar gemaakt. Al die maanden, terwijl hij tegen mij bleef praten over alle dingen die *wij* zouden gaan doen, het leven dat we zouden leiden, de vakanties die we zouden hebben, maar al die tijd...' Mams mond trilde doordat ze probeerde niet te gaan huilen, en toen keek ze me plotseling bijna triomfantelijk aan. 'Begrijp je nu waarom ik er zo over denk?'

'Ja,' zei ik zacht.

'Je was bijna vijf,' zei ze. 'Nu ben je vijfendertig, en je vader zegt dat hij het goed wil maken, alsof hij denkt dat hij met een paar e-mails het verleden kan begraven. Ik vind van niet.' Mam keek me smekend en stak toen haar hand naar me uit. 'Dus, ga je zijn e-mail beantwoorden, Ella?'

Ik zei niets.

'Nou, Ella?' Ik voelde dat haar vingers zich om de mijne sloten.

'Nee,' zei ik even later. 'Dat doe ik niet.'

'Dus zo zit het,' zei ik een paar dagen later tijdens de lunch tegen Polly. Ik had haar het verhaal al in grote lijnen via de telefoon verteld. Nu, in een rustig hoekje van het Café Rouge in Kensington, had ik haar meer details gegeven.

Ze nam een slokje van haar muntthee. 'Dus in de herinnering die je had, zwierde hij Lydia door de lucht, maar je dacht dat jij het was.'

'Ja. En nu weet ik ook waarom het me herinnerde: omdat ik bijna vijf was en geen drie, en door de emoties erachter, denk ik.'

'Wat heeft je vader zich in de problemen gewerkt, zeg.'

Ik knikte somber. 'Ik zie mezelf steeds op zes-, zeven- en achtjarige leeftijd, mijn moeder vragend wanneer ik hem weer zal zien, niet wetend dat hij met zijn andere gezin – zijn andere dochtertje – naar de andere kant van de wereld is vertrokken.' De pijn van die gedachte was zo scherp dat het bijna een lichamelijke verwonding leek. Het feit dat Lydia twee jaar na mij was geboren, maakte het extra erg.

'Het maakt je moeders houding wel begrijpelijker.' Polly schudde haar hoofd. 'Maar dan nog, dat ze dit allemaal voor je verzwegen heeft.'

'En nu ben ik vreselijk in de war, want aan de ene kant ben ik boos op haar omdat ze zoiets... enorms heeft stilgehouden, maar aan de andere kant denk ik wel dat ze gelijk had. Ik geloof niet dat ik als kind had kunnen omgaan met de wetenschap dat mijn vader me in de steek had gelaten om met zijn andere kind duizenden kilometers verderop te gaan wonen. Het zou als een vreselijke afwijzing hebben aangevoeld. Zo voelt het zelfs nu.'

'Maar hij heeft je niet in de steek gelaten om bij zijn andere kind te wonen, Ella. Hij heeft je verlaten om bij zijn vriendin te gaan wonen. Hij heeft je moeder afgewezen, niet jou.'

'Nee, hij heeft mij ook afgewezen, want als hij genoeg van me had gehouden, zou hij zich niet bij mijn moeder hebben laten weglokken. In plaats daarvan ging hij naar Australië en liet hij hevige hartenpijn achter – een gecompliceerde breuk,' voegde ik er verbitterd aan toe.

Polly liet haar kopje zakken. 'Je zei dat Frances Australische was.'

'Dat was ze inderdaad, met de nadruk op wás.'

Polly keek verbaasd. 'Wat bedoel je? Dat ze...?'

Ik knikte. 'Gisteravond heb ik gegoogeld op 'Frances Sharp', en het eerste dat ik te zien kreeg was een in memoriam.'

'Aha... Dat zal wel een schok zijn geweest.'

'Ja, inderdaad. Hij had daar niets over gezegd.' Ik bedacht dat mijn vader in zijn e-mails helemaal niets over zichzelf had verteld, alleen dat hij hoopte dat we elkaar konden ontmoeten. 'Het stond in de *Western Australian* van afgelopen december. Ze was kennelijk al een tijd ziek. Ze was zesenzeventig, tien jaar ouder dan mijn vader.'

'Dat is een flink verschil. Dan moet hij echt van haar gehouden hebben.'

'Dat is wel duidelijk. Bedenk wel dat mam zei dat het feit dat ze geld had ook wel een rol gespeeld zal hebben in zijn... berekeningen.'

'Je moeder zou dat waarschijnlijk toch wel zeggen, of het nou waar was of niet,' merkte Polly op. 'Maar wat deed Frances, dat er een in memoriam in de krant stond?'

'Ze bezat een wijngaard aan de Margaret River, ten zuiden van Perth – hij heet Blackwood Hills. Dat heb ik vervolgens opgezocht en op de website stond dat de ouders van Frances er in 1970 mee zijn begonnen, toen dat gedeelte van Australië werd gecultiveerd voor wijnbouw. Er stond ook dat ze in 1979 terug is gegaan naar Australië om de wijngaard te helpen runnen en dat ze hem in 1992, na de dood van haar vader, heeft geërfd. De website vermeldde heel kort mijn vader, maar het was duidelijk dat de wijngaard hoofdzakelijk door Frances werd geleid.'

'En wie doet dat nu? Lydia?'

'Ja, samen met haar man Brett. Ze zijn vorig jaar getrouwd. Er stond een foto bij van hen in de wijngaard, met de rivier op de achtergrond.'

'Lijkt ze op jou?'

'Nou en of.' Ik zweeg even. 'Het was echt raar, Polly, om mezelf te herkennen in het gezicht van een vreemde.' Er liep een rilling over mijn rug.

'En heb je je moeder hier iets van verteld?'

'Nee. Want nu ik weet wat mijn vader heeft gedaan, vind ik niet dat er nog iets te zeggen is.'

Polly roerde in haar thee. 'Een paar weken geleden zei ik dat het verhaal misschien nog een andere kant had, dat het misschien niet zo erg was als je dacht, maar het was zelfs erger.'

'Ja, en het feit dat hij pas na de dood van Frances contact met me opneemt pleit ook niet voor hem. Misschien had hij beloofd niet naar me op zoek te gaan zolang ze nog leefde,' voegde ik er verbitterd aan toe.

'Maar hij wist niet waar je was tot hij dat artikel in *The Times* las.'

‘Ik weet zeker dat hij me wel had kunnen vinden als hij dat gewild had. Dus als ik er nu voor kies hem af te wijzen, is dat niet meer dan hij verdient.’

‘En zou je contact willen met Lydia?’

Ik gaf niet meteen antwoord. ‘Ik probeer nog steeds te wennen aan het idee dat ze bestaat. Het is alsof ik heb ontdekt dat ik een arm extra heb; ik kan er niet mee omgaan. Maar ik kan moeilijk contact met haar opnemen als ik hem weiger te zien, dus ik neem aan dat het antwoord op je vraag nee moet zijn.’

Polly zuchtte. ‘Het klinkt zo... triest.’

‘Ik veronderstel van wel, maar een hoop mensen hebben halfbroers of -zussen die ze nooit te zien krijgen. In elk geval heeft mijn moeder me eindelijk alles verteld.’

‘Nou...’ Polly trok een grimas. ‘Laten we het hopen.’

Ik keek haar aan.

‘En ik neem aan dat ze het Roy ook heeft verteld?’ Toen ik knikte vroeg ze: ‘Wat zei hij?’

‘Niet veel... Hij was geschokt. Maar hij sms’te me naderhand dat hij volgende week graag een keer met me wil lunchen.’

Polly knikte en keek toen op haar horloge. ‘We kunnen maar beter gaan, Ella, anders missen we onze afspraak.’ Ze wenkte de ober.

Ik opende mijn tas. ‘Dus we krijgen een pedicurebehandeling?’

‘Dat klopt,’ zei ze toen de ober de rekening bracht.

‘Maar waarom vraag je me mee naar de pedicure? Dat heb je nooit eerder gewild. Ik dacht zelfs dat je nooit naar een professionele pedicure ging omdat je bang was dat ze je nagels verkeerd zouden knippen en je zonder werk zou raken.’

‘Deze pedicure is anders.’ Polly schonk me een raadselachtige glimlach. ‘Je zult het wel zien.’

‘Je doet erg geheimzinnig,’ zei ik toen we Kensington Church Street overstaken. Toen we Holland Street in liepen herinnerde ik me dat Iris hier had gewoond voordat ze naar haar flat verhuisde. Ik verheugde me op onze volgende sessie.

We kwamen langs een patisserie en een kunstgalerie en Polly bleef staan voor de laatste zaak in het blok. 'We zijn er.'

Ik las het bord. 'Aqua Sheko?' Door het raam zag ik een rij grote glazen bakken met in elk een school kleine donkere visjes. 'Wat is dit? Een sushibar? Eten we vis terwijl onze voeten gedaan worden?'

'Nee,' zei ze opgewekt. 'De vissen eten ons. Op mijn kosten, trouwens.'

'Dank je,' zei ik aarzelend.

We gingen naar binnen en de eigenares, een jonge Chinese vrouw, nam onze schoenen aan. Daarna gingen we zitten en werden onze voeten gewassen en afgedroogd.

'Oké,' zei Polly, 'daar gaan we.'

We gingen op de groene leren bank zitten. Polly stak haar volmaakte voeten in haar glazen bak en ik huiverde toen de visjes er in een wriemelende zwarte massa heen zwommen.

'Kom maar op,' mompelde Polly tegen ze.

'Het zijn toch geen babypiranha's, hè, Pol?'

'Nee, het zijn kleine karperachtigen die *Garra Rufa* heten. Ze hebben niet eens tanden, ze zuigen alleen maar.' Ze knikte naar mijn waterbak. 'Jouw beurt.'

'Moet dat echt?'

'Ja, ze hebben honger.'

Ik keek naar de wriemelende zwarte dingetjes en liet toen met een grimas mijn voeten in het lauwwarme water zakken. De visjes schoten erop af en ik voelde meteen hun bekjes op mijn huid. Ik huiverde vol walging. 'O, het kietelt. Maar... Het is wel oké, of eigenlijk is het zelfs best fijn.'

'Ik dacht wel dat je dat zou zeggen,' zei Polly. 'In het wild reinigen ze de schubben van grotere vissen, en voor hen lijken onze voeten daarop. Ze knabbelen de dode huid van je zolen en hielen en daarna gaan ze tussen je tenen en rond je nagels aan de slag.'

'Lekker.'

'En er zit een hormoon in hun speeksel dat goed is tegen stress.'

'Dat kan ik in elk geval wel gebruiken.'

Het verbaasde me hoe snel ik de visjes kon vergeten terwijl Polly en ik rustig zaten te praten en groene thee dronken. Zo nu en dan bleef een voorbijganger staan om door het raam te gapen.

'Heb je veel moeten werken, Pol?' vroeg ik haar.

'Ik heb vorige week een fotoshoot gehad in het British Museum. Ik moest een Ming-vaas vasthouden. Die was tweeëndertig miljoen pond waard, dus er waren bewakers bij om ervoor te zorgen dat ik er niet mee vandoor ging, en er lag een dik matras onder voor het geval ik hem zou laten vallen, maar gelukkig heb ik erg vaste handen. En ik heb een boeking voor vrijdag: ik moet George Clooneys blote rug strelen.'

'Klinkt leuk.'

'Nee,' protesteerde Polly. 'Het is saai. Al die klussen zijn saai. Ik heb Pierce Brosnans kin gestreeld, Sean Beans borst, Jude Laws benen, David Beckhams borst, Clive Owens gezicht,' voegde ze er zangerig aan toe. 'Dat is zo saai, vooral wanneer het vijfentwintig keer opnieuw moet.' Ze onderdrukte een geeuw. 'Ik zou heel graag willen stoppen, of misschien niet echt stoppen, want het verdient wel goed, maar ik zou ook wel wat anders willen, iets stimulerenders, al heb ik geen idee wat.'

Er liep – of beter gezegd, er wankelde – een vrouw voorbij of plateauzolen van meer dan tien centimeter.

'Zie je dat?' zei Polly. 'Waarom dragen vrouwen toch zulke schoenen? Ze zijn helemaal niet mooi; ze zijn lomp en lelijk en nog gevaarlijk ook.'

Polly nam een slokje van haar thee. 'Nou ja, oorspronkelijk waren ze wel praktisch, want ze werden ontworpen om de drager boven al het vuil en de drek van de achttiende-eeuwse straten te verheffen.'

'Aha.' Ik keek naar mijn visjes, die nu als een enkelbandje van veren het onderste deel van mijn schenen omcirkelden. 'En nog geluk gehad op het mannenfront?'

Polly hield haar hoofd schuin. 'Ik ken een heel aardige gescheiden pa van Lola's school. We hebben bij het ophalen van de kinderen een paar keer staan kletsen en ik geloof dat hij wel geïnteresseerd is. Maar als hij me mee uit vraagt, ga ik niet zeggen wat ik doe. Ik wil een man die zich aangetrokken voelt tot mijn gezicht, niet tot mijn voeten,' voegde ze er resoluut aan toe. 'Hoe zit het met jouw liefdesleven?'

Ik dacht aan Nate. 'Niets.'

'Ben je nog met het schilderij van Nate bezig?' vroeg Polly alsof ze mijn gedachten had gelezen.

'Ja. We hebben nog een paar sessies te gaan en dan is het klaar.' Nog maar twee keer een 'date met Nate', bedacht ik spijtig.

'Ben je tevreden over zijn portret?'

'Het is prima. Ik denk zelfs dat het meer dan prima wordt.' Wat ik er na het verlovingsfeestje aan had gedaan was goed, ondanks het feit dat ik bij kunstlicht had geschilderd en behoorlijk wat had gedronken. Ik had nu het gevoel dat ik er meer van Nates innerlijk in kon zien.

'Dat is geweldig.' Polly nam een slokje thee. 'Ik ben blij dat je hem aardig bent gaan vinden, Ella. Je kunt hem daardoor waarschijnlijk ook veel gemakkelijker schilderen.'

Ik zei niet tegen Polly dat het juist veel moeilijker was geworden. Ik had haar niet verteld wat ik voor Nate voelde. Ik was soms in de verleiding gekomen, maar ik schaamde me het te moeten toegeven, zelfs aan haar. Ik vermoedde dat Polly het wel geraden had, maar te tactvol was om er iets over te zeggen.

Ze haalde haar voeten uit de waterbak. 'En hoe gaat het met de trouwerij?'

'O, aardig goed, geloof ik. Ondanks de spanningen van vorige week lijkt het allemaal onder controle. Chloë heeft me gevraagd iets voor te lezen.'

'Dat is leuk. Wat ga je voorlezen?'

'Ik weet het niet, ze heeft nog niet gekozen.'

Polly droogde haar tenen af. 'Het is erg aardig van haar om mij en Lola uit te nodigen.'

'Nou ja, ze kent je al haar hele leven. Bovendien willen mijn ouders dat je erbij bent, en ik ook. Het wordt echt een groot feest.'

'En hoe voelt Chloë zich?'

'Behoorlijk nerveus.' Ik dacht aan haar spanning en tranen na het verlovingsfeest.

'Dat is normaal,' merkte Polly op. 'Weet je nog hoe bang ik was voor ik met Ben trouwde?'

Ik knikte.

'Al had ik daar een goede reden voor, als ik zo eens terugkijk. Ik wist al toen ik naar het altaar liep dat het een vergissing was. Dat was een vreselijk gevoel. Ik weet niet hoe ik erin ben geslaagd mijn huwelijksgeloften uit te spreken. Maar is Chloë gelukkig?'

Ik haalde mijn schouders op. 'Zo te zien wel. Ze vertelt steeds maar hoe geweldig Nate is. In feite steekt ze voortdurend de loftrompet over hem, dus... Wat is er?'

'Eh... niets.'

'Je fronste, Pol. Vertel me wat je denkt.'

Even keek Polly alsof ze dat zou gaan doen, maar toen trilde mijn telefoon. 'Ogenblikje,' zei ik terwijl ik hem uit mijn zak haalde. Ik tuurde naar het scherm.

Ik werd bijna misselijk toen ik mijn vaders naam zag staan na alles wat ik onlangs over hem te weten was gekomen. 'Ik heb weer een berichtje van mijn vader.'

'Echt waar? Wat schrijft hij?'

Ik begon te lezen. 'Meer van hetzelfde. Hij zegt dat hij mijn terughoudendheid begrijpt, bla bla bla, maar – o, dit is nieuw: hij heeft het over mam. Hij zegt dat hij hoopt dat ze me niet ontraadt te reageren. Hij zegt dat hij hoopt dat ik mijn eigen beslissing zal nemen en dat we elkaar zullen zien als hij in Londen is.'

'En wanneer is dat?'

'Zondag over een week...'

'Jeetje... Dat is snel.'

'Ja. Maar ik neem wel zelf mijn beslissing, en dat is dat ik niets met hem te maken wil hebben. Wat verwacht hij dan van me na wat hij... O.'

Polly keek me aan. 'Wat?'

Ik staarde naar het schermpje. 'Hij heeft op mijn website gezien dat mijn atelier dicht bij World's End is.'

'Hij is toch zeker niet van plan om bij je langs te komen?'

'Nee, hij weet het adres niet, dat staat niet op mijn website. Maar hij zegt dat hij, als hij niet van me hoort, elke dag van zijn verblijf naar een café aan King's Road zal gaan. Het heet Café de la Paix, en hij zegt dat hij daar maandag en dinsdag van drie tot zes en woensdagmorgen van negen tot twaalf zal wachten, in de hoop dat ik kom. Hij zegt dat zijn vlucht terug woensdag om vier uur vertrekt.'

'Hij is in elk geval vastberaden,' zei Polly.

'Dat wel.'

'En... Ga je met hem praten, Ella? Dat kan toch wel?' voegde ze er aarzelend aan toe. 'Wat denk je?'

Ik ging naar OPTIES en toen naar BERICHT WISSEN? en drukte op JA.

'Nee.'

8

'Ik heb u al een poosje niet gezien,' zei de taxichauffeur drie dagen later. Hij legde mijn ezel in de achterbak van zijn auto. 'Alles goed met u?'

'Eh... min of meer. En met u?' vroeg ik toen ik achter instapte.

'Ik mag niet klagen.' Hij stapte achter het stuur. 'Dus we gaan weer naar Barnes?'

'Ja... Naar hetzelfde adres in Castelnau, alstublieft.'

Hij startte de auto en we vertrokken, langs de showroom van Harley Davidson, de Wedding Shop met zijn vitrines vol Wedgwood en Waterford. Terwijl we stonden te wachten om links af te kunnen slaan keek ik naar binnen bij Artiques met zijn vreemde verzameling fossielen, kristallen, schelpen, gebleekte dierenschedels, zonnespiegels en opgezette vissen. Aan de muur hingen lijsten met reusachtige gedroogde vlinders met gele, oranje en blauwe vleugels.

Toen we stopten bij de verkeerslichten knikte de chauffeur naar de reling. 'Weer meer bloemen.'

Ik keek naar de vele nieuwe boeketten en de twee roze ballonnen die dansten aan hun zilverkleurige lintjes. 'Dat is omdat ze vandaag jarig was.'

De chauffeur keek naar me in de spiegel. 'Hoe weet u dat?'

'Dat is me verteld... Ik ben haar portret aan het schilderen.'

'Hoewel ze dood is?'

'Ja. Ik werk van foto's.'

'O, ik neem aan dat dat gemakkelijker is.'

'Nee. Het is veel moeilijker.'

Toen we doorreden bedacht ik hoe ontevreden ik nog was over het portret van Grace. Het grootste deel van de rit kwelde ik mezelf met gedachten over hoe teleurgesteld haar familie zou zijn wanneer ze het zagen.

We draaiden de oprit van Celine in. Ik stapte uit met mijn spullen, betaalde de chauffeur en drukte op de koperen bel. Tot mijn verbazing werd de deur niet geopend door de huishoudster, maar door Celines echtgenoot, een lange man met zilverkleurig haar in een pak.

Hij keek me stralend aan. 'Jij moet Ella zijn.'

'Dat ben ik, en u bent meneer Burke?'

'Zeg alsjeblieft Victor. Wat leuk om kennis met je te maken. Geef dat hier.' Hij nam de ezel onder zijn arm en liep de hal door. Onder aan de trap bleef hij staan. 'Lieverd! Ella is hier om je te schilderen.' Hij wendde zich tot mij. 'Ze zal zo wel naar beneden komen.'

Ik liep achter Victor aan de salon in, waar de stoflakens al op hun plaats lagen. Hij zette de ezel neer en ik opende hem en zette hem op de gebruikelijke plek.

'Hoe gaat het?' vroeg Victor toen ik mijn palet en penselen tevoorschijn haalde. 'Mag ik even kijken?'

'Maar natuurlijk.' Ik haalde het doek uit de drager en zette het op de ezel.

Victor zette zijn handen in zijn zij. 'Ja.' Hij hield zijn hoofd schuin terwijl hij het portret bestudeerde. 'Het is echt Celine.'

'We hebben pas twee sessies gehad, maar de basisvormen staan erop, dus nu is het een kwestie van het gezicht opbouwen.'

'Ik hoop dat je haar eer aan zult doen.'

'Ik doe mijn best. De sessies gaan goed,' voegde ik er onoprecht aan toe en ik vroeg me af of hij wist wat voor nachtmerrie zijn vrouw was geweest.

'Daar is ze.' Victor straalde toen Celine binnenkwam. 'Je schilderij krijgt echt al vorm, lieveling.'

'Mooi zo,' zei ze verstrooid. 'Hallo, Ella.'

'Hoi,' antwoordde ik vriendelijk. Want ondanks onze problemen mocht ik Celine wel en was ik blij haar weer te zien.

Victor wendde zich tot mij. 'Dus vandaag is het... de elfde mei? Celine is op twaalf juni jarig.'

'Het portret zal minstens een week daarvoor klaar zijn,' stelde ik hem gerust.

'Geweldig.' Hij keek de kamer rond. 'Waar zullen we het ophangen?'

Celines gezicht vertrok van afschuw. 'Niet hier, Victor.'

'Waarom niet?' vroeg hij.

'Dat is veel te... openbaar!'

'Ach, ik weet het niet.' Hij keek naar de plek boven de schoorsteenmantel. 'Ik wilde het daar ophangen, in plaats van de spiegel.'

Celine keek ontzet. 'Geen sprake van! En als dat is wat je van plan bent, werk ik niet meer aan de sessies mee!' Ik schrok van haar felheid en vroeg me af of dit op een grote ruzie zou uitdraaien.

'Goed dan, niet daar,' suste Victor haar. 'We hebben het er wel over als het klaar is.' Hij keek op zijn horloge. 'Maar ik laat jullie nu alleen, anders kom ik te laat.' Hij trok zijn gele zijden stropdas recht. 'Dag, lieverd.' Hij wilde Celine op de wang kussen, maar ze draaide haar hoofd weg, waardoor hij haar oor kuste. Hij haalde wat verbaasd zijn schouders op en zei toen tegen mij: 'Tot ziens, Ella. Erg leuk om kennis met je te maken.'

'Insgelijks, Victor.'

Hij liep de kamer uit en we hoorden hem door de gang lopen. Daarna viel de voordeur dicht.

Celine liep naar de rode fluwelen stoel. 'Sorry daarvoor,' mompelde ze terwijl ze ging zitten.

'O, maak je geen zorgen.' Ik bond mijn schort voor. 'Je man is erg charmant.'

Ze zette haar tas op de vloer. 'Dat is waar.'

'Hij is duidelijk verknocht aan je.'

'Ja,' zei ze vermoeid.

Ik kneep de verf op het palet en mengde okergeel met cadmiumrood om de basis voor de huidskleur te maken. 'En hij is erg aantrekkelijk.'

Celine slaakte een meewarige zucht. 'Dat is waar. Mijn man is charmant, toegewijd en aantrekkelijk, hij werkt hard, is eerbaar en erg vrijgevig. Hij is ook vreselijk attent,' voegde ze eraan toe. 'O, en hij is een fantastische vader.'

Ik moest denken aan Chloës opsomming van Nates goede eigenschappen. 'Nou... Dan ben je maar een geluksvogel.'

Celine beet op haar onderlip. 'Ja.'

'En geef je een verjaardagsfeestje?'

Ze knikte. 'Victor regelt een etentje voor veertig vrienden.'

Ik verdunde de verf. 'Wat leuk. Waar ergens?'

'In het Dorchester,' antwoordde ze bedrukt.

'Wat fantastisch.' Ik koos een penseel van gemiddelde dikte.

'Daarna gaan we voor vier dagen naar Venetië. Hij heeft het Cipriani geboekt,' voegde ze er zonder enthousiasme aan toe.

'Geluksvogel!'

'En voor mijn cadeautje neemt hij me mee naar Graff, waar ik een ring met een diamant mag uitzoeken – vier karaats.'

'Lieve hemel!' Ik moest bijna lachen. 'Wat een geweldige man heb jij.'

Celine keek me somber aan. 'Hij is inderdaad geweldig, ja. Maar...' Opeens ging haar telefoon. Ik werd moedeloos toen Celine hem uit haar tas viste, op het scherm keek en hem openschoof. '*Oui, chéri?*' Ze stond op.

'Celine,' zei ik geluidloos, 'alsjeblieft...'

Ze schonk me een smekende glimlach. 'Dit is erg belangrijk.' Ze hervatte het gesprek. '*Il faut que je te parle. Oui, chéri. Je t'écoute...*'

Toen ik haar, lieve woordjes fluisterend, de kamer uit zag lopen, realiseerde ik me plotseling hoe het zat met Celine. Tijdens de eerste twee sessies was me opgevallen dat er een beller was die ze zeer grote genegenheid toonde. De intense, heimelijke aard van die gesprekken herinnerde me aan hoe Chloë was toen ze een relatie had met Max. Celine had een verhouding. Dat zou verklaren waarom ze niet geschilderd wilde worden. Victor had me opdracht gegeven het portret van haar te maken, maar ze was verliefd op iemand anders. Het verklaarde ook haar lichtgeraaktheid jegens Victor.

Na vier of vijf minuten kwam ze lichtelijk blozend terug, alsof het telefoontje haar had aangegrepen. 'Neem me niet kwalijk,' zei ze toen ze over het vloerkleed naar de stoel liep. 'Ik zal hem op voicemail zetten.' Ze deed dat meteen en stopte de telefoon terug in haar tas. '*Alors*,' zei ze, en ze ging zitten. 'Laten we verdergaan.'

We praatten een poosje, maar Celine was duidelijk geagiteerd. Er lag een soort gespannen verlangen in haar ogen en van tijd tot tijd slaakte ze een zucht.

Mijn penseel kletste tegen het doek terwijl ik haar jurk schilderde. Die was prachtig blauw, de kleur van rozemarijnbloemen. Toen ik het penseel weer in de verf doopte, hoorde ik haar weer zuchten.

Ik keek op. 'Is alles oké, Celine?'

'Alles oké?' herhaalde ze even later. 'Tja, het hangt ervan af wat je met "oké" bedoelt.'

Ik verruilde het penseel dat ik had gebruikt voor een fijner exemplaar en begon aan haar mond te werken.

'Ik verkeer in goede gezondheid,' zei ze. 'Ik lijd geen honger of kou. Ik woon comfortabel en heb kleren aan mijn lijf, maar...' Haar ogen vulden zich plotseling met tranen. 'Nee,' fluisterde ze. 'Het is niet oké.'

'Celine...'

Ze tastte in haar mouw en drukte een zakdoekje tegen haar ogen. 'Neem me niet kwalijk,' prevelde ze.

'Maak je geen zorgen.' Ik liet mijn penseel zakken. 'We wachten wel tot je je wat... beter voelt.'

Ze tuitte haar lippen. 'Ik zal me niet beter gaan voelen, alleen maar slechter.'

'Kan ik misschien iets voor je doen?'

'Nee.' Ze slikte. 'Dank je.' Ze frommelde het zakdoekje in haar hand op en kneep er zo hard in dat haar knokkels wit werden.

Ik wilde Celine vragen wat er aan de hand was, maar vond dat ik dat niet kon maken. De kans was trouwens klein dat ze het me zou vertellen. Ik doopte het penseel in het potje terpentine en roerde erin.

'Ik wil weg bij mijn man.'

Ik keek steels naar Celine.

Ze keek me vertwijfeld aan. 'Ik wil weg bij Victor,' herhaalde ze hartstochtelijk. 'Ik wil al heel lang bij hem weg, maar nu heb ik een kritiek punt bereikt, vanwege mijn verjaardag.' Ze haalde het zakdoekje onder haar linkeroog door. 'Het is heel moeilijk.'

'Is er... iemand met wie je erover kunt praten?'

Ze slikte moeizaam. 'Ik heb er net met iemand over gepraat. Daarom was dat telefoontje zo belangrijk.'

'Aha.'

'Het was Marcel.'

Haar vriend, besloot ik.

Ze slaakte een gefrustreerde zucht. 'Ik hou van Marcel.'

Dus ik had gelijk.

'Maar,' zei Celine met een stem die brak van emotie, 'ze wil me niet steunen!'

'Hm-m.' Marcelle.

Ze snufte. 'Marcelle zegt dat ik krankzinnig ben. Ze vertelde me dat toen ik vorige week bij haar in Parijs was en nu zei ze het weer. Ze zegt dat als ik bij Victor wegga, ik nooit meer een man zal vinden die zo goed voor me is als hij.'

'Hij lijkt me inderdaad... erg aardig.'

'Dat is hij ook. Hij is een fantastische echtgenoot. En ik weet dat ik van geluk mag spreken dat ik hem heb, en dat het vreselijk ondankbaar is om op welke manier dan ook ontevreden te zijn, en toch' – Celines mond trilde – 'voel ik me vreselijk ongelukkig.'

'Waarom?'

Celine keek me aan met tranen in haar wimpers. 'Het leven wordt toch geacht met veertig te beginnen?'

Ik herinnerde me dat ze dat bij onze eerste ontmoeting met verbazingwekkende verbittering had gezegd.

'Nou, ik heb het gevoel dat *mijn* leven bij veertig zal ophouden.'

'Waarom dan?'

'Omdat...' Ze snufte weer en pakte een nieuw zakdoekje uit haar tas. 'Ik ben al met Victor samen sinds mijn tweeëntwintigste. Ik kende hem pas een paar maanden toen ik zwanger raakte. Het was een ongelukje,' vervolgde ze. 'Ik wilde in dat stadium van mijn leven helemaal geen baby. Maar ik kon me er ook niet toe brengen het... niet te krijgen, en Victor was door het dolle heen. Hij zwoer dat hij mij en onze baby heel gelukkig zou maken en ik liet me door zijn enthousiasme en optimisme meeslepen.' Celine drukte het zakdoekje tegen haar ogen. 'Dus we trouwden en vier maanden later kreeg ik Philippe, niet lang nadat Victor dit huis had gekocht.' Celines ogen vulden zich weer met tranen. 'En daar zit ik al die tijd al!' Ze beet op haar lip. 'Maar nu wil ik hier weg.'

'Weet Victor dat?'

'Ja, maar hij weigert erover te praten.'

'Nou, het is duidelijk dat hij gek op je is.'

Ze slaakte een vermoeide zucht. 'Dat is waar, maar hij is zo veel ouder dan ik.'

'Doet dat er iets toe? Na al die tijd?'

'In zekere zin niet.' Ze ademde uit. 'Maar het feit is dat ik te jong ben getrouwd. Dus als ik een vrouw ontmoet zoals jij, die lang heeft gewacht om zich te settelen, voel ik me vreselijk... jaloers.'

'Jaloers?' herhaalde ik. 'Ik dacht dat je medelijden met me had.'

Celine keek me verbijsterd aan. 'Nee! Want vrouwen als jij hebben jaren plezier gehad. Ze veranderen van geliefden, van baan, van appartement, van stad, veranderen zelfs zichzelf, en dan kun je altijd nog trouwen en kinderen krijgen. Maar ik leid al zeventien jaar hetzelfde bestaan. Veel van die tijd werd opgeslokt door Philippe, van wie ik natuurlijk heel veel hou, maar hij zal weldra zijn eigen weg in de wereld zoeken. Dus nu wil ik een ander soort leven gaan leiden.'

'Aha.'

Ze snoot haar neus en keek me toen diepbedroefd aan. 'Ik heb niemand anders, als je dat soms dacht.'

'Nee, nee.'

'Ik heb nooit een verhouding gehad.' Celine zei het niet met trots, maar met spijt. 'Was dat maar wel zo,' voegde ze eraan toe. 'Dan voelde ik me nu misschien niet zo ontevreden. Maar ik heb tegen Victor gezegd dat ik niet gelukkig ben en dat ik weg wil.'

Arme man, dacht ik. 'En... Wat zei hij?'

Ze slikte. 'Dat hij wil dat ik blijf... Dat hij niet zonder me kan. Hij zei dat ik een crisis heb omdat ik veertig word. Ik zei: "Ja, Victor, ik heb inderdaad een crisis omdat ik veertig word, omdat ik méér met mijn leven wil doen." Toen zei hij dat hij eerder zou stoppen met werken, zodat we meer tijd samen konden doorbrengen, om te reizen, misschien nieuwe talen te leren, nieuwe uitdagingen aan te gaan.'

'Maar... Waarom hou je hem daar dan niet aan?'

'Omdat ik die dingen alléén wil doen.'

Ik had medelijden met Victor. 'Ik snap het.'

'Ik zou eigenlijk maar een jaar of twee in Engeland blijven. Het plan was dat ik daarna naar Zuid-Amerika, Afrika of Indonesië zou reizen. Ik ben nooit verder gekomen dan Barnes! En nu mijn verjaardag nadert, voel ik me... gekooid.'

Ik herinnerde me dat Celine bij onze eerste sessie op de Knolebank was gaan zitten. *Ik ben inderdaad ingesloten.*

'Dus nu wil ik wat terug zien te krijgen van de vrijheid die ik had toen ik jong was... Voordat ik een oude vrouw ben.'

'Maar hoe wil je dat doen? Zoek je een baan? Een opleiding?'

'Ik wil inderdaad gaan werken, ja. Maar eerst wil ik een appartement zoeken en dan zie ik wel verder. Ik ben al aan het rondkijken. Dat heb ik een maand geleden ook tegen Victor gezegd.' Celine keek me aan. 'En wat doet Victor dan?'

Ik haalde mijn schouders op, overdonderd. 'Ik weet het niet.'

'Wát doet Victor?' vroeg ze nog eens.

'Ik heb geen idee.'

Celine keek me woedend aan. 'Hij geeft jou opdracht een portret van me te maken!'

'Maar... Dat is een cadeau voor je verjaardag.'

'Nee, dat is het niet. Het is een val!'

'Een val?'

Ze boog naar voren. 'Zie je dat dan niet? Hij probeert mijn beeltenis in dit huis vast te pinnen. Hij is bang dat ik zal vertrekken, dus wil hij me aan de muur hangen.'

Ik knikte langzaam. 'Ik begrijp wat –'

'Dáárom is hij zo enthousiast over het portret. Dáárom wil hij het hier neerhangen, op die plek.' Celines linkerwijsvinger wees naar de spiegel. 'In het hart van het huis, omdat hij volgens mij gelooft dat het een magische uitwerking zal hebben, zoals voodoo, en me hier zal houden, bij hém!'

'Hou je nog steeds van Victor?'

Celine haalde vertwijfeld haar schouders op. 'Ik ben heel erg op hem gesteld, maar ik wil er op mijn doodsbed, over misschien nog eens veertig jaar, geen spijt van hebben dat ik in mijn veilige, comfortabele hokje ben blijven zitten, met mijn veilige, comfortabele echtgenoot. Zo.' Ze drukte het zakdoekje tegen haar ogen. 'Je vroeg of alles oké was. Daar heb je je antwoord.'

Ik zuchtte. 'Je zei dat je de sessies frustrerend vond, maar ik wist dat dat niet de werkelijke reden was dat je niet wilde worden geschilderd. Het was alsof je klaar zat om te vluchten.'

Ze knikte somber. 'Dat klopt. Dat is nog steeds zo.'

Ik ademde uit. 'Het vergt een hoop moed om te doen wat jij zegt te willen doen. Je zult misschien ontdekken dat je het toch niet zo leuk vindt, maar het gevoel hebben dat je niet meer terug kunt omdat je alle schepen –'

'Achter me verbrand heb,' maakte ze mijn zin af. 'Ik weet het. Dat risico neem ik. Maar het maakte van streek toen ik zag dat Victor zo opgetogen was over het portret. En toen belde Marcelle, dus vertelde ik het haar, maar ze was niet *sympa*. Dus besloot ik het jou te vertellen.' Ze pakte een nieuw zakdoekje. 'Ik hoop dat je het niet erg vindt.'

'Nee, ik ben blij dat je het hebt verteld, want nu weet ik tenminste wat er aan de hand is. Wat vind je van counseling?'

'Dat heb ik Victor voorgesteld, maar hij houdt vol dat we geen probleem hebben. En hoe meer ik zeg dat ik weg wil, hoe overdadiger zijn plannen voor mijn verjaardag worden.'

'Hm-m.'

'Ik wíl helemaal geen groot, duur feest,' zei Celine somber. 'Ik wíl geen diamanten ring, ik wil niet eens naar Venetië. Dat is zo'n romantische bestemming, dat het gewoon niet gepast lijkt. Ik wil mijn verjaardag eigenlijk helemaal niet vieren, omdat ik me zo ongelukkig en verward voel dat ik vind dat het oneerlijk zou zijn. Maar Victor treft gewoon alle voorbereidingen alsof er niets aan de hand is. Dus over een maand zit ik daar in het Dorchester, met het gevoel dat ik in een dure poppenkast zit! Ik vraag Victor steeds om het af te zeggen, maar hij weigert. Dus de druk in mijn binnenste bouwt zich al weken op en ik heb het gevoel dat ik zal...' Haar ogen werden groter. 'Boem!'

'Het spijt me,' zei ik machteloos. 'Ik wou dat ik meer kon zeggen dan dat, Celine... Maar dat kan ik niet.'

'Dat weet ik, maar ik ben blij dat ik het je heb verteld.' Ze zuchtte. 'En nu kunnen we maar beter doorgaan.' Ze stond op, liep naar de schoorsteenmantel en keek in de spiegel. Daarna liep ze terug naar de stoel. 'Ik moet je je werk laten doen.'

'Oké...' Ik liep terug naar mijn ezel en pakte mijn palet en penseel op.

Celine hief haar hoofd en nam haar pose aan.

Toen ik drie dagen later op Mike Johns zat te wachten, dacht ik weer aan Celine. Ons gesprek had voortdurend door mijn hoofd gespookt. Ik begreep nu waarom ze aanvankelijk niet geschilderd wilde worden en waarom ze niet stil wilde zitten. Ik speelde met het idee een open raam in het portret te verwerken, of een gedroogde vlinder in een gouden lijstje.

Sindsdien had ik veel tijd besteed aan het portret van Grace. Ik had het nu op de ezel staan, en hoewel ik bijna klaar was, was het nog steeds niet goed. Het was een goede gelijkenis, maar liet niet zien wie Grace was geweest. Ik had er inmiddels behoorlijk spijt van dat ik de opdracht had aangenomen en stelde me de teleurstelling van haar familie en vrienden voor.

Denkend aan het gesprek dat ik met Mike over Grace had gehad, besloot ik haar schilderij weg te zetten voordat hij kwam. Ik wilde het net van de ezel pakken toen de telefoon ging.

Ik nam op. 'Hallo?'

'Wat vind jíj van gepersonaliseerde champagne-etiketten?'

Mijn moeder had zich duidelijk hersteld van de emotionele schok van de vorige week en was weer volop bezig met de voorbereidingen voor de trouwerij. Ik was er echter nog niet van hersteld en voelde een verwarrend wantrouwen jegens haar dat zich als hardnekkige nevel had vastgezet rond mijn ziel.

'Denk je dat het leuk zou zijn?' hoorde ik haar vragen.

'Ik heb geen idee,' antwoordde ik. 'Ik wist niet eens dat het kon.'

'Het kan... En het lijkt mij erg leuk als er "Chloë en Nate", met de trouwdatum, op de flessen zou staan. Maar Chloë ziet het niet zo zitten. Dus dacht ik: laat ik het even met jou bespreken.'

'Waarom? Het is niet míjn trouwerij, maar de hare, dus als Chloë gepersonaliseerde champagne-etiketten niet ziet zitten, dan stel ik voor dat je die niet laat maken.’

‘Goed dan,’ zei mam, ‘je hoeft niet zo te snauwen.’

‘Ik snauwde niet, ik zei alleen wat ik ervan vind. En als je mijn mening niet wilt, moet je me er niet naar vragen.’

Er viel een ijzige stilte. ‘Ella... Ik hoop dat je niet van streek bent over het huwelijk.’

Mijn moeders bezorgde toon maakte me nijdig.

‘Je bent af en toe behoorlijk opvliegend, lieverd, dus het kwam bij me op dat je, omdat je een paar jaar ouder bent dan Chloë, misschien niet zo bl–’

‘Natuurlijk ben ik blij voor haar! Zo blij als ik maar zijn kan,’ voegde ik er iets oprechter aan toe. ‘Maar ik probeer nog steeds te verwerken wat je me over mijn vader en Lydia hebt verteld, daarom ben ik niet in de stemming om het over details voor de bruiloft te hebben!’

‘Natuurlijk... Het spijt me, lieverd.’ Ik hoorde mijn moeder zuchten. ‘Ik zou meer begrip moeten tonen, want het is inderdaad moeilijk voor je. Ik heb altijd geweten dat het dat zou zijn. En dat is precies waarom ik je zo lang heb beschermd.’

‘Je hebt me beschermd?’

‘Ja. Natuurlijk.’

‘Noem jij het verzwijgen van dingen van zulk groot persoonlijk belang “beschermen”?’

‘Jazeker. Ik weet trouwens niet eens of ze wel zo belangrijk zijn. John en zijn dochter zijn natuurlijk familie van je, maar het zijn relatieve vreemden, in die zin dat je ze niet kent.’

‘Dankzij jou ken ik ze niet, dat klopt!’

‘Dankzij hém!’ kaatste ze terug. Ik hoorde haar inademen, alsof ze zichzelf probeerde te kalmeren. ‘Ella,’ vervolgde ze rustig, ‘John en zijn dochter maken geen deel uit van je leven. Ze wonen letterlijk duizenden kilometers en acht tijdzones hiervandaan. Vergeet ze.’

'Hoe kan ik dat, als ze mijn vlees en bloed zijn? En wordt bloed niet geacht te kruipen –'

'Bloed kruipt niet,' onderbrak ze me. 'Als dat zo was, had je vader je nooit kunnen doen wat hij gedaan heeft!'

Dat was een waarheid waar ik niet onderuit kon.

'En dan had Roy ook niet kunnen doen wat híj gedaan heeft,' voegde mam er triomfantelijk aan toe, 'namelijk je te behandelen alsof je zijn eigen dochter was. Hij heeft ook nooit maar enig verschil gemaakt tussen jou en Chloë. Dat besef je toch zeker wel, of niet?'

Ik ademde uit. 'Natuurlijk besef ik dat. Hij is altijd fantastisch voor me geweest.' *Hoe is het met onze topmeid?* 'Ik heb ook nooit anders beweerd, maar...'

'Ella, ik maak me ernstig zorgen,' hoorde ik mam zeggen. 'Want je zei tegen me dat je geen contact met John zou opnemen, maar nu merk ik dat je twijfelt. Dus laat me je vertellen dat het, als je wel contact met hem zou opnemen, erg moeilijk zou zijn voor Roy. Ik hoop dat je daaraan hebt gedacht.'

'Natuurlijk heb ik daaraan gedacht, maar... Ik wil het hier nu niet over hebben.' Ik herinnerde me plotseling wat Polly had gezegd. 'Ik hoop maar dat je niet nog meer voor me hebt verzwegen!' Tijdens de beledigde stilte die daarop volgde keek ik uit het raam en zag ik Mike zijn auto parkeren. 'Mijn model is er, dus ik moet ophangen.'

Nadat ik het gesprek had beëindigd, had ik even een moment nodig om tot rust te komen. Ik spatte koud water tegen mijn wangen en liep toen naar de spiegel. Ik keek naar mijn spiegelbeeld en stelde me Lydia's gezicht voor.

Drrrrrrinnnnngggg!

Ik ging naar beneden en deed de deur open. 'Hoi, Mike.' Tot mijn opluchting zag hij er iets minder somber uit dan de vorige keren. 'Gefeliciteerd, trouwens.'

'Waarmee?' Hij raakte zijn borst aan. 'Dat ik er eindelijk aan heb gedacht mijn blauwe trui aan te trekken?'

'Nee, al ben ik daar wel blij mee. Ik bedoelde met de verkiezing. Jullie hebben nu een nog grotere meerderheid, nietwaar?'

'Ja, dat was een hele opluchting. Het is een zware tijd geweest,' voegde hij eraan toe. Toen ik achter hem aan mijn atelier binnen liep, zag ik dat hij het portret van Grace opmerkte, dat nog op de ezel stond. Hij bleef er even naar kijken.

'Ik zal dat even wegzetten,' zei ik opgewekt, maar ik wilde dat ik dat had gedaan voor hij hier was. Ik schoof het snel in het rek en haalde toen Mikes schilderij eruit. 'Hier is dat van jou.' Ik zette het op de ezel en bond snel mijn schort voor, terwijl Mike zijn tas naast de bank zette en op de stoel plaatsnam.

'Juist,' zei ik glimlachend.' Dit is onze laatste sessie, dus laten we maar gewoon aan de slag gaan.'

Ik schilderde Mikes trui, werkte toen aan zijn haren, bracht een beetje grijs aan in de bakkebaarden en daarna een beetje blauw in zijn kaak. En al die tijd praatten we over de verkiezingen en over hoe druk het was geweest.

'Maar ik ben blij dat ik deel uitmaak van de coalitie,' zei hij.

'Zit je in de regering?'

'Ja, ik ben tot onderminister voor Transport benoemd.'

'Wat geweldig.'

Ik vroeg Mike wat hij van het systeem van de huurfietsen in Londen vond, en van de voorgestelde herintroductie van de Routemaster-bus. En zo verstreek de tijd.

Ik werkt ingespannen en genoot van de geur van de verf en het lijnzaad. Toen brak het moment aan waarop ik altijd de allerlaatste hand aan een portret leg: ik bracht het licht in de ogen aan. Dan voel ik me net Pygmalion die een standbeeld tot leven heeft gebracht, want het is dat kleine vlekje wit in elke pupil dat een portret uiteindelijk – *ping!* – tot leven brengt.

'Zo.' Ik deed een paar passen achteruit. Het tikje titaniumwit in Mikes pupillen had zijn portret bezieling gegeven. Ik legde mijn penseel neer. 'We zijn klaar.'

Mike stond op en kwam naast me staan om naar het doek te kijken. 'Dat ben ik,' zei hij verbijsterd. Het was alsof hij het portret voor het eerst zag.

'Ik hoop dat je achterban het mooi vindt,' zei ik, 'maar bovenal hoop ik dat jij tevreden bent.'

'Ik... vind het zeker mooi, maar ik lijk zo mager.' Het leek wel of hij niet besefte hoeveel hij was afgevallen.

Ik knikte. 'Dat was best een uitdaging. Je gewichtsverlies veranderde heel veel aan je uiterlijk: het veranderde je hele gezicht. Ik was bang dat je minder vriendelijk zou lijken dan eerst, maar ik vind dat je er nog steeds heel toegankelijk en warm en –'

'Triest,' zei hij.

Ik keek naar het portret. 'Je kijkt inderdaad een beetje... peinzend, misschien.'

'Ik zie er triest uit,' hield hij vol. 'Dat is wat iedereen zal zeggen.'

Ik voelde me moedeloos worden. Hij was niet blij met het schilderij. 'Als je je daar zorgen over maakt, Mike, kan ik er wel iets aan doen. Ik kan je ooghoeken en mondhoeken iets omhoog halen. Minder dan een millimeter zou al verschil maken. Maar ik heb geschilderd wat ik zag. En je zag er een groot deel van de tijd behoorlijk ernstig uit.'

Ik zag nu ook de sfeer van tragiek die ik in Mike zelf had opgemerkt. Ik had geprobeerd dat te vermijden, maar het was er toch in geslopen. 'Het moet minstens een maand drogen,' zei ik, 'en dan kan ik het laten inlijsten, maar...'

'Mag ik het zien?' vroeg hij.

'De lijst? Ja. Ik was van plan naar Graham and Stone aan King's Road te gaan en ik wilde voorstellen dat je naar hun lijsten gaat kijken. Ik kan met je meegaan als je dat wilt.'

Mike schudde zijn hoofd. 'Ik bedoel het schilderij dat op de ezel stond toen ik binnenkwam.'

'O, natuurlijk.' Ik berispte mezelf weer omdat ik het niet had weggezet voor hij kwam. Had mijn moeder me maar niet afgeleid met haar irritante telefoontje.

Ik haalde Mikes doek eraf en legde het op de grond, zodat het niet kon gaan druppen. Daarna liep ik naar het rek, haalde het schilderij van Grace eruit en zette het op de ezel.

Mooi, sprankelend, grappig, warm...

Geen van die eigenschappen kwam terug in het portret, realiseerde ik me somber.

Gelukkig, loyaal, dapper, sterk...

Het enige wat ik had gedaan was haar gelaatstrekken kopiëren.

Ik hoorde Mike uitademen. 'Is het klaar?'

Ik beet op mijn onderlip. 'Het is zo klaar als het zijn kan. Ik heb er heel veel aan gewerkt. Ik bleef het veranderen, maar ik ben er nog steeds niet tevreden over. Het is niet...'

'Echt,' zei Mike zacht. 'Het is alsof je een wassen beeld hebt geschilderd.'

Ik onderdrukte een gefrustreerde zucht. Ik was niet zo blij met Mikes visie op mijn portretten. Ik herinnerde me wat hij over mam had gezegd: *ze lijkt op haar hoede, alsof ze iets verborgen houdt.* Toen realiseerde ik me met een schok dat hij gelijk had gehad.

Ik sloeg mijn armen over elkaar terwijl we naast elkaar naar het portret stonden te staren. 'Het probleem is dat ik Grace nooit heb ontmoet. Dus ik heb geen herinnering aan hoe ze praatte, hoe ze bewoog of lachte, of hoe ze over dingen dacht. Het zou geholpen hebben als ik wat video-opnamen in close-up van haar had kunnen bekijken, maar die zijn er niet – ik heb het gevraagd – en het is moeilijk iemand iets driedimensionaals te geven als je maar twee dimensies hebt om van uit te gaan.'

Mike tuurde nog steeds naar het portret. 'Het is een goede gelijkenis,' zei hij. 'Maar het portret leeft niet.'

'Precies.' Ik slaakte een gefrustreerde zucht. 'Maar ik denk niet dat ik het nog beter kan maken. Ik zal moeten accepteren dat dit portret niet mijn beste prestatie is.' Ik wilde het terug in het rek zetten toen Mike tot mijn verbazing zijn hand naar het doek omhoogbracht.

Hij wees naar de plek onder Grace' onderlip. 'Ze had een klein litteken,' zei hij zacht. 'Hier. Je zag het alleen wanneer ze glimlachte, maar omdat je haar glimlachend hebt geschilderd, hoort het erop te staan.'

'O.'

'En haar ogen kloppen niet.' Hij hield zijn hoofd schuin. 'De vorm is wel juist, maar ze waren niet zo puur blauw. Er zat aardig wat groen in en de rand van de iris was donkerder, als natte leisteen, wat haar blik een intensiteit gaf die jij niet hebt weten te vangen. En ze had een grappig gaatje, daar op haar voorhoofd. Het was heel klein, kleiner dan een speldenknop, maar als je dicht genoeg bij haar stond kon je het zien. En hier zat een moedervlekje.' Hij wees een plekje op haar wang aan.

'Aha...' zei ik zacht, 'maar...'

Mike bleef naar het schilderij kijken. 'Ze was zo mooi,' zei hij. 'Ze was echt heel mooi. En als ik er niet was geweest, zou ze nu nog leven.'

Het was alsof ik in een bad met ijswater werd geduwd. 'Wat bedoel je?' stamelde ik.

Mike knipperde met zijn ogen. 'Dat het mijn schuld is dat ze dood is.'

Mijn hart bonkte tegen mijn ribben. 'Maar, hoezo?'

Hij liep naar de bank en liet zich erop neerzakken. 'Mijn leven is een hel,' mompelde hij. 'Het is een hel sinds 20 januari... Sinds het gebeurd is. Het was zo'n vreselijke schok. En ik kon er niet over praten, al die maanden niet. Ik kon niemand in vertrouwen nemen.' Hij sloot zijn ogen alsof hij uitgeput was. 'Laat staan het opbiechten.'

'Opbiechten?' echode ik zwakjes. 'Wat opbiechten?'

Mike reageerde niet meteen, maar toen slaakte hij een zo diepe zucht dat die helemaal uit zijn tenen leek te komen. 'Dat haar ongeluk mijn schuld was.'

Mijn hart sloeg een slag over. Waarom vertelde hij me dit? Als het zijn auto was geweest die Grace had geraakt, moest hij dat de politie vertellen, niet mij. 'Was het jouw auto?' vroeg ik even later. Mijn mond was droog geworden.' Was het jouw zwarte BMW?'

Mike keek me verbijsterd aan. 'Nee... Ik heb haar niet aangereden, dat bedoel ik niet.'

Ik werd overspoeld door opluchting.

'Ik bedoel, als ik er niet was geweest, had Grace die ochtend niet door Fulham Broadway gefietst.'

'Maar... Waarom deed ze dat dan?'

Mike antwoordde niet.

'Haar oom vertelde me dat ze denken dat ze bij iemand was blijven slapen, maar ze hebben geen idee bij wie, omdat die persoon zich niet heeft gemeld.'

Mike kneep zijn ogen dicht. 'Ze was bij mij blijven slapen.'

Ik keek hem met stomheid geslagen aan. Ik was zo van slag geweest door de richting waarin ons gesprek was gegaan dat mijn verstand het niet had kunnen bijhouden. 'Je was verliefd op Grace,' zei ik verwonderd.

Hoe anders kon Mike van het kleine litteken onder haar lip weten, of de precieze kleur blauw van haar ogen beschrijven? Hoe kon hij anders van het kleine gaatje in haar voorhoofd weten dat je alleen zag als je zo dicht bij Grace stond als hij gedaan moest hebben. 'Je hield van haar,' zei ik.

'Ja,' zei Mike zacht. 'Dat klopt.'

Ik ging op een stoel zitten. 'En niemand wist ervan?'

'Niemand,' bevestigde hij. 'We hadden het helemaal niemand verteld.'

'Daarom belde je de sessies af.'

Hij knikte. En daarom was hij zo afgevallen en was hij van streek geraakt toen hij vertelde wat er met Grace was gebeurd. Daarom had hij gehuild toen hij 'Tears in Heaven' op de radio hoorde.

'Hoe heb je haar leren kennen, Mike?'

Hij ademde uit. 'Ze was lid van de London Cycling Campaign. Afgelopen september kwamen zij en twee anderen met de transportcommissie praten waar ik in zit. We hadden het over fietspaden en of er meer moesten komen langs drukke straten, over extra spiegels voor vrachtwagens, al dat soort zaken. Maar ik kon me nauwelijks op iets anders concentreren dan op Grace. Ze was zo mooi,' vervolgde hij zacht. 'Het was alsof er licht brandde bij haar vanbinnen, een soort dansend licht dat zich naar alle kanten verspreidde.'

Ik keek naar het portret. Dat leek nu nog platter en saaier.

Mike zuchtte. 'Na die bijeenkomst kon ik Grace niet uit mijn gedachten zetten, dus belde ik haar en vroeg of ze misschien een keer wat met me wilde gaan drinken. Tot mijn blijdschap en verbazing zei ze ja. Dus ontmoetten we elkaar weer en realiseerden we ons dat we ons sterk tot elkaar aangetrokken voelden.' Mike sloeg zijn handen in elkaar. 'Sarah en ik waren al een hele tijd niet gelukkig meer. We probeerden te besluiten of we bij elkaar zouden blijven of dat we er een punt achter zouden zetten. Toen ontmoette ik Grace,' voegde hij er bijna verwonderd aan toe. 'En ik was gelukkiger dan ik in mijn hele volwassen leven was geweest.'

'Ik weet nog hoe gelukkig je leek toen je hier in december voor het eerst kwam.'

Mike knikte. 'En nu probeer ik nog steeds te bevatten dat ik Grace nooit meer zal zien, nooit meer met haar kan praten, of haar kan horen lachen, of haar kan vasthouden...' Zijn stem stokte. 'En ik kon er met niemand over praten, dus ik voelde me vreselijk... alleen. Ik heb erover gedacht naar een rouwbegeleider te gaan, maar ik was bang dat het dan zou uitkomen. Dan zou het in de kranten komen te staan.' Hij keek me aan. 'Maar dat is niet de reden dat ik het jou vertel. Ik vertel je dit omdat je schilderij niet klopt, Ella... En ik wil dat het klopt.'

'Maar... Wat is er dan gebeurd, die ochtend?'

Mike legde zijn handen op zijn knieën alsof hij zich ergens voor schrap zette. 'Grace was de nacht ervoor bij mij gebleven,' begon hij zacht. 'Sarah was in New York en zou pas donderdagochtend terugkomen, maar op woensdagochtend vroeg zag ik haar sms dat ze een dag eerder naar huis vloog. Ik vertelde Grace dat en ze wilde meteen weg. Ik vroeg haar te blijven tot het licht was, maar ze zei dat ze toch terug naar haar flat wilde om zich te verkleden.' Mike slikte. 'Ik drong erop aan dat ze voorzichtig zou zijn, omdat het flink gevroren had. Ze vertelde me dat ze altijd voorzichtig was, en toen zette ze haar helm op en kuste ik haar ten afscheid.' Mike glimlachte. 'Het valt niet mee om iemand te kussen die een fietshelm draagt, en we moesten daarom lachen.' Hij zweeg even. 'Sarah had me ge-sms't dat ze haar sleutels niet bij zich had, dus ik wachtte tot ze rond negen uur gearriveerd was en vertrok toen naar het Lagerhuis.'

Mike slaakte een diepe zucht. 'Toen ik over New King's Road reed, zag ik dat de afslag rechtsaf naar Fulham Broadway was afgesloten. Ik nam aan dat het wegens wegwerkzaamheden was, dus ik stond er verder niet bij stil en volgde de omleiding. Toen – ik had London Radio op staan – hoorde ik dat er op Fulham Broadway een fietsster gewond was geraakt bij een aanrijding en dat de dader was doorgereden. Ik maakte me meteen zorgen dat het Grace geweest zou kunnen zijn, dus ik belde haar vanuit de auto, maar ze nam niet op. Ik hield me voor dat ze natuurlijk voor de klas stond, maar om mezelf gerust te stellen belde ik haar school, zonder te zeggen wie ik was. Ze zeiden dat Grace er nog niet was, dus ik raakte in paniek. Op mijn werk belde ik het Chelsea and Westminster ziekenhuis, omdat je daar waarschijnlijk naartoe gebracht wordt als je op Fulham Broadway gewond raakt. De verpleegster van de intensive care wilde bevestigen noch ontkennen dat Grace daar lag, dus toen wist ik zeker dat zij het was.'

'Wat erg, Mike.'

Mikes ogen blonken van de tranen. 'Het was... verschrikkelijk. Ik moest naar een vergadering en daarna naar een lunch, en daarna was er een debat. Ik weet niet hoe ik de dag ben doorgekomen. Het enige wat ik wilde was naar het ziekenhuis rijden, maar ik wist dat ik dat niet kon doen, zelfs niet als ik er tijd voor had gehad, omdat de ouders van Grace bij haar zouden zijn. Het enige wat ik kon doen was het nieuws blijven volgen en dat deed ik, elke twee of drie minuten. Er stond inmiddels een foto van Grace en een korte biografie van haar op een paar nieuwssites. En ik ergerde me, want ze hadden allemaal haar achternaam verkeerd gespeld, zonder de "e", en ik zat daarnaar te staren, woedend dat ze zelfs zoiets eenvoudigs niet goed konden doen, toen er plotseling een update werd geplaatst waarin stond dat ze... dat ze...' Mike liet zijn hoofd in zijn handen vallen.

'Wat erg voor je.'

'Het was *míjn* schuld,' zei hij. 'Als ze niet bij mij was geweest, had ze zich niet in de ijzige kou weg hoeven haasten omdat mijn vrouw naar huis kwam. Dan was ze niet door die auto geraakt, dan was ze niet met haar hoofd op de stoeprand gevallen, en dan had ze niet in het ziekenhuis liggen doodgaan.' Hij hield zijn linkerhand voor zijn ogen. 'Dus daarom voel ik me verantwoordelijk voor wat Grace is overkomen. En ik doe al vier maanden alsof alles normaal is, terwijl mijn leven een hel is. Ik eet nauwelijks. Ik kan niet slapen. Mijn werk is de enige afleiding van de pijn en de stress van een verlies dat ik nooit kan toegeven.'

'Dus je vrouw weet het niet?'

Mike schudde zijn hoofd. 'Ze denkt dat het door de problemen tussen ons komt.' Hij ademde uit. 'Ik kan het tegen niemand op de wereld vertellen. Toen ik me realiseerde dat je Grace ging schilderen, was ik... geschokt.' Hij knipperde. 'Ik wilde toen al met je over haar praten. Ik wilde je alles vertellen wat ik over haar wist, maar ik zweeg, omdat ik bang was. Maar toen ik daarstraks haar portret zag, en zag hoeveel eraan... ontbreekt, wist ik dat ik het je moest vertellen, ongeacht de consequenties.'

Ik knikte langzaam.' Ik zal het niemand vertellen, Mike.'

'Nee, alsjeblieft niet.'

'Maar haar ouders... Zouden die het niet willen weten, zodat ze begrijpen waarom ze daar was?'

'Nee,' zei Mike somber. 'Ik kan hen niet onder ogen komen. Ze zouden zeggen dat ik een waardeloze getrouwde vent ben die met hun dochter rotzooide. Ze zouden me haar dood kwalijk nemen. En daar heb ik geen behoefte aan, want ik zal het mezelf de rest van mijn leven kwalijk nemen.'

'Maar je hebt er bij Grace op aangedrongen dat ze zou wachten tot het licht was. Zij koos er zelf voor om te vertrekken. Het is niet jouw schuld dat ze van haar fiets gereden is, dat had ook midden op de dag en bij goed weer kunnen gebeuren. Het was gewoon... pech. Maar heeft ze zelfs een goede vriendin niet over je verteld?'

'Ze heeft haar beste vriendin alleen verteld dat ze iets had met iemand die Mike heette en dat ze heel gelukkig was, en dat was ze ook.'

'Staat je nummer dan niet in haar mobiele telefoon?'

'Haar mobiel is nooit gevonden. Die is misschien in het riool gevallen of aan flarden gereden door een vrachtwagen. Maar ja, mijn nummer stond erin... en al mijn berichtjes.' Mike ademde in. 'En ik heb al haar berichtjes nog in de mijne staan.' Hij stak zijn hand in zijn zak, haalde zijn telefoon eruit en keek ernaar. 'Ik lees ze telkens weer. En ik luister naar haar voicemails om even de illusie te ervaren dat ze nog leeft, en ik...' Mike drukte wat toetsen in en ik realiseerde me dat hij een van de berichten wilde afspelen die Grace had ingesproken.

'Mike, ik hoef echt niet...'

'Nee, alsjeblieft... Dit moet wel.'

Met bezwaard gemoed nam ik de telefoon van hem aan. Maar toen ik zag wat er op het scherm stond, verbeterde mijn stemming.

Het was Grace. Ze leunde tegen een aanrecht en lachte in de lens. *Waarom film je me?* hoorde ik haar zeggen. *Omdat ik gek op je ben*, antwoordde Mike. Grace lachte, pakte toen een schaal op en hield hem die voor. *Neem maar een Brazil-nootje*, zei ze giechelend. *Ik hoop niet dat dit op YouTube komt te staan*, plaagde ze. *Zeker niet*, zei Mike. *Maar nu kan ik van tijd tot tijd mijn telefoon pakken en naar je kijken en dan het gevoel hebben dat ik bij je ben, want dat is een fantastisch gevoel.*

Toen Grace zich omdraaide zag ik haar profiel. Ik zag haar geprononceerde jukbeenderen, de lichte welving van haar kaak, de vorm van haar oor en de lengte en kromming van haar hals. *Glimlachen, Grace*, hoorde ik Mike zeggen. Ze draaide zich weer om naar de lens, glimlachte verlegen en blies hem een kus toe. Daarna werd het scherm zwart.

Mike stond op en pakte zijn tas op. Even dacht ik dat hij wilde opstappen, maar hij opende zijn tas en haalde er een kabeltje uit. Hij stak de ene kant in zijn telefoon en gaf het geheel toen aan mij. 'Je kunt het wel naar je harde schijf kopiëren.'

'Ja, dat kan ik. Natuurlijk kan ik dat. Dank je, Mike. Dank je!' Ik stak het kabeltje in de USB-poort van mijn computer, opende het bestand, downloadde het filmpje en klikte op OPSLAAN. Toen het was opgeslagen klikte ik op AFSPELEN en zag ik over de volle breedte van mijn beeldscherm Grace' levende, ademende, bewegende, pratende, lachende en glimlachende gezicht. Ik zag alles wat ik moest zien: de vorm en diepte en beweeglijkheid van haar gelaatstrekken en, veel belangrijker nog, het leven erin.

Daarna keek ik naar het portret en ik wist wat me te doen stond.

9

Ik was het grootste deel van de zaterdag bezig met het portret van Grace. Ik speelde het filmpje van Mike telkens weer af en vroeg me af of hij ooit iemand over zijn relatie met haar zou kunnen vertellen, of hij het ooit zijn vrouw zou kunnen vertellen. Na vijftien jaar huwelijk wilde hij misschien wel dat hij dat kon. Ik vroeg me af of Mike naar de herdenkingsbijeenkomst voor Grace zou gaan of dat hij vond dat hij moest wegblijven. Daarna vroeg ik me af welk woord híj gekozen zou hebben om zijn gevoelens voor haar te omschrijven. Terwijl mijn penseel over het doek gleed, dacht ik na over mijn moeder en John. Binnen vierentwintig uur zou hij in Londen zijn. Mijn hart begon te bonken. Vervolgens dacht ik aan Lydia, en daarna aan Iris en Celine voordat mijn gedachten als altijd terugkeerden naar Nate.

Hij had me eerder die week een berichtje gestuurd om te laten weten dat hij zaterdag terugkwam uit Stockholm, niet op tijd voor de sessie van deze week. Ik troostte mezelf met de gedachte dat het uitstel in elk geval betekende dat het portretteerproces langer zou duren. Ik was in de verleiding om met opzet langzame vorderingen te maken om een paar extra sessies te rechtvaardigen.

Op zondag stond ik laat op, nam een douche, trok een spijkerbroek en T-shirt aan en ging naar buiten. Ik was van plan flink door te lopen naar Sloane Square en terug, maar toen ik de spoorbrug overstak besloot ik Lots Road in te slaan en bij het veilinghuis langs te gaan. Op het sandwichbord op de stoep stond *Vandaag voorschouw*. Ik duwde tegen de draaideur en liep het grote vertrek binnen, dat wel iets van een hangar had. Ik keek naar de Perzische tapijten die er hingen, naar het moderne meubilair en de verzameling zilverwerk. Er stond een grote leren neushoorn, een voetenbankje dat was bekleed met de Amerikaanse vlag, en een mooie zilveren inktpot in de vorm van een schelp. Ik stond die te bestuderen in de glazen kast en dacht erover er een bod op te doen.

'Dat is een George de Derde,' zei een bekende stem. Toen ik me omdraaide en Nate zag, begon ik te blozen van plezier en verbazing... en van verwarring. Ik wilde dat ik iets mooiers had aangetrokken, of op z'n minst een beetje make-up had opgedaan.

'Wat doe jij hier?' Ik keek om me heen in de verwachting Chloë te zien tussen de mensen die de kavels bekeken.

Nate haalde zijn schouders op. 'Ik was aan het wandelen. Ik loop hier wel vaker op zondag binnen om rond te kijken en soms koop ik iets. Maar goed, die inktpot' – hij bladerde de catalogus door die hij in zijn hand had – 'is van Londens zilver, uit circa 1810, gemaakt door Thomas Wallis.'

'Juist... En is... Chloë ook hier?'

Nate schudde zijn hoofd. 'Ze is naar je ouders.'

'O? Ik heb haar al een poosje niet gesproken.'

'Ik ben gisteravond pas teruggekomen uit Stockholm, dus ze zei dat ik niet mee hoefde omdat ze het met hen over dingen voor de trouwerij wil hebben. Ik heb dus even niet veel omhanden. En wat ben jij aan het doen?'

'Eh... Ook niet veel.'

'Mooi, want ik wilde net ergens gaan lunchen. Ga je mee?'

'Ja.' Ik keek naar mijn spijkerbroek. 'Als het tenminste niet te netjes is.'

Nate glimlachte. 'Je ziet er fantastisch uit. Dus... Waar zullen we heen gaan?'

'Megan's Deli?' opperde ik. 'Hoewel het daar zondags behoorlijk druk kan zijn. Er zijn ook wel wat zaakjes langs de rivier.'

'Laten we dat proberen,' zei Nate.

Dus liepen Nate en ik door Lots Road in de schaduw van de elektriciteitscentrale. Daarna liepen we het pad langs de Theems op en langs de kade, langs de woonboten en aken naar Albert Bridge. Sterns draaiden en doken boven het water. Het was een warme dag, dus we wandelden verder, pratend over de politiek, het weer, de prijzen in de supermarkt en de laatste film die we hadden gezien.

'Wat vind je hiervan?' zei Nate toen we langs Cheyne Walk Brasserie kwamen.

'Ziet er goed uit.'

We slaagden erin een hoektafeltje te krijgen en lieten ons op het blauwe leren bankje zakken.

'Lust je een glas wijn?' vroeg Nate toen we het menu bekeken.

'Ja, graag.'

'Wat zeg je van een fles?'

'Nee, ik kan geen hele fles op.'

'Om te delen, bedoel ik. Met mij.'

'O, dat is een veel beter idee.'

Nate lachte. 'Het is grappig om je buiten je atelier te zien,' zei hij. 'Je bent veel ontspannener, al mis ik het wel dat je me op die krankzinnig intense manier van je aanstaart.'

'Op zondag staar ik niet. Dan hebben mijn ogen een vrije dag.'

Nate gaf onze bestelling op en de ober kwam al snel terug met de fles wijn en vulde onze glazen.

'Nou.' Ik hief mijn glas. 'Proost.'

Nate hief het zijne. '*Salute.*'

Bij het voorgerecht van gerookte zalm kwam het gesprek op Nates vader en ik dacht met een golf van adrenaline aan mijn eigen vader, die nu misschien wel in Londen aankwam, als hij niet al hier was.

'Ella,' zei Nate, 'mag ik je iets vragen?'

'Natuurlijk. Wat dan?'

'Het is een beetje persoonlijk.'

'Echt waar? Zoals... Wat mijn favoriete kleur is? Nou, als je het dan per se moet weten, dat is ftalocyanine-turquoise, met transparant oxidegeel als een goede tweede. En de jouwe?'

'Eh... Groen. Maar dat is niet wat ik je wilde vragen. Ik wilde je vragen – zeg maar dat ik er niets mee te maken heb als je wilt – maar hoe kon je moeder...' Nate haalde verbijsterd zijn schouders op. 'Hoe kon ze iets zo belangrijks voor je verzwijgen?'

'Chloë heeft je dus verteld wat er is gebeurd.'

Hij knikte. 'Je vader heeft contact met je opgenomen.'

'Ja. In feite had hij dat al gedaan toen ik het die dag met je over hem had.'

'Aha...'

'Maar ik heb het je niet verteld omdat... Nou ja... Ik was bang dat je het misschien tegen Chloë zou zeggen, die het misschien tegen mam zou zeggen.'

'Ik kan wel een geheim bewaren, Ella,' zei Nate zachtaardig. 'Maar nu begrijp ik waarom je toen zo van streek was. Ik vond het vreselijk je zo te zien.'

Ik realiseerde me dat Nate me inderdaad gewoon had getroost toen hij me die dag in zijn armen hield. Zoals mijn moeder al had gezegd, was hij een medelevend persoon, en een gevoelsmens, niet bang om iemand een knuffel te geven als die in een dip zat. Ik verjoeg mijn gevaarlijke, misleide en armzalige fantasie dat zijn aanraking iets meer had betekend.

'En... Denk je dat je John zult willen zien?' vroeg Nate. 'En je zus?'

Mijn zus? 'Mijn zus' had altijd alleen maar Chloë betekend. Nu sloeg het op een andere vrouw, die ik maar één keer heel even had ontmoet, toen we allebei nog heel klein waren. 'Ik... Ik weet het niet. Ik ben nog erg in de war, dus... Ik heb het er nu liever niet over, als je het goedvindt.'

'Natuurlijk,' zei Nate. 'Ik wilde me niet opdringen.'

'Dat deed je niet.' Ik nipte van mijn wijn. 'Ik kan toch niet zeggen dat jij je opdringt als ik je er zelf al zo veel over heb verteld? Maar er is al genoeg gaande in de familie met jullie trouwerij, dus ik wil het voorlopig gewoon even... parkeren.'

Nate knikte. 'Dat snap ik.' Hij bracht het gesprek behendig op andere onderwerpen en het onbehagen verdween snel. Ik vond het zo heerlijk om zo onverwachts gewoon bij hem te zijn dat ik moest oppassen dat ik niet voortdurend zat te glimlachen. *Ik heb drie uur extra met hem gehad*, bedacht ik. Toen de ober de rekening kwam brengen, pakte ik mijn tas.

Nate schudde zijn hoofd. 'Doe maar weg, Ella.'

'Maar..'

'Ik ben een Italiaan... Ik laat jou niet voor jezelf betalen. Bovendien heb ik je uitgenodigd.'

'Nou, ik ben blij dat je dat hebt gedaan. Het was gezellig. Dank je.'

Terwijl we langs de kade terugliepen ging Nates telefoon.

Hij stak zijn hand in zijn zak. 'Sorry... Ik kan maar beter...'

'Geen probleem.' Ik hoopte dat het niet Chloë was. Een telefoontje van Chloë zou de betovering verbreken.

'Hoi, Chloë,' zei Nate. 'Ja... Prima.'

Haar heldere, hoge stem doorsneed de ether. '...nog steeds in Richmond,' hoorde ik haar zeggen. 'Waar ben jij, lieveling?'

'Nou...' Nate bloosde. Ik vroeg me af of hij Chloë over onze lunch zou vertellen. 'Ik ben net Ella tegengekomen.'

'Wat grappig. Doe haar de groeten maar.'

Hij keek naar mij. 'Natuurlijk. Tot straks, Chloë.'

'Ja,' zei ze liefdevol. 'Tot straks, Nate. Ik kan niet wachten.'

Toen ik thuiskwam stond er een bericht van Roy op mijn antwoordapparaat.

'Het spijt me dat ik je niet meer heb gebeld voor onze lunch,' zei hij toen ik hem terugbelde. 'Ik moest invallen voor een collega, dus het was erg hectisch, maar nu ben ik een paar dagen vrij. Wat denk je van morgen?'

'Goed. Waar spreken we af?'

'Ik dacht aan iets bij jou in de buurt. Wat vind je van die pub in King's Road, de Chelsea Potter? Je kent het vast wel.'

'Ja, ik ken het.' Het was gevaarlijk dicht bij Café de la Paix. 'Ik... weet niet of ik daar wel heen wil, Roy.'

'Tja, het zou voor ons allebei gemakkelijk zijn, omdat ik naderhand gewoon naar de metro op Sloane Square kan wandelen, maar het maakt niet uit. We kunnen ook ergens anders heen. Wat vind je van –'

'Het is al goed,' zei ik plotseling. 'De Chelsea Potter is prima.'

'Goed. Dus dan zie ik je daar om... één uur?'

'Kunnen we er halfeen van maken?' Dan zouden we met gemak om halfdrie weer weg kunnen zijn, wat me voldoende tijd gaf om voor drie uur de gevarenzone te verlaten.

'Halfeen is prima,' zei Roy.

Ik liep al een uur eerder naar King's Road, omdat ik nog wat dingen moest doen. Eerst ging ik naar Graham and Stone, waar ik een olieverf, wat spieramen en een paar penselen kocht. Ik keek ook naar lijsten en besloot dat de Dutch Black met koperkleurige krulversiering bij Mikes portret zou passen. Ik nam er een foto van, die ik hem zou mailen. Daarna ging ik naar Waterstone's omdat er een nieuw boek over de schilder Whistler was, dat ik wilde kopen. Op de terugweg kwam ik langs Café de la Paix. Ik keek door het brede raam naar het eenvoudige interieur. Wat een vreemd idee dat mijn vader hier over drie uur aan een van die tafeltjes zou zitten. Ik versnelde mijn pas en liep door.

Nu vroeg ik me af of ik hem een berichtje moest sturen dat ik niet zou komen. Ik had niet op zijn e-mails gereageerd, want als ik dat deed, zelfs al was het maar om te zeggen dat ik hem niet wilde zien, dan zou ik daarmee een dialoog zijn begonnen waar ik gewoon geen zin in had. Toch voelde ik me schuldig bij de gedachte dat ik zijn tijd verspilde. Toen besloot ik dat ik me helemaal niet schuldig hoefde te voelen. Als hij ervoor koos een paar uur in een café in King's Road te gaan zitten, was dat zíjn zaak, niet de mijne.

Bij Waterstone's zocht ik naar de biografie over Whistler, maar ik kon hem niet vinden. Terwijl de verkoopster ging kijken of er misschien nog een exemplaar in het magazijn lag, bekeek ik de fictieboeken op de tafels. Ik wilde net de nieuwe Kate Atkinson oppakken toen ik enkele stapels zag liggen van Sylvia Shaws laatste boek, *Dead Right*.

Ik las de superlatieven achterop: *Geweldig... Daily Mail; Erg spannend... GQ; Shaw ten voeten uit!... Express*. Daarna keek ik naar de foto van de auteur. Die flatteerde haar meer dan die in de *Hello!*, maar ze keek nog steeds behoorlijk nors, alsof ze het niet gepast vond om te glimlachen als je over moord en doodslag schreef. Ik sloeg het boek open op de bladzijde met de opdracht – *voor Max* – en verbaasde me erover dat ze nooit had geweten dat haar man een verhouding had.

De verkoopster kwam terug en vertelde me dat ze het boek over Whistler niet op voorraad hadden, dus ik bestelde het en keek toen nog even bij de wenskaarten. Ze hadden al een selectie vaderdagkaarten, dus ik kocht er een voor Roy met: *Ik heb de beste vader van de hele wereld*. Terwijl ik de winkel uit liep bedacht ik dat dat waar was. Roy was degene die me had meegenomen naar het park en had leren fietsen. Roy had me met mijn huiswerk geholpen en was naar me komen kijken bij hockeywedstrijden, concerten en toneelstukken van school. Roy was degene die me had verdragen tijdens mijn puberteit en die menige keer 's nachts om twee uur had klaargestaan om me veilig thuis te brengen als ik uit was geweest. Roy had het schoolgeld voor de kunstacademie betaald en me de helft van de aanbetaling voor mijn huis geleend.

Ik duwde de deur van de Chelsea Potter open en daar zat hij, aan de andere kant van de met hout betimmerde gelagkamer, naar me te zwaaien.

Ik liep naar zijn tafeltje, begroette hem met een kus en hing toen mijn draagtas met nieuwe verf en penselen aan de rugleuning van mijn stoel. Terwijl ik ging zitten vroeg hij me wat ik wilde drinken en gaf me toen een menukaart. Ik keek ernaar en zei: 'Ik hoef alleen soep.'

'Je moet wat meer eten dan dat, Ella.'

'Ik heb geen trek, dank je. Ik ben een beetje... gespannen.'

'Dat is ook niet zo verwonderlijk. Goed, dan ga ik maar even bestellen.' Roy liep naar de bar en kwam terug met een pilsje voor hemzelf en mijn cola light.

We namen een slok en toen zette hij zijn glas neer. 'Ella, ik wilde gewoon met je praten,' zei hij, 'omdat ik het belangrijk vond om je, ten eerste, persoonlijk te vertellen dat ik geen idee had van, nou ja... wat je eindelijk te horen hebt gekregen. Als ik het wel had geweten, zou ik je moeder hebben gedwongen het je te vertellen.'

'Daarom heeft ze het ook voor jou verzwegen. Mam kan goed geheimen bewaren, hè?' Ik tuurde naar het eilandje van ijs in mijn glas. 'Ik blijf maar denken dat ze spion had moeten worden in plaats van danseres.'

Roy lachte zacht. 'Ik hou van je moeder, Ella, maar ze heeft dit met jou heel slecht aangepakt. Ik ben geschokt over de mate waarin ze de dingen heeft... gemanipuleerd.'

'Ja, dat heeft ze inderdaad.' *Ik weet hoe ik het hebben wil.* Ik keek Roy aan. 'Maar heb je het ooit vermoed? Van Lydia, bedoel ik?'

Hij schudde zijn hoofd. 'Ik heb je moeder wel ooit gevraagd of ze dacht dat je in Australië misschien broers of zussen had. Ze antwoordde dat ze daar niet over wilde nadenken, en dat was geen leugen, maar ook niet de waarheid, zoals we nu weten. Maar het tweede, nog veel belangrijkere wat ik vandaag tegen je wil zeggen is dat ik het gevoel heb dat je moeder je onder druk zet om niet te reageren op... op je...' Roys stem stokte.

'Op John,' zei ik zacht.

'Op John. Ja.' Hij schraapte zijn keel en zweeg nog even. 'Ze zegt dat je niets met hem te maken moet willen hebben, vanwege mij. Maar ik wil dat je weet dat als je besluit wel contact op te nemen met... John, dat ik... dat prima zou vinden. Ik zou je steunen, Ella.'

'Dat zou je wel heel impopulair maken bij mam.'

Hij haalde zijn schouders op. 'Het zij zo. Je moet je eigen gevoelens boven de hare stellen... en boven de mijne.' Hij zweeg toen de barkeeper mijn minestrone en Roys vispastei bracht. 'Maar goed,' zei hij moeizaam zuchtend. 'Je moet er goed over nadenken.'

'Dank je, Roy, maar dat heb ik al gedaan.'

Hij keek me bezorgd aan.

'Ik heb besloten dat ik geen contact met hem ga opnemen.'

Er gleed even iets van opluchting over Roys gezicht. 'Nou ja... Je weet het natuurlijk nog maar pas. Misschien verander je nog van gedachten,' zei hij billijk.

'Ik denk het niet. Dus ik ga niet reageren op zijn e-mails en ik ga hem zeer zeker niet ontmoeten.'

'Ontmoeten?'

Ik pakte mijn lepel op. 'Ik zou hem zelfs niet willen ontmoeten als hij op dit moment in Londen was. Zelfs niet als hij in dit deel van Londen was, maar een paar minuten verwijderd van waar wij nu zitten. Ik zou hem zo voorbijlopen, zonder hem maar een blik waardig te keuren.'

Roy keek me verbaasd aan. 'Dat lijkt me wel... triest.'

'Hij heeft genoeg triestheid veroorzaakt, vind je niet?' Ik begon van mijn soep te eten.

Roy pakte zijn vork. 'Mensen begaan vergissingen, Ella.'

'Dat klopt.' Ik liet mijn lepel zakken. 'Maar wat hij heeft gedaan was geen "vergissing", het was een doordachte keuze. Daarom kan ik hem niet vergeven.'

'Probeer het toch maar, alsjeblieft. Niet in het minst omdat de negativiteit die je nu voelt op je zal blijven drukken en een deel van je leven zal verpesten.'

We aten een poosje zwijgend door. Ik keek Roy aan. 'Heeft Chloë het er met je over gehad? Ze heeft tegen mij niets gezegd.'

'Ze zei alleen dat het haar niet verbaasde, hoewel ik geloof dat ze behoorlijk van streek was. Ik weet dat het idee dat je nog een andere zus hebt haar net zomin aanstaat als het idee dat je een andere vader hebt. Toen ze een jaar of vijf was en ongeveer begreep hoe het zat, vertelde ze wanneer ik haar naar bed bracht vaak dat ze bang was dat John op een dag naar ons huis zou komen en je mee zou nemen.'

Ik lachte somber. 'Een onwaarschijnlijk scenario, gezien het feit dat hij vijftienduizend kilometer hiervandaan zat en absoluut niet in me geïnteresseerd was.'

'Dat weet je niet.'

'Jawel, want hij heeft nooit contact met me opgenomen. Het was alsof ik plotseling niets meer voor hem betekende.' Ik schoof mijn soepkom opzij. 'Maar nu we het hier toch over hebben, Roy, er is iets wat ik je al lang heb willen vragen... over mijn adoptie.'

Roy keek me aan. 'Wat dan?'

'Of John toestemming moest geven toen je de aanvraag deed om me te adopteren.'

'Eens even nadenken.' Roy kneep zijn ogen tot spleetjes. 'Toen je moeder en ik er voor het eerst met de advocaat over praatten, zei hij wel dat John ermee zou moeten instemmen, ja. Waarschijnlijk omdat zijn naam op je geboortebewijs stond. Maar je moeder heeft de aanvraag verder zelf afgehandeld. Ik hoefde alleen maar op een ochtend mee naar de rechtbank om de rechter duidelijk te maken dat ik niet krankzinnig was, geen strafblad had, inderdaad met je moeder getrouwd was – ze had onze huwelijksakte al afgegeven – en dat ik, zoals op de aanvraag stond, inderdaad als chirurg werkzaam was en in je onderhoud zou kunnen voorzien. Ik herinner me wel dat de rechter aan je moeder vroeg waar John was, maar ze zei dat ze daar geen idee van had.'

'Maar dat was niet waar. Ze wist dat hij in Australië woonde. Heeft ze de rechter dat niet verteld?'

'Nee. Als ze dat had gezegd, had ik het me beslist herinnerd, omdat ik dat zelf toen ook niet wist, evenmin als jij.'

'Dat klopt. Dat hoorde ik pas toen ik elf was.'

'Tja, zoals je al zei: je moeder kan goed geheimen bewaren.'

'Maar... Ze moet een adres van hem hebben gehad, want hij moest immers de echtscheidingspapieren tekenen.'

'Ik weet niet zeker of hij die wel of niet getekend heeft. In geval van verlating wordt de echtscheiding na twee jaar automatisch toegekend, en ik heb altijd het idee gehad dat het in hun geval zo is gegaan.' Roy haalde zijn schouders op. 'Maar het feit dat Sue kon zeggen dat John al drie jaar geen contact had opgenomen, want zo lang was het inmiddels, maakte adoptie door mij als je stiefvader vrij eenvoudig. Maar waarom vraag je daar nu naar?'

'Omdat het me bezighield, en ik wilde mam er niet naar vragen, omdat ik het er op het moment helemaal niet met haar over wil hebben. En ik geloof dat zij dat ook niet wil; ze gaat gewoon door alsof er niets aan de hand is.'

Roy haalde zijn schouders op. 'Ze heeft het waarschijnlijk verdrongen; dat is wat ze altijd doet met dingen die ze pijnlijk of onplezierig vindt. Dan gaan de mentale luiken dicht. En ze wordt natuurlijk erg in beslag genomen door de trouwerij, net als ik. Ik wil dat het een echt gedenkwaardige dag voor Chloë wordt.'

'Dat wordt het beslist.' Ik dacht weer aan Nate, die bij het altaar stond en omkeek naar Chloë. 'Het duurt nu niet lang meer.'

Roy knikte. 'De antwoordkaartjes komen in groten getale binnen. Iedereen komt.'

'Dat is mooi.'

'Maar goed... Wil je een toetje, Ella?'

'Eh... Nee, dank je. Trouwens...' Er ging een schok door me heen toen ik op mijn horloge keek. 'Het is halfdrie, dus ik moet weg. Nu meteen.'

'Oké,' zei Roy met een lichtelijk verbaasde blik. 'Maar ik ben blij dat we dit gesprek hebben gehad.'

'Ik ook, Roy.' Terwijl hij naar de bar liep om te betalen dacht ik aan wat Polly had gezegd. *Hij zou je steunen, Ella. Dat weet ik zeker.* Ze had gelijk gehad, maar ik ook toen ik voorspelde dat het hem van streek zou maken. Het deed me goed te weten dat ik hem niet nog meer pijn zou doen.

Roy moest een paar minuten wachten voor hij geholpen werd, dus tegen de tijd dat we naar buiten liepen was het twintig minuten voor drie.

'Bedankt voor de lunch,' zei ik tegen Roy. 'En bedankt voor alles wat je hebt gezegd.'

Roy glimlachte en daarna omhelsden we elkaar ten afscheid. Hij liep naar Sloane Square en ik ging de andere kant op, met een wee gevoel in mijn maag bij de gedachte dat mijn vader nu vreselijk dichtbij was.

Ik zocht afleiding door aan mijn werk te denken. Ik zou over twee dagen weer naar Iris gaan. En op zaterdagochtend had ik nog een sessie met Nate. Daarna zou ik Celines laatste sessies in drie opeenvolgende afspraken doen, omdat de tijd begon te dringen. Ik had ook met het stel in Chichester gesproken, de heer en mevrouw Berger. Ze wilden het portret graag voor hun zilveren bruiloft eind juli hebben, dus ik zou begin juni naar hen toe gaan en het in een week afmaken. Ik was blij dat ik de nieuwe verf had gekocht, want die zou ik nodig hebben.

Ik bleef abrupt staan. Ik had de tas met verf aan de rugleuning van mijn stoel gehangen en was hem vergeten toen ik wegging. Ik moest terug om hem te halen.

Ik rende terug naar de Chelsea Potter, waar de tas al aan het personeel was afgegeven. Ik moest wachten terwijl iemand naar boven ging om hem te halen, dus tegen de tijd dat ik wegging was het vijf voor drie. Mijn vader zou er zo zijn. Met bonkend hart liep ik snel de weg af en daar was het café, maar honderd meter verderop. Stel dat hij er al zat en me langs zag lopen? Stel dat hij de straat op kwam en me smeekte mee naar binnen te gaan? Wat had me bezield om in te stemmen met een lunch op nog geen vijf minuten van waar hij zou zijn? Als het regende, had ik me onder een paraplu kunnen verschuilen, maar het was een heldere, zonnige dag, dus zou dat me alleen meer hebben doen opvallen.

Nu was het nog maar vijftig meter naar Café de la Paix. Ik besloot de straat over te steken. Ik wachtte op de stoeprand tot de bus van lijn 22 voorbij was en werd even afgeleid door Polly's gigantische vergrote duim en wijsvinger die een geheugenkaartje vasthielden. Toen besefte ik dat het weinig zou helpen als ik de straat overstak, omdat ik daar net zo goed te zien zou zijn.

Opeens zag ik een taxi op me afkomen, blinkend in het zonlicht. Ik hield hem aan, stapte in en kroop helemaal in het hoekje van de achterbank toen we langs Starbucks, Sweaty Betty en India Jane reden. Nog tien meter tot Café de la Paix. Door de ramen over de hele breedte was het zo transparant als een vissenkom.

Ik kon de barista zien, die koffie stond te maken, en een man van een jaar of zestig die aan de bar stond. Die was echter te lang en te mager om John te kunnen zijn. Achter hem stond een stel verliefd kijkende tieners. Aan een tafeltje voor het raam zat een vrouw van in de veertig in een blauwe mouwloze jurk de *Independent* te lezen. Ik voelde mijn wangen warm worden, want aan een ander tafeltje voor het raam zat mijn vader. Zijn gezicht was verweerd en gerimpeld, maar verder herkende ik hem meteen van de foto die hij had gestuurd. Hij was nog steeds aantrekkelijk en breedgeschouderd, maar zijn haar was nu ijzerkleurig en naar achteren gekamd, wat hem iets leeuwachtigs gaf. Hij droeg een lichtgekleurd pak met een wit shirt eronder.

We waren nu bijna pal voor het café. Ik dook nog dieper weg en hoopte dat hij me niet zou zien door het zijraampje van de taxi. Er zat een grote sticker met GELIEVE NIET TE ROKEN, die me in elk geval gedeeltelijk aan het gezicht onttrok en ik hield mijn hand voor de zijkant van mijn gezicht. Door mijn gespreide vingers zag ik dat mijn vader helemaal niet naar de taxi keek. Zijn ogen scanden de voorbijgangers, zijn hoofd bewoog subtiel heen en weer. Hij zag een vrouw met donker haar van ongeveer mijn leeftijd, maar zodra hij besefte dat ik het niet was, wendde hij zijn blik af. Ik verwachtte dat de taxi langzaam langs het café zou rijden, maar tot mijn afgrijzen stopten we: verderop stond het verkeerslicht op rood. We stonden precies voor het café, de hele zijkant van de taxi werd weerspiegeld in het raam. Het enige wat me van mijn vader scheidde waren twee ruiten. Mijn hart trok samen toen ik de spanning op zijn gezicht zag. Ik stelde me voor dat ik uit de taxi sprong en het café binnen stapte.

Hoe kan ik dat níét doen, dacht ik vertwijfeld, nu hij daar voor het raam naar me uit zit te kijken? Toen bedacht hoe ik zelf op vijfjarige leeftijd voor het raam van onze flat naar hém uit had zitten kijken. In de hoop hém te zien. Ik had daar niet maar een paar uur gezeten, maar maanden...

Ik zag het verkeerslicht op groen springen. We kwamen in beweging en maakten snelheid, en mijn vader zat daar nog terwijl de taxi wegreed.

'Ik vind het erg leuk je weer te zien,' zei Iris glimlachend toen ze twee dagen later de deur van haar flat voor me opendeed. 'Dit is onze derde sessie, nietwaar?' vroeg ze toen ik naar binnen stapte.

'Dat klopt. Er heeft wat tijd tussen gezeten omdat je weg ben geweest en daarna verkouden was. Maar dat maakt niet uit,' voegde ik eraan toe terwijl ik door de gang achter haar aan liep. 'Ik heb weleens een model gehad dat het zo druk had dat het een jaar duurde voor het portret klaar was.'

Iris glimlachte quasizielig. 'Gezien mijn leeftijd denk ik niet dat we het risico kunnen nemen er zo lang over te doen.'

We liepen haar woonkamer binnen. 'Je lijkt me in prima conditie, Iris.'

'Het gaat niet zo slecht met me.' Ze ging op de bank zitten en zette haar stok tegen de armleuning. 'Ik bedacht vanmorgen nog dat ik al twintig jaar ouder ben dan mijn moeder is geworden. Maar zij had veel geleden in de oorlog en ook daarna was haar leven niet gemakkelijk.'

Ik zette mijn spullen klaar. 'En je vader? Heeft die een mooie leeftijd bereikt?'

Al terwijl ik de vraag stelde, herinnerde ik me dat Iris me nooit iets over haar vader had verteld. Ze had het alleen over haar stiefvader gehad.

'Mijn vader stierf toen hij zevenendertig was,' antwoordde ze zacht.

'Wat jong.'

Ik vroeg me af of Iris zou uitleggen wat er met hem gebeurd was, maar ze leek verder niets te willen zeggen. Terwijl ik mijn ezel opzette dacht ik aan mijn eigen vader. Hij zou zich klaarmaken om Londen te verlaten. Waarschijnlijk was hij al op weg naar het vliegveld.

Ik pakte mijn palet en begon de kleuren te mengen.

'Zat ik zo?' vroeg Iris.

Ik keek naar haar en toen naar het doek. 'Ja, inderdaad. Maar als je je linkerhand over je rechter zou willen leggen... Je kin mag een beetje hoger... En dan deze kant op kijken. Dat is geweldig.' Ik pakte een penseel van gemiddelde dikte.

Terwijl ik schilderde praatten we over wat er in het nieuws was. Toen vertelde Iris me dat Sophia die ochtend naar de bloemenshow in Chelsea was gegaan, maar dat ze zelf altijd de voorkeur had gegeven aan die in Hampton Court. Toen vroeg ze me of ik mijn werk ooit geëxposeerd had.

'Nee. Het genootschap van portretschilders heeft elk jaar een tentoonstelling en misschien dat ik daar volgend jaar aan deelneem, maar verder exposeer ik nooit, omdat ik in opdracht werk.'

'Je zou een eigen expositie moeten organiseren,' zei Iris.

'Tja... Misschien doe ik dat wel een keer. Ik zou een paar van mijn recente opdrachtgevers kunnen vragen me hun portret te lenen. Dan zouden ze allemaal kunnen komen in de kleren waarin ik ze heb geschilderd. Zou jij komen als ik dat deed, Iris?'

'Ik zou het geweldig vinden.'

Ik zou het in september kunnen doen, bedacht ik, op mijn verjaardag. 'Ik zal erover nadenken,' zei ik. Toen vroeg ik Iris naar de schilderijen aan de muren van haar woonkamer. Er hing een mooi Schots landschap, een paar prachtig uitgevierde botanische tekeningen en een geometrisch uitziend naakt dat van Euan Uglow was, zo vertelde ze me. Ik wilde het eigenlijk alleen maar over het schilderij van de twee meisjes hebben.

'Iris, ik hoop dat je het niet erg vindt dat ik het vraag,' zei ik uiteindelijk, 'maar de eerste keer dat ik hier was, heb je me wat verteld over het schilderij in je slaapkamer, dat van Guy Lennox.'

Ze knikte. 'Dat herinner ik me nog. Ik heb het verhaal niet tot het eind verteld, hè?'

'Nee, maar ik... zou het heel graag willen horen, als je het niet vervelend vindt het te vertellen.' Het was bij me opgekomen dat ze van gedachten veranderd kon zijn.

'Ik vertel het je graag. Dat was ik zelfs al van plan, maar ik ben een beetje stijf vandaag. Zou jij het schilderij voor me willen halen?'

'Natuurlijk.'

Ik legde mijn palet en penseel neer en liep de woonkamer uit en door de gang naar waar ik me herinnerde dat de slaapkamer van Iris was. Daar hing het schilderij, op de gebruikelijke plek naast haar bed. Ik keek er even naar, net als de vorige keer gefascineerd door de tederheid van de compositie. Nu zag ik dat het ook iets weemoedigs had. Ik haalde het van het haakje en nam het mee naar Iris, een spookachtige rechthoek op de muur achterlatend.

'Dank je,' zei ze. Ze zette het schilderij op haar schoot. 'Ik kan me niet herinneren hoever ik gekomen was.'

Ik liep terug naar mijn ezel. 'Je vertelde me dat Guy Lennox opdracht had gekregen een erg rijke man te schilderen, die Peter

Loden heette, die vervolgens een verhouding kreeg met zijn vrouw.' Ik pakte het palet en mijn penseel weer op.

Iris knikte. 'Dat klopt. Het moet vreselijk geweest zijn voor Guy. Maar – en dat is waar ik gebleven was, herinner ik me nu weer – het zou nog veel erger worden. Edith vertelde Guy dat ze wilde scheiden. Dat was al een flinke klap, maar ze voegde er nog aan toe dat ze niet bereid was haar overspel toe te geven.'

Ik begon het haar van Iris te schilderen. 'Hm-m.'

'Ze zei dat de meisjes er later onder zouden lijden als haar naam "besmeurd" zou raken in een schandaal. Ze zei dat hij, om hen daartegen te beschermen, moest zeggen dat híj de overspelige partij was.'

'O.'

'Ze voegde eraan toe dat, als hij daar niet mee akkoord ging, ze ervoor zou zorgen dat hij zijn dochtertjes nooit meer te zien kreeg. Omdat hij geen andere keus had stemde Guy daarmee in.'

'Arme man.'

'Arme man, inderdaad,' zei Iris. 'Dus ging hij naar een hotel aan de zuidkust, waar hij een jonge vrouw ontmoette die al vaker had deelgenomen aan zo'n toneelspel – tegen betaling, natuurlijk. Het kamermeisje kwam de volgende ochtend volgens afspraak naar binnen en trof hen samen in bed aan. Binnen drie maanden had Edith de gewenste echtscheiding. Guy bleek zich echter voor niets in het zwaard te hebben geworpen. Toen Edith korte tijd later met Peter Loden trouwde, veranderde ze de achternaam van de meisjes in de zijne. Guy was woedend en ging naar de rechter om het aan te vechten, waarop Edith haar eerdere dreigement uitvoerde. Ze vroeg een dwangbevel aan dat hem verbood om contact met zijn kinderen te hebben, die toen net iets ouder dan twee en één jaar waren.'

Ik mengde wat meer zinkwit in de haarkleur. 'Maar hoe kreeg Edith dat voor elkaar?'

'Ze beweerde van alles over Guy, en het belangrijkste daarvan was dat ze zei dat hij geestelijk onstabiel was door een gasaanval in de oorlog. Ze moet de rechter in elk geval hebben weten te overtuigen, want het dwangbevel werd toegekend. Guy mocht vijf jaar lang geen contact hebben met zijn kinderen, of dat zelfs proberen.'

Ik liet mijn penseel zakken. 'Wat vreselijk.'

'Het was onmenselijk. Maar hij werkte verder. Hij had de afleiding bijna net zo hard nodig als het geld. Drie jaar later, in de zomer van 1934, liep hij door St James Park. Hij had zijn ezel bij zich omdat hij net terugkwam van een portretteersessie. Toen hij het meer naderde, zag hij twee meisjes van een jaar of vijf en vier. Hij wist meteen dat het zijn dochters waren. Hij bleef een poosje naar hen staan kijken. Ze speelden met een rode bal en ze hadden een hond bij zich, een Norfolk-terrier die Bertie heette.'

Ik vroeg me af of Iris ook de namen van de meisjes wist, maar ik wilde haar nu niet onderbreken door het te vragen.

Ze kneep haar ogen iets toe toen ze verderging. 'Hun kindermeisje zat vlakbij op een bankje te breien. Guy wist eerst niet wat hij moest doen. Hij sprak de meisjes niet aan, niet alleen omdat dat hem wettelijk verboden was, maar omdat ze hem duidelijk niet herkenden. Dus sprak hij het kindermeisje aan. Hij legde uit dat hij portretschilder was en vroeg of hij het lieflijke tafereeltje zou mogen schilderen. Ze wist precies wie hij was en stemde toe.'

Nu begreep ik de uitdrukking op het gezicht van het kindermeisje: ze keek samenzweerderig.

'Dus,' zei Iris terwijl ze iets ging verzitten, 'Guy zette een paar meter verderop zijn ezel op en schilderde de meisjes terwijl ze aan het spelen waren, waarbij hij af en toe tegen hen babbelde. Het was het eerste contact met zijn kinderen in meer dan drie jaar.'

'Wat triest,' zei ik zacht.

'Het was tragisch.' Iris slaakte een diepe zucht. 'De vier dagen daarna ging hij elke morgen naar het park om hen te schilderen, maar toen hij de vijfde dag kwam waren ze er niet. Later ontdekte hij dat hun moeder erachter was gekomen – de kinderen moeten iets gezegd hebben – en een eind had gemaakt aan hun uitstapjes naar het park.' Ze zweeg even. 'Guy Lennox zag zijn kinderen nooit terug.'

'Zelfs niet toen die vijf jaar voorbij waren?'

'Nee. Want toen was het te laat.'

'Waarom? Wilden zijn dochters hem na al die tijd niet meer zien?'

'Nee, dat was niet de reden.' Iris schudde haar hoofd. 'In het voorjaar van 1936 brak de Spaanse Burgeroorlog uit. In augustus van dat jaar ging Guy bij de Internationale Brigade en vertrok naar Spanje. Hij overleefde de zware gevechten in de buurt van Madrid, maar in maart 1937 werd hij bij Guadalajara gedood.' Er blonken tranen in haar ogen, maar ze kwam snel tot bedaren.

'Arme man,' zei ik zacht. 'Nu begrijp ik het.'

Iris keek me indringend aan. 'Wat begrijp je?'

'Waarom je zo droevig wordt van het schilderij. Het is een hartverscheurend verhaal.'

Iris knikte langzaam.

'Maar je zei dat je het schilderij in een impuls had gekocht, zonder er iets van te weten. Zelfs niet van wie het was, dus je hebt kennelijk grondig onderzoek gedaan naar de achtergrond.'

'Dat klopt. Het meeste kwam ik in 1963 te weten van Hugh, de vriend van mijn man, die het aan zijn oom had laten zien.'

'Je zei dat die oom Guy Lennox had gekend.'

'Ja, hij had hem heel goed gekend. En toen Hugh het schilderij terugbracht en me vertelde wat zijn oom erover had gezegd, was ik... geschokt.' Ze zweeg even. 'Ik ging ermee terug naar de antiekwinkel waar ik het had gekocht en informeerde bij de eigenaar naar de vrouw die het hem had verkocht. Hij vond haar naam en adres in zijn aankoopadministratie en omdat ze dichtbij woonde, ging ik erheen en klopte aan. Ze wilde graag met me praten en bevestigde dat ze het schilderij op de zolder van wijlen haar broer had gevonden. Hij was nooit getrouwd en had geen kinderen, dus had zij zijn huis leeggeruimd.'

'Je zei dat hij voor Guy Lennox had gewerkt.'

'Dat klopt. Hij was zijn assistent geweest en zelf ook schilder. Ze had gemeend dat het een van de schilderijen van haar broer was, maar omdat ze al een aantal schilderijen van hem had, had ze besloten dit te verkopen. Toen ik haar vertelde wat ik had ontdekt, vermoedde ze dat haar broer het na Guys dood mee naar huis had genomen om het te bewaren.'

'Zou Guy hem verteld hebben wie de meisjes op het schilderij waren?'

'Misschien niet. Het was heel persoonlijk, maar ze achtte het waarschijnlijk dat haar broer het wel had geweten, omdat de twee een erg goede band met elkaar hadden. Ze dacht dat het misschien zijn bedoeling was geweest het schilderij aan de meisjes te geven. Maar toen brak de oorlog uit en werd het een chaos, dus was het bij hem op zolder blijven staan tot hij zelf overleed.'

'Je hebt erg veel moeite gedaan voor dit schilderij, Iris.'

'Dat is waar.' Ze keek me even aan. Het was een vreemde, indringende blik en ik realiseerde me plotseling dat ze moe moest zijn en hoopte dat ik weg zou gaan. Ik keek op mijn horloge. Het was tien over drie. De sessie was voorbij.

Ik begon mijn ezel en de verf op te ruimen. 'Dank je dat je het me hebt verteld, Iris. Ik ben blij dat ik het verhaal heb gehoord, hoe triest het ook is.' Ik stak haar portret in de doekdrager en pakte de stoflakens van de vloer op. 'Volgende week dezelfde tijd, komt dat je uit?'

'Ja,' antwoordde ze. 'Dat is prima.' Ze duwde zichzelf overeind. 'Nou... dan zie ik je dan wel, beste meid.'

Ik pakte al mijn spullen bij elkaar en we liepen naar de deur. Ik glimlachte ten afscheid en trok toen de deur achter me dicht. Ik liep naar de lift en drukte op de knop. Ik hoorde de lift naar boven komen en met een klap stilhouden. Ik wilde net het hek openschuiven, toen mijn hand stopte. Ik draaide me om en keek naar Iris' voordeur. Met vlinders in mijn buik liep ik door de galerij terug en klopte bij haar aan.

Even later hoorde ik dat de ketting werd weggeschoven. Iris deed de deur open en keek me verwachtingsvol aan.

'Iris,' zei ik, 'ik ben teruggekomen omdat ik me daarstraks afvroeg hoe de meisjes op het schilderij heetten. En ik realiseer me net dat ze Agnes en Iris heetten.'

Iris knikte langzaam.

'Jij staat op dat schilderij... Jij en je zus.' Ze knikte weer. 'En Guy Lennox was je vader.'

'Dat is waar.' Ze opende de deur verder en ik stapte naar binnen. 'Ik heb gewacht tot je het zou begrijpen, Ella. Ik wist dat je het zou begrijpen.'

'Ik was zo in het verhaal verdiept dat ik eerst het verband niet legde. Toen drong het plotseling tot me door met een kleine klap, hier.' Ik legde mijn hand op mijn borst. 'Maar dát is dus de reden dat het schilderij je verdrietig maakt.'

'Ja, dat is het. Kom alsjeblieft mee.'

Ik zette mijn ezel en de doekdrager neer en liep met Iris mee naar de woonkamer. Ze ging zitten, zette haar stok tegen de armleuning en pakte het schilderij. Ik ging naast haar zitten en we hielden het tussen ons in. Toen ik ernaar keek voelde ik de intense triestheid en het verlangen achter de oppervlakkige charme.

'Dus daarom zei je dat je geschokt was toen Hugh je het verhaal vertelde,' zei ik.

'Ik was inderdaad geschokt,' antwoordde Iris, 'omdat hij de naam Edith Roche noemde. Ik had ook nooit geweten dat mijn moeder een kunstenaarsmodel was geweest, of dat ze eerder getrouwd was geweest. Maar dat was ze wel, met Guy Lennox.'

Ik bracht mijn hand naar de dartele gestalte van het jongste meisje en keek toen naar Iris. 'Ik zie nu dat jij het inderdaad zou kunnen zijn, al is het moeilijk te zeggen, omdat ze van opzij geschilderd is, en omdat het een beetje onscherp is om de indruk van beweging te wekken.'

'Daarom herkende ik mezelf ook niet, maar ik verwachtte natuurlijk ook niet mezelf op een schilderij te zien. En Agnes herkende ik ook niet.' Iris wees naar het oudere meisje. 'Hier zijn haar haren erg lang. Toen de oorlog uitbrak is het kort geknipt en dat heeft ze altijd zo gelaten. Er waren wel momenten, voordat ik de waarheid over het schilderij kende, dat ik meende dat het oudere meisje op Agnes leek, maar dat deed ik af als toeval. Ook zijn de gelaatstrekken van het kindermeisje in impressionistische stijl geschilderd. Bovendien was dit een voorstudie voor een groter schilderij, dus had Guy er niet zo veel details in aangebracht als hij gedaan zou hebben als hij de klus had kunnen afmaken.'

'Toen ik de eerste keer hier kwam, Iris, vroeg ik je of er ooit eerder portret van je was gemaakt. Je antwoordde dat dat inderdaad zo was, maar heel lang geleden.' Ik keek naar het schilderij. 'Dit is dat portret.'

Ze knikte. 'En toen ik het voor het eerst zag, in die winkel, had ik het gevoel dat ik er niet alleen naartoe getrokken, maar erheen geleid was. Ik had het overweldigende gevoel dat ik ermee verbonden was, maar ik wist niet hoe of waarom.'

'Maar je zei dat je het aan je moeder had laten zien.'

'Dat klopt, want ik logeerde toen bij haar. Ze reageerde er negatief op. Ik dacht toen dat het was omdat ze vond dat ik te veel geld had uitgegeven, maar ik had het mis. Het was omdat ze meteen wist wat het schilderij was en door wie het was gemaakt. Ze moet zich schuldig gevoel hebben, want daarna leek er een langdurige somberheid over haar neer te dalen.'

'Dus je wist al die tijd niet dat Guy Lennox je vader was?'

'Ik wist het niet.' Iris zweeg even. 'Agnes was amper twee jaar oud en ik pas zes maanden toen onze ouders uit elkaar gingen. We hadden toen we opgroeiden geen idee dat de man die we "papa" noemden in feite onze stiefvader was of dat onze naam was veranderd van Lennox in Loden.'

'Maar je hebt je moeder vast weleens gevraagd hoe ze je "vader" had ontmoet.'

'Dat hebben we inderdaad. Ze vertelde ons dat ze elkaar hadden leren kennen op een feestje dat Peter gaf, en dat was niet gelogen.' Iris haalde haar schouders op. 'Maar het was ook niet helemaal de waarheid.'

'Wat gebeurde er toen je de waarheid ontdekte? Heb je je moeder er ooit mee geconfronteerd?'

'Daar heb ik nooit de kans voor gekregen, want ze was een paar maanden daarvoor overleden. Het was in de strenge winter van 1963, toen het hele land was ondergesneeuwd. Agnes woonde in Kent en kon Londen niet bereiken. Ik was in Joegoslavië. Onze moeder, die toch al zwak was, kreeg longontsteking.'

'Dus... Ze heeft nooit met jullie over je vader gepraat?'

'Nooit... Zelfs niet toen ze het schilderij zag, wat aanzienlijke zelfbeheersing gevergd moet hebben. Maar ze had de waarheid al zo lang verborgen gehouden, dat ze waarschijnlijk meende die niet meer te kunnen onthullen.'

Ik dacht aan wat mijn eigen moeder voor mij verborgen had gehouden.

'Maar het is goed zo,' vervolgde Iris. 'Want als ik wel de waarheid had gekend toen mijn moeder nog leefde, geloof ik niet dat ik haar had kunnen vergeven. Mijn zus heeft het haar bijna vijftig jaar later nog steeds niet vergeven.'

'Kon Agnes zich herinneren dat jullie vader jullie had geschilderd?'

'Ja, want zij was toen bijna zes. Ze vertelde me dat ze hem altijd zo voor zich ziet: achter zijn ezel, tegen ons babbelend en glimlachend. Zelf kan ik me hem helemaal niet herinneren, al ben ik ervan overtuigd dat het een diep begraven herinnering was die me in eerste instantie naar het schilderij toe heeft geleid. Ik herinner me dat het een gevoel van... vertrouwdheid bij me opriep.' Iris zuchtte en ging toen zacht met haar vingers over de lijst. 'Ik denk vaak aan hoe erg mijn vader ons gemist moet hebben, hoe hij ernaar verlangd moet hebben bij ons te zijn. We waren hem afgenomen... en hij ons.' Ze keek me verbaasd aan. 'Hé, je hebt tranen in je ogen. Niet huilen,

Ella, alsjeblieft.' Ze legde haar hand op de mijne. 'Het was niet mijn bedoeling je aan het huilen te maken.'

Ik zocht naar een zakdoekje. 'Het is zo triest... te bedenken hoe dicht je bij hem was.'

Ze ademde uit. 'We waren inderdaad dicht bij hem... en tegelijk zo ver van hem verwijderd. Maar Agnes en ik zouden er alles voor overhebben om hem te hebben gekend.'

Ik dacht aan mijn eigen vader, die hoopte me weer te zien. Ik dacht aan hem zoals hij urenlang gespannen in dat café naar voorbijgangers had zitten kijken, en ik slaakte een zucht. 'Nu weet ik waarom dit schilderij onbetaalbaar is.'

Iris knikte. 'Het is inderdaad onbetaalbaar... voor mijn zus en mij. Ik heb Agnes gevraagd of ze het graag een poosje wil hebben, maar ze zei van niet, omdat het haar te veel van streek maakt. Dus hou ik het dicht bij me, naast mijn bed, en ik kijk er elke dag naar en stel me dan voor wat mijn vader voor iemand was. Agnes en ik hadden het geluk dat we bij de oom van Hugh op bezoek konden gaan. We hebben met hem over Guy gepraat, naar zijn herinneringen aan Guy geluisterd en zelfs een paar foto's bekeken die hij van Guy had. Dat schonk ons in elk geval enige troost.'

'Maar er moeten toch mensen geweest zijn die wisten dat Peter Loden niet jullie vader was?'

'Die waren er zeker, maar daar spraken ze niet over waar wij bij waren. Ze namen waarschijnlijk aan dat we het wisten, of dat we gehoord hadden dat onze vader onze moeder had bedrogen en dat we geen contact meer met hem hadden. Guy kwam gewoon nooit ter sprake. Maar sinds ik de waarheid ken, noem ik Peter Loden niet meer wijlen mijn vader, maar altijd wijlen mijn stiefvader.'

'Hoe is het hem vergaan?'

'Hij was een erg drukbezet en machtig man.' Iris haalde haar schouders op. 'Hij was heel aardig tegen Agnes en mij, maar of hij vaak aan Guy Lennox dacht en aan de manier waarop hij diens leven had verwoest, weet ik niet. Na de oorlog is mijn stiefvader echter alles kwijtgeraakt. Ik had je toch verteld dat hij de eerste oliepijpleiding naar Roemenië had aangelegd?'

Ik knikte.

'Toen Roemenië deel ging uitmaken van het Oostblok werd de pijpleiding genationaliseerd. Mijn stiefvader leed catastrofale verliezen. Hij moest zijn kantoor in de City opgeven. Het huis in Mayfair moest worden verkocht.'

'Je zei dat het heel groot was.'

'Dat was het ook. Het stond vlak bij Park Lane. Het was prachtig... Net iets uit de –'

'*Forsyte Saga*,' vulde ik aan. 'Dat zei je toen je me het verhaal begon te vertellen. Ik vroeg me toen af hoe je dat kon weten, maar het was je thuis.'

Iris knikte. 'We woonden daar tot 1941, toen werden mijn zus en ik geëvacueerd. In 1948 werd het verkocht en verhuisden mijn moeder en stiefvader naar een klein huis in Bayswater. De jaren daarna waren erg zwaar voor hen. Nadat hij in 1958 overleed kwam Agnes geregeld naar de stad om mijn moeder te helpen, die toen al tamelijk broos was. Ik bracht tijd met mijn moeder door wanneer ik in Londen was, maar zoals gezegd vertelde ze me nooit de waarheid. Toen vond ik toevallig het schilderij en ontdekte ik de waarheid zelf. Misschien was het geen toeval. Misschien heeft mijn vader me erheen geleid. Ik heb dit verhaal maar aan heel weinig mensen verteld, Ella. Alleen mijn beide dochters en hun gezinnen kennen het. En nu ken jij het ook.'

Ik kneep in het zakdoekje. 'Ik ben heel geroerd dat je het met me hebt gedeeld, Iris, maar waarom heb je dat gedaan?'

'Omdat je een portretschilder bent, net als hij was. En omdat ik zag dat je door het schilderij werd aangetrokken. Ik denk dat je intuïtief het intense verlangen herkende dat achter elke penseelstreek schuilging.'

'Ik herkende dat verlangen inderdaad, ja...' Ik voelde mijn ogen weer vochtig worden. 'Maar... Ik moest nu maar eens gaan.' Ik wilde niet weer gaan huilen waar Iris bij was, of haar moeten uitleggen dat mijn tranen niet alleen werden opgeroepen door haar verhaal, maar ook door het mijne. Ik stond op. 'Dus... Dan zie ik je volgende week weer.'

'Ik verheug me erop, liefje.' Iris stond ook op en liep met me naar de deur. Ik pakte mijn ezel, mijn tas en de draagtas met het doek, glimlachte ten afscheid en ging weg.

Ik wachtte niet op de lift, maar nam de trap, mijn gedachten vervuld van het beeld van mijn vader die door het raam van het café naar buiten keek. Ik stelde me zijn verdriet voor toen hij besefte dat ik niet zou komen. Ik zag voor me hoe hij daar de vorige dag weer had zitten wachten, en deze ochtend weer.

Ik liep het gebouw uit en hield een taxi aan. Toen die Kensington High Street uit draaide zag ik het uithangbord van het hotel waar mijn vader verbleef en ik wilde de chauffeur al vragen te stoppen toen ik me realiseerde dat mijn vader er niet zou zijn. Zijn vlucht vertrok over nog geen uur. Hij zou in de vertrekhal staan of misschien al onderweg zijn naar de gate. Ik pakte mijn telefoon en las zijn laatste berichtje opnieuw:

Ik blijf hopen dat je me diep in je hart...

Dat had ik niet gedaan, maar door het schilderij van Iris had ik nu het gevoel dat ik het wel kon. Ik keek naar zijn mobiele nummer, en zonder dat ik een idee had wat ik zou zeggen en of ik zelfs maar een stem zou hebben om iets te zeggen, toetste ik het in. 07856 53944... Het laatste cijfer.

Bellen?

Ik tuurde met trillende hand naar het schermpje. Guy Lennox had zijn kinderen niet in de steek gelaten. Hij had gevochten om hen te kunnen houden en had groot onrecht ervaren door zijn pogingen bij hen in de buurt te blijven. Mijn vader was gewoon weggegaan en had nooit meer achteromgekeken.

Met toenemende moedeloosheid realiseerde ik me dat mijn moeder, ondanks haar verbittering, gelijk had. Het was te laat. Ik tikte op de rode toets en stopte de telefoon in mijn tas.

Ik had mijn besluit genomen, redeneerde ik toen ik thuiskwam: mijn vader vertrok nu en na al het gepieker en de tranen was het tijd om het los te laten.

En dat zou ik ook hebben gedaan, als ik twee dagen later niet weer een e-mail had ontvangen.

Het was vrijdagavond, erg laat. Ik was met Polly naar de film geweest en daarna hadden we nog wat gedronken. Ik was net thuis en in mijn atelier en dacht aan mijn sessie met Nate de volgende ochtend toen ik hoorde dat er een e-mail binnenkwam.

Ik liep naar de computer en zag dat het een berichtje van mijn vader was. Ik wilde niet weer van hem horen. Ik had duidelijk laten merken dat ik geen contact met hem wilde. Wat viel er nog te zeggen? Even speelde ik met de gedachten de e-mail ongelezen te wissen. Toen opende ik het bericht met een vermoeide zucht. Tot mijn verbazing was het erg lang.

Beste Ella,
Ik vind het erg jammer dat we elkaar in Londen niet hebben gezien. Ik was heel verdrietig toen mijn vliegtuig vertrok, maar ik troostte mezelf met het besluit dat ik je zou schrijven, zodat ik je in elk geval een gedeelte kon laten weten van wat ik gezegd zou hebben als we elkaar wel hadden ontmoet.
Ten eerste zou ik je naar jezelf hebben gevraagd – naar je carrière, je familie en je vrienden. Het zou vreemd geweest zijn, mijn eigen dochter zulke basale dingen te moeten vragen, maar ik weet zo ontzettend weinig over je leven. Daarna zou ik je iets over mezelf hebben verteld, met name dat ik een halfjaar geleden weduwnaar ben geworden en nog moet leren omgaan met het verdriet. Ik zou je verteld hebben dat ik bij een kleine kustplaats, genaamd Busselton, in de buurt

van Perth woon, op een wijngaard die de ouders van mijn vrouw hebben opgezet, en waarnaar ze altijd het plan heeft gehad terug te keren. Ik deelde haar enthousiasme voor dat plan nooit echt, maar uiteindelijk bood hierheen komen me de kans aan een ondraaglijke situatie te ontsnappen. Want zoals je maar al te goed weet, had ik een vreselijke puinhoop van mijn leven gemaakt.

'Natuurlijk,' mompelde ik. 'Ik ken het hele verhaal.'

Toen ik voor het eerst contact met je opnam, Ella, zei ik dat ik dingen wilde proberen uit te leggen. Ik hoopte met je aan tafel te kunnen gaan zitten en je te kunnen vertellen waarom ik me al die jaren geleden heb gedragen zoals ik heb gedaan. Ik wilde ook dat je wist dat ik wel heb geprobeerd contact met je te houden: al mijn luchtpostbrieven kwamen echter ongeopend terug, met 'retour afzender' erop in het handschrift van je moeder.

Er viel een baksteen op mijn maag.

Ik heb je vele, vele malen geschreven. In die brieven vertelde ik je dat ik in Australië woonde, maar ik zei niet waarom, omdat je te jong was om de omstandigheden te begrijpen die me hierheen hadden gebracht. Ik wist dat je moeder je verteld zou hebben dat ik jullie simpelweg in de steek had gelaten, en tot mijn eeuwige schaamte is dat waar. Maar ik wilde dat je wist dat ik nog steeds van je hield, dat ik je miste en dat ik vanuit het diepst van mijn hart wenste dat ik bij je had kunnen zijn.

Natuurlijk had hij dat gekund – als hij er niet met een ander vandoor was gegaan!

Ik moet zeggen dat ik bij dat alles niet de zegen van mijn vrouw had. Ze was erg van streek door wat er was gebeurd.

Ik moest bijna lachen. *Zíj* was van streek?

Frances zei dat als ik mijn geweten wilde sussen, ik maar gewoon een bankrekening voor je moest openen waar je moeder toegang toe had. Dat deed ik, maar je moeder negeerde al mijn verzoeken om de formulieren die ik haar stuurde te ondertekenen en terug te sturen. Dus stuurde ik haar cheques, maar die stuurde ze allemaal terug.

Haar trots had haar niet toegestaan het geld aan te nemen. Misschien was het ook vanwege haar trots geweest dat ze na de scheiding geen alimentatie van hem wilde aannemen. Ik las verder.

Toen hoorde ik dat je moeder wegging uit haar flat...

Hoe bedoelde hij, 'haar' flat? Het was toch *hún* flat?

Ik hoorde dat van mijn voormalige collega Al, met wie ik contact hield. Hij was je moeder een paar jaar na mijn vertrek toevallig tegengekomen in het centrum van Manchester. Ze vertelde hem dat ze pas was getrouwd en naar Londen ging verhuizen. Ze zei ook dat ze niet meer danste en Al nam aan dat het was omdat ze overduidelijk weer zwanger was.

Dus mijn vader wist niets van haar val.

Ik was blij te horen dat je moeder het geluk had gevonden met iemand anders en ik bad dat hij een goede stiefvader voor je zou zijn, Ella. Maar ik wilde nog steeds contact met je moeder, niet alleen omdat ik in je onderhoud wilde voorzien, maar omdat het mijn grote wens was je op een dag weer te zien, al zou ik dat heel voorzichtig moeten aanpakken, omdat Frances de hele situatie vreselijk pijnlijk vond.

Vond *zíj* het pijnlijk? Dat ze mijn vader had verleid zijn gezin te verlaten en hem had meegesleept naar de andere kant van de wereld?

Dus toen Al me vertelde dat ze naar Londen zou verhuizen, schreef ik het Northern Ballet Theatre met het verzoek haar een ingesloten brief door te sturen, maar ik hoorde niets van haar. Daarna zette ik een advertentie in *The Stage*, met een postbusnummer, maar ze reageerde niet. Het was duidelijk dat je moeder me nooit de manier zou vergeven waarop er een einde aan onze relatie was gekomen.

Hun 'relatie'? Wat een vreemde manier om het uit te drukken.

Ik weet zeker dat ze je zal hebben verteld hoe we elkaar hebben ontmoet. Het was na een voorstelling van *Assepoester*, waarin je moeder de winterfee had gedanst in een prachtige tutu die bezet was met glinsterende nep-ijspegels. Frances was dol op ballet en had speciale kaartjes gekocht waarbij een uitnodiging voor het feestje voor de spelers na afloop inbegrepen was, dus gingen we daar ook heen...

Was mijn vader met Frances naar de voorstelling gegaan? Mam had gezegd dat hij met 'wat andere mensen' was. Dat zou wel verklaren waarom Frances een hekel aan mam had: omdat zij ook een oogje op John had gehad, maar hij verliefd was geworden op mijn moeder.

Ik was wat te drinken gaan halen voor Frances en toen ik terugkwam, stond ze met je moeder te praten, dus Frances stelde ons aan elkaar voor.

Dat klopte allemaal met wat mam me had verteld.

Frances en ik waren toen inmiddels vijf jaar getrouwd.

Ik staarde naar die zin.

Ik hield van haar en was haar nooit ontrouw geweest.

Mijn moeder was zelf 'de andere vrouw' geweest!

Ella, het is waarschijnlijk moeilijk voor je om dit te lezen, maar het is belangrijk dat je de waarheid kent en dat is dat het nooit mijn bedoeling is geweest me zo te laten meeslepen. Maar je moeder was fascinerend, en ik was zwak.

Ik dacht nu aan de hotelrekening die ze in mijn vaders zak zou hebben gevonden, en aan de liefdesbrief. Dat was de liefdesbrief van een vrouw aan haar echtgenoot geweest.

Ik probeerde vele malen een eind aan onze relatie te maken, maar dan raakte ze zo overstuur dat ik het niet over mijn hart kon verkrijgen haar pijn te doen. Zes maanden nadat we elkaar hadden ontmoet, zei ik tegen haar dat we echt moesten stoppen. En toen vertelde ze me dat ze zwanger was.

Ik deed mijn ogen dicht en opende ze toen weer.

Ik was radeloos, want ik wilde Frances geen pijn doen of haar verliezen. Ik was ook geschokt, wat je misschien naïef zult vinden, maar ik had nooit gedacht dat Sue haar carrière op het spel zou zetten door een kind te krijgen. Ze was jong en erg ambitieus. Pas toen realiseerde ik me hoe heftig haar gevoelens voor mij waren. Ik zei tegen haar dat ik mijn vrouw nooit zou verlaten, maar Sue wist dat Frances geen kinderen kon krijgen en ze moet gemeend hebben dat mijn liefde voor Frances wel zou afnemen wanneer ik eenmaal een band had gekregen met de baby.

Mam had mij gekregen om John ertoe over te halen zijn vrouw in de steek te laten. Daarom had ze gezegd dat ze zo blij was een kind te krijgen. Nu herinnerde ik me haar boosheid toen Chloë erover had gedacht zwanger te raken om een beslissing van Max te forceren. Mam wist duidelijk maar al te goed, uit eigen ervaring, dat dat een – hoe had ze het ook weer gezegd? – 'een te groot risico' zou zijn. Ik las verder.

Ondanks mijn grote ongerustheid, Ella, was ik vreselijk blij toen je werd geboren en voelde ik meteen een grote liefde voor je. Maar je geboorte markeerde het begin van een dubbelleven dat bij tijd en wijle zo stressvol was dat ik me afvroeg hoe ik het zou moeten volhouden. Ik zeg dat niet om een beroep te doen om je sympathie, ik probeer alleen uit te leggen hoe het komt dat ik zo veel pijn heb veroorzaakt.

Zo veel pijn, dacht ik.

Je moeder drong erop aan dat ik Frances de waarheid vertelde, maar dat weigerde ik omdat ik bang was dat Frances me zou verlaten. Ik hield van haar. Ik hield van jullie alle drie: van mijn vrouw, van je moeder en natuurlijk van jou, mijn lieve baby. Ik wist gewoon niet wat ik moest doen. Dus deed ik, zoals veel mannen in zo'n situatie, niets. Ik ging doordeweeks na het werk en in het weekend bij Sue en jou op bezoek zo vaak ik kon. Dan reed ik door West Street en zag ik je moeder voor het raam van haar flat naar me staan uitkijken.

Ik herinnerde me hoe ze altijd naar me riep: 'Papa is er!' Nu realiseerde ik me waarom ze het er altijd over had dat hij arriveerde: omdat hij niet bij ons woonde. Veel van haar raadselachtige uitspraken werden me plotseling duidelijk.

Je had geen idee dat je moeder en ik niet waren als andere ouders. Ik duwde je op de schommel en ging met je zwemmen. Ik had gemakkelijk gezien kunnen worden door iemand die Frances kende en dat wist ik, maar ik hield zo veel van je dat ik dat risico graag nam. Soms nam ik je mee naar het theater om je moeder te zien dansen. Ik las je voor en tekende en schilderde samen met je. Ik raakte zo aan je verknocht dat ik vele malen besloot inderdaad bij Frances weg te gaan. Maar dan begon die gedachte me weer vreselijk te kwellen, want ik wilde haar niet kwijt.

Dus raakte hij *míj* kwijt.

Toen begon Frances zich niet lekker te voelen. Toen ze tot de ontdekking kwam dat ze zwanger was, leek dat een wonder, niet alleen omdat ze te horen had gekregen dat dat nooit zou gebeuren, maar omdat ze inmiddels tweeënveertig was. We waren allebei zo vreselijk blij, maar ik durfde het Sue niet te vertellen. Dus vertelde ik het haar niet. Ik had zelfs mijn ouders niet over jou verteld, omdat ik bang was dat ze het Frances zouden vertellen.

Dus daarom had ik mijn grootouders van vaderskant nooit ontmoet. En daarom was oma er zo vaak: omdat mijn vader niet in de gelegenheid was op me te passen, aangezien hij elke avond terug moest naar zijn vrouw.

In 1978 begon Frances plannen te maken voor ons vertrek naar Australië. Mijn leven werd toen een hel. Hoe kon ik daarheen gaan? Ik had jou immers. Maar hoe kon ik er niet heen gaan? Want ik had Lydia, die inmiddels achttien maanden was. Ik was zo gestrest bij de gedachte tussen mijn twee gezinnen te moeten kiezen, dat ik er vaak over dacht zelfmoord te plegen of zomaar te verdwijnen. Alles om aan die vreselijke situatie te ontsnappen.

Ik had nu alleen nog maar medelijden met mijn vader.

Je moeder vroeg steeds vaker waarom ik nog bij Frances was. Het zou nog een jaar duren voor het kritieke punt werd bereikt. Ik had tegen Sue gezegd dat ik met jullie zou gaan picknicken. Het was een prachtige zaterdag vroeg in september. Ik kon echter niet van thuis wegkomen en ging in plaats daarvan wandelen met Frances en Lydia. Misschien weet je wat er vervolgens gebeurde, Ella. Misschien herinner je het je zelfs nog.

'Ja, ik herinner het me,' fluisterde ik.

Je kwam plotseling heel blij en verbaasd op me afrennen. Ik herinner me dat je tegen me begon te babbelen en toen met onschuldige nieuwsgierigheid naar Lydia keek. Toen kwam je moeder erbij staan, duidelijk van streek. Frances staarde naar jou, Ella, begreep hoe het zat, schonk je moeder een blik van diepe afkeer, pakte Lydia op en ging naar binnen.

Het was dus helemaal niet verkeerd om geweest. Frances had alle reden gehad om mijn moeder te haten.

Op dat moment was mijn leven plotseling niet meer gecompliceerd. Hoe verschrikkelijk het moment zelf ook was, ik voelde me vreselijk opgelucht omdat er nu geen geheimen meer waren, alleen nog de verschrikking van de beslissing die ik zou moeten nemen. Zelfs toen nog, terwijl een groot deel van onze bezittingen al naar Australië verscheept was, werd ik verscheurd door de vraag of ik wel moest gaan. Op sommige dagen stelde ik me voor dat ik bij Sue en jou in Manchester zou blijven. Andere keren zag ik mezelf met Frances en Lydia in het vliegtuig stappen. De gebeurtenissen van die dag betekenden echter dat ik eindelijk mijn keuze zou moeten maken. Dus koos ik ervoor...

'Mam en mij te verlaten.'

...bij mijn vrouw te blijven. Die keuze, en de afschuwelijke manier waarop ik het heb aangepakt, heeft me sindsdien altijd achtervolgd. De waarheid is namelijk dat ik het lef niet had je moeder te vertellen wat het inhield als ik bij Frances bleef. Ik wist niet hoe ik het haar moest vertellen. Dus vertelde ik het tot mijn grote schaamte niet. Ik haalde gewoon mijn spullen op uit haar flat en ging weg, omdat ik niet wist hoe ik het anders moest doen.

'Je vluchtte,' mompelde ik.

Het is dan ook niet zo moeilijk om je moeders verbittering jegens mij te begrijpen, of haar vastberadenheid om mij uit jullie leven te bannen. Dat kwam Frances natuurlijk goed uit. Zij verbood me Lydia over jou te vertellen, omdat ze niet wilde dat Lydia ooit contact met je zou zoeken, voor het geval dat Sue ook weer in ons leven zou brengen. Dus groeide Lydia op zonder dat ze van jouw bestaan wist, Ella. Ik vraag me af in welk stadium van je leven jij het te horen hebt gekregen. Misschien weet je het al heel lang.

'Al heel lang, ja... Drie weken!'

Lydia hoorde een jaar geleden over jou. Pas toen vertelde Frances, wetend hoe ziek ze was, haar het verhaal. Lydia zei er destijds niets over tegen mij, maar ongeveer een maand na de dood van haar moeder vertelde ze me dat ze naar je op zoek wilde. Ik voelde een soort euforie, snel gevolgd door afgrijzen, want ik dacht dat je niets met me te maken zou willen hebben. En wie zou het je kwalijk kunnen nemen als dat zo was?

'Wie zou het me kwalijk kunnen nemen?' herhaalde ik troosteloos.

Dus hervatte ik mijn zoektocht. Maar geen van de Gabriella Sharps die ik op internet vond was jij, dus nam ik aan dat je naam was veranderd. Zonder te weten hoe je heette en wat je deed was het echter onmogelijk. Toen probeerde ik je via je moeder op te sporen, maar ik kon nergens een verwijzing naar Sue Young vinden, dus nam ik aan dat ze alleen de naam van haar man gebruikte – een naam die ik natuurlijk niet kende. Toen klikte ik toevallig op een link naar een artikel in *The Times*. Ik was even in de war, want ik dacht dat ik naar een foto van Lydia keek. Toen zag ik dat jij het was en raakte ik overmand door emoties. Lydia was zo opgetogen dat ze je onmiddellijk zelf wilde mailen, maar ze besefte al snel dat ze dat niet kon doen voordat het contact tussen jou en mij was hersteld. Ik waarschuwde haar dat dat mogelijk niet zou gebeuren, maar zei dat ik je zou schrijven via je website. Toen ik daar echter voor ging zitten, kon ik het niet. Ik kon gewoon de juiste woorden niet vinden.

Ik voelde een steek van sympathie voor hem.

Dus zei Lydia dat ik naar Londen moest gaan. Ze geloofde dat je er misschien mee zou instemmen me te zien als je wist dat ik in de buurt was. Dus boekte ik mijn reis en stuurde je mijn eerste berichtje. Ik kreeg geen antwoord, dus mailde ik opnieuw. Omdat er op geen van de mailtjes een reactie kwam, vertelde ik Lydia dat het niets zou worden. Toen opperde ze dat ik een ontmoetingsplek moest voorstellen dicht bij je atelier in de buurt, en ze vond via internet Café de la Paix. Daar heb ik op je gewacht, tot de laatste minuut, maar je koos ervoor niet te komen. Lydia is daar vreselijk verdrietig om, net als ik.

'Net als ik,' zei ik zacht.

Nu voel ik me beter en slechter. Beter omdat ik het in elk geval heb geprobeerd, en slechter omdat ik ben afgewezen. Ella, toen ik je voor het eerst schreef, zei ik dat ik 'het goed wilde maken'. Natuurlijk kan ik dat niet. Het enige wat ik kan doen is je zeggen hoezeer het me spijt dat ik je zo veel pijn en verdriet heb gedaan. Ik wou alleen dat ik je dat persoonlijk had kunnen vertellen.
Met al mijn liefde,
Je vader, John

10

Ik las mijn vaders e-mail telkens en telkens weer. Toen ik hem eindelijk sloot, stortte er een golf van woede jegens mijn moeder over me heen, maar die nam tot mijn verbazing al snel weer af. Er bleef alleen een intens medelijden over, omdat ze het nodig had gevonden haar ware plaats in mijn vaders leven te verzwijgen. Ontevreden met de rol waarin ze terecht was gekomen, had ze zichzelf een nieuwe toebedeeld: die van de verongelijkte echtgenote, een rol die ze zo hartstochtelijk had gespeeld dat ik er nooit aan had getwijfeld. Ik bewonderde haar bijna omdat ze de illusie zo lang had weten vol te houden. Dat had ze niet zozeer door leugens bereikt, zo bedacht ik – ook al wist ik nu dat ze had gelogen – als wel door ontwijking en insinuaties. Ze had ofwel geweigerd over haar relatie met mijn vader te praten, gezegd dat dit te pijnlijk voor haar was, of ze had er gewiekst omheen gedraaid, waardoor verkeerde indrukken in stand werden gehouden.

Ik realiseerde me nu dat mijn moeder nooit de woorden 'echtgenoot' of 'echtgenote' had gebruikt, maar Frances altijd 'de andere vrouw' had genoemd – wat Frances feitelijk ook was. Ook had ze het vermeden directe antwoorden te geven en in plaats daarvan gereageerd met uitspraken die niet echt leugens waren, maar ook niet de waarheid. In plaats van toe te geven dat ze helemaal nooit getrouwd waren geweest, had ze gesuggereerd dat wat ik in mijn onschuld 'haar eerste huwelijk' had genoemd niet in de kerk had plaatsgevonden omdat mijn vader 'niet geloofde'. Ze had nooit tegen me over haar 'echtscheiding' gepraat, maar had me ook niet gecorrigeerd als ik het zo noemde.

Nu begreep ik hoe mijn vader de emigratiepapieren voor haar had weten te verbergen: ze waren naar zijn huisadres gestuurd. Ik begreep waarom er geen sprake was geweest van alimentatie, waarom er geen trouwfoto's waren – niet zoals mijn moeder had beweerd omdat ze de foto's was kwijtgeraakt, maar omdat er helemaal geen trouwerij had plaatsgevonden. Ik begreep nu ook de werkelijke reden dat we nooit een langere vakantie met mijn vader hadden doorgebracht: omdat hij niet meer dan drie dagen van zijn vrouw en dochter weg kon.

Mijn moeder had de liefdesdriehoek buitengewoon subtiel en zo nu en dan heel vermetel omgedraaid.

Wat zou dat gezellig geweest zijn. De dochters van de echtgenote en de minnares als speelkameraadjes? Zou jij dat willen, Ella...?

Ik verbaasde me over haar complexe gedachtegang. Of misschien had ze zichzelf ervan overtuigd dat ze inderdaad met mijn vader getrouwd was geweest en had dat haar in staat gesteld zo lang en zo vastberaden met haar schertsvertoning door te gaan.

Ik was de gekwetste partij! Dat was ik!

Toen ik vermoeid de trap af liep om naar bed te gaan, dacht ik aan mijn moeders besef van de frustraties van een minnares. Op dat punt, besefte ik nu, was ze bijna de mist in gegaan. Ze waarschuwde Chloë heel vaak dat getrouwde mannen 'nooit' hun vrouw in de steek zouden laten. Toch was dat een vreemde uitspraak, gezien het feit dat zij zelf in de steek zou zijn gelaten. Bovenal begreep ik waarom mam zich zo hevig tegen Max had gekeerd: niet omdat hij zijn vrouw had bedrogen, maar omdat hij bij haar was gebleven, zoals ook John ervoor had gekozen bij zijn vrouw te blijven.

Hij vertelde me over het huis dat we zouden kopen, het leven dat we zouden leiden, de vakanties die we zouden hebben, maar al die tijd...

Dit was de werkelijke reden waarom mijn moeder altijd zo op overspel had zitten vitten, besefte ik: omdat het voor haar niet had gewerkt. Of maakte de verontwaardiging simpelweg deel uit van de voorstelling, omdat die de indruk versterkte dat ze zelf de onrechtvaardig behandelde echtgenote was?

Toen ik in bed lag probeerde ik te ontdekken wat ik nu voor mijn vader voelde. Het feit dat hij niet met mijn moeder getrouwd was geweest, maakte zijn daden niet minder onvergeeflijk. Hij had twee gezinnen gehad en had er een in de steek gelaten; daar zou nooit iets aan veranderen. Ik realiseerde me nu echter dat Polly gelijk had gehad: het verhaal had inderdaad nog een andere kant gehad. Mijn vader had ons niet op een koude, berekenende manier verlaten, maar in blinde paniek. Hij was een zwakke man die in de problemen was geraakt. En hij had wél geprobeerd contact met me te houden – dat hij dat niet had gedaan, was een van mijn moeders weinige grove leugens, maar die leugen was wel van groot belang geweest in de zaak die ze tegen hem had opgebouwd.

Ik deed het licht uit en dacht aan de brieven die mijn vader had gestuurd en die als boemerangs waren teruggekomen. Toen viel ik in slaap en droomde van mijn moeder in haar lange witte tutu en bruidssluier.

Toen ik de volgende morgen wakker werd van mijn moeders stem dacht ik dat ik nog droomde.

'Ella?' hoorde ik haar zeggen. 'El-la...?' Ik had onrustig geslapen en was zo uitgeput dat ik half verwachtte haar naast mijn bed te zullen zien staan. 'Neem alsjeblieft op, Ella... Ik moet met je praten.'

Ik gooide mijn dekbed van me af en strompelde met mijn hand stevig om de leuning de trap af. Zodra ik de telefoon opnam, sloeg het antwoordapparaat af en begon het rode lampje verwoed te knipperen.

'Godzijdank,' zei mam. 'Ik was al bang dat je niet thuis was. Ella? Geef antwoord... Ben je thuis?'

'Ja, ik ben er.' De woede in me zwol weer aan toen ik me haar leugens en misleiding herinnerde. Ik wilde haar er meteen op aanspreken, maar mijn intuïtie vertelde me te wachten. Ik beet op mijn lip. 'Wat is er, mam?'

'Ik word gek van Chloë.'

'Hoezo dat?'

'Ze bemoeit zich overal mee.'

'Waarom ook niet? Het is háár trouwdag.'

'Ja, maar ik kan het niet hebben dat ze alles op het laatste moment nog gaat veranderen. Ze is niet blij met de taart, ze wil er vergeet-mij-nietjes op, zoals die op haar jurk in plaats van roze rozen.'

'Is de taart al klaar?'

'Nee... Maar het betekent wel dat ik de bakker moet bellen om de bestelling te wijzigen terwijl ik het toch al zo druk heb. En verder doet ze moeilijk over de menu's. Ze zegt nu dat ze geen *pot au chocolat* wil, maar een berg profiteroles.'

'En waarom ook niet? Of moet je daar soms iemand toestemming voor vragen?'

'Doe niet zo lollig, Ella. Erger nog, ze kan geen keus maken over de liederen in de kerk, wat betekent dat we de boekjes niet kunnen laten drukken. O, het positieve punt is dat ze wel de tekst heeft uitgekozen die jij gaat voorlezen: "De ochtendgroet" van John Donne.'

'Oké...' Ik pakte een pen en schreef het op een kladje.

'En ze wil het serviesgoed veranderen dat we huren. Ik had simpel, dun porselein met een gegroefd randje besteld, maar nu wil ze lichtblauw met een gouden randje. Ze is opeens vreselijk veeleisend.'

'Dat zal wel moeilijk voor je zijn.'

'Het is om gek van te worden. Al is het ergens ook een goed teken dat ze zich er nu zo bij betrokken voelt. Onder ons gezegd geloof ik dat ze laatst een beetje de bibbers had, maar ja, bruidjes krijgen wel vaker de zenuwen voor de grote dag.'

'Dat kun jij weten.'

Er viel een ijzige stilte. 'Wat bedoel je daarmee?'

'Alleen dat jij twee keer de bruid bent geweest,' zei ik op onschuldige toon. 'Dus jij kunt het weten.'

'Ik kan het niet uitstaan dat ik telkens met haar in discussie moet,' vervolgde mam. 'Chloë en ik strijken elkaar vaak tegen de haren in. Dat zal wel zijn omdat we zo op elkaar lijken.'

'O, dat doen jullie zeker.' Ik realiseerde me plotseling hoezeer Chloës leven op dat van mam leek.

'Maar goed, ik hoop dat ze zal kalmeren en alles aan mij over zal laten, anders wordt het beslist een ramp.'

'Ik weet zeker van niet.' Ik keek op de keukenklok. 'Maar ik moet ophangen.'

Ik verbrak snel de verbinding, omdat ik besefte dat ik anders de deur voor Nate zou moeten opendoen in mijn nachthemd. Een deel van me wilde ook de deur voor hem opendoen in mijn nachthemd. Een deel van me wilde spiernaakt de deur voor hem opendoen, hem naar binnen trekken en me aan hem vastklampen.

Ik ging naar boven en nam een frisse douche, waarna ik mijn haren niet föhnde, maar ze nat en ongekamd liet, en me niet opmaakte. Ik trok een vormloze hemdjurk in een afschuwelijke custardkleur aan en een paar lelijke sandalen waarin mijn enkels dik leken. Ik wilde er gewoontjes en slonzig uitzien – en me zo voelen – om elk vonkje te doven dat ooit tussen Nate en mij mocht zijn overgesprongen. Maar toen ik zijn portret op de ezel zette voelde ik de vonkjes al gloeien.

Het was alsof het portret Nate wás, alsof er op een of andere manier een versmelting van persoon en schilderij had plaatsgevonden. Ik kuste mijn vingertop en drukte die zacht tegen zijn geschilderde mond. Ik streelde zijn wang en toen zijn haren. Ik besloot plotseling het schilderij niet aan Chloë te geven. Ik zou het houden, zoals Goya het schilderij van de hertogin van Alba had gehouden omdat hij verliefd op haar was geworden en er geen afstand van wilde doen.

Drrrrrinnnngggg!

Ik ademde diep in, liep langzaam naar beneden en deed de voordeur open. Daar stond Nate, in een spijkerbroek en lichtblauw poloshirt, met de groene trui over zijn schouders. Ik schonk hem het soort neutrale glimlach dat ik ook voor de loodgieter of postbode gebruikte. 'Hoi.'

Hij glimlachte vol warmte terug en mijn hart maakte een salto. 'Je ziet er geweldig uit,' zei hij terwijl hij naar binnen stapte.

'Dat is niet waar.'

Hij keek verrast. 'Wel waar, dat is een leuke jurk.'

'Dat is het niet,' protesteerde ik. 'De kleur is lelijk en hij is volstrekt vormloos.'

Nate haalde verbaasd zijn schouders op. 'Waarom heb je hem dan aangetrokken?'

'Omdat...' Ik kon hem natuurlijk niet de waarheid vertellen. 'Omdat ik ga schilderen en het niet uitmaakt als hij vies wordt.'

'Daar zit wat in, denk ik.' We gingen naar boven, naar het licht en de ruimte van mijn atelier. Ik paste de luxaflex en het zonnescherm aan en bond mijn schort voor. Nate trok de trui aan, kwam toen naar de ezel en keek naar het doek. 'Je hebt veel gedaan sinds ik de vorige keer hier was.'

'Dat klopt, maar alleen omdat de tijd begint te dringen. Dit is de voorlaatste sessie,' voegde ik er opgewekt aan toe, alsof het me niets deed dat het portretteerproces bijna was afgerond.

'Is volgende week zaterdag dan de laatste?'

Ik draaide mijn haar in een krul. 'De zaterdag erna als je het goedvindt, want ik moet naar Chichester.' Ik vertelde Nate over de opdracht voor een zilveren bruiloft. 'Ze hebben het al snel nodig. Het is een spoedgeval,' voegde ik er serieus aan toe.

Nate glimlachte. 'Reken je extra voor spoedportretten?'

'Jazeker. Ik heb een 0800-nummer dat vierentwintig uur per dag bereikbaar is.'

'En een blauw zwaailicht op je ezel?'

'Uiteraard. En een sirene.' Ik merkte dat ik glimlachte. 'Maar goed...' Ik haalde het deksel van de pot met terpentine. 'Vandaag ga ik aan je ogen werken, dus daar ga ik nu eerst weer een poosje naar staan staren, als je het goedvindt.'

'Ga je gang.'

Ik liep naar Nate toe, zette mijn handen op mijn knieën en tuurde in zijn ogen. Ik was zo dicht bij hem dat ik mezelf in zijn pupillen kon zien, en achter me het raam, waarvan de zijkanten mee kromden met de welving van zijn hoornvlies.

Nate keek me argwanend aan. 'Wat sta je nou te mompelen?'

'Ik tel je wimpers. Nu heb je me afgeleid en moet ik helemaal opnieuw beginnen. Oké...' Ik kneep mijn ogen tot spleetjes. 'Een, twee, drie, vier...' Ik rook weer zijn grasgeur en een heel vage zweetlucht.

Hij glimlachte en de lijntjes rond zijn ogen verdiepten zich tot lachrimpeltjes. 'Ik zie mezelf,' zei hij. 'In jouw ogen.'

'Tja... Dat krijg je op die korte afstand.'

'Zie jij jezelf ook in de mijne?'

Ik keek in zijn pupillen. 'Ja... Mijn haar ziet er niet uit.' Ik trok aan mijn pony. 'Hé, niet knipperen. Oké, genoeg gestaard voor nu.' Ik liep terug naar de ezel en begon Nates irissen in te kleuren met ontelbare stipjes lampzwart en chroomgroen.

'Ik vraag me af hoe vaak je naar de persoon kijkt die je schildert,' hoorde ik Nate zeggen.

'O... Zó vaak.' Ik veegde een druppel verf van de rug van mijn hand. 'Een portret wordt opgebouwd uit vele duizenden blikken. Maar je bent een fantastisch model, Nate. Ik ga je nomineren voor het Gouden Achterwerk.' Ik voelde dat ik bloosde. 'Ik bedoel... de Gouden Stoel.'

Hij grinnikte. 'En ben je er al achter wie ik ben?'

'Hm, bijna.'

'Laat het me weten als je zover bent, oké? Ik word er gek van.'

'Ik hoop dat je het zelf zult zien, in het portret. En ik hoop dat je er tevreden over zult zijn.'

'Ben jíj er tevreden over?'

'Ik ben er weg van,' zei ik onnadenkend.

Nate knipperde met zijn ogen. 'Ben je weg van mijn portret?'

'Ja, ik bedoel... dat ik er grote creatieve tevredenheid bij ervaar. Ik vind dat de compositie heel goed uitvalt. Dat je recht van het doek kijkt, in de ogen van de kijker, dat is dramatisch en uitdagend en...'

'Direct?' opperde Nate.

Ik glimlachte. 'Het is inderdaad heel direct. Ik hoop dat Chloë het mooi vindt,' voegde ik er ellendig aan toe.

'Daar ben ik van overtuigd.' Nates telefoon ging. Hij haalde hem uit zijn zak en keek op het schermpje. 'Daar zul je haar net hebben. Vind je het goed, Ella...?'

De spies werd dieper in mijn hart gedrukt. 'Natuurlijk. We nemen wel een vroege pauze.'

'Hoi, Chloë,' zei Nate terwijl ik de waterkoker vulde. 'Nee... Je stoort niet.' Ik hoorde het enthousiasme en het geluk in Chloës stem. 'Eh... Ik vind profiteroles inderdaad lekker,' hoorde ik Nate zeggen terwijl ik koffie in de pot schepte. 'Nee, het maakt me niet uit wat voor kleur het serviesgoed heeft... We hebben het later wel over de liederen... Natuurlijk... Tot straks.' Hij stopte de telefoon terug in zijn zak. 'Sorry... Chloë maakt zich nogal druk over de bruiloft.'

'Maar ze lijkt heel gelukkig.'

Hij haalde zijn schouders op. 'Ik geloof het wel.'

'En jij zult ook wel gelukkig zijn.'

Hij lachte verbijsterd. 'Ik neem aan van wel. Het komt nu erg dichtbij.'

'Ja... Dus je kunt er niet meer onderuit,' zei ik opgewekt toen ik hem zijn koffie aangaf. 'Niet dat je dat zou willen,' voegde ik er snel aan toe. Toen vroeg ik Nate wanneer zijn moeder en zussen zouden arriveren, hoelang ze bleven en of zijn vriend James zich erop verheugde zijn getuige te zijn.

'Hij kan niet wachten... Hij zegt dat hij al een toespraak heeft geschreven.' Nate liep terug naar de stoel en ging zitten.

Ik pakte mijn fijnste penseel van sabelhaar en begon Nates wimpers te schilderen. Toen ik daarmee klaar was, werkte ik aan het kuiltje onder aan zijn hals, aan de zwelling van zijn adamsappel en vervolgens aan de blauwe schaduw onder zijn kin. Het was nu stil, afgezien van het gedreun van het verkeer en het daarmee disharmoniërende gekwinkeleer van een merel.

Ik legde mijn penseel neer. 'Dat was het geloof ik wel voor vandaag.'

Nate stond op, rekte zich uit en trok toen zijn trui uit. Daarbij kwam zijn shirt mee omhoog, dus zag ik zijn met fijne zwarte haartjes bedekte buik. Ik werd overspoeld door een golf van verlangen.

Ik legde het palet op de tafel, deed mijn schort af en we liepen naar beneden. Ik deed de voordeur open. 'Nou... Bijna klaar.'

'Bijna klaar,' zei Nate zacht. '*Ciao*, Ella.' Hij kuste me op mijn wang en toen zijn huid de mijne raakte, moest ik mijn uiterste best doen om mijn armen niet om zijn hals te slaan.

In plaats daarvan schonk ik hem een opgewekte, onpersoonlijke glimlach. 'Dag, Nate.' Ik deed de deur verder open.

'*Ciao*,' mompelde hij, maar hij bleef staan.

'Dat had je al gezegd.'

'Is dat zo? O.' Hij kuste me weer. 'En had ik dat ook al gedaan?'

Mijn gezicht gloeide. 'Ja.'

'Aha. Sorry.' Hij schonk me een treurige, scheve glimlach. 'Ik was een beetje in de war geraakt.'

'Dat moet je niet doen.'

'Nee, ik zal het niet meer doen,' antwoordde hij resoluut. 'Dat mag niet.' Toen kuste hij me tot mijn wanhoop een derde keer en daarna liep hij weg.

'Je hebt die blik weer in je ogen,' zei Celine de week erna tegen me. Het was haar laatste sessie.

Ik pakte mijn paletmes. 'Wat voor blik bedoel je?'
'Een smachtende blik, alsof je aan iemand denkt... Een man.'
Ik gaf geen antwoord.
'Ik wou echt dat je me over hem vertelde,' ging ze verder. 'Jij weet immers al heel veel over *míj*.'
'Er valt niets te vertellen.' Ik bracht een paar roodgouden highlights in Celines haar aan.
'Maar er is wel iemand.'
'Nee. Tenminste niet iemand met wie het iets kan worden.'
'Waarom niet? Is hij... bezet?'
'Ja. Verloofd zelfs.'
'Aha.' Ze zuchtte. 'Dat is lastig.'
'Ja.' Ik legde het paletmes neer. 'Het is nou eenmaal zo. Maar goed... Ik ben bijna klaar met je portret.'
'Echt waar?'
'Ik moet nog één ding doen.' Ik pakte een fijn penseel.
'Ik zal de sessies missen,' zei Celine. 'Ik ben er erg van gaan genieten. Het spijt me alleen dat ik het je in het begin zo lastig heb gemaakt.'
'Dat is wel goed.' Ik doopte het penseel in titaniumwit. 'Ik weet zeker dat het schilderij beter is geworden door die aanvankelijke... spanning,' zei ik voorzichtig.
Celine glimlachte.
Ik keek naar haar en bracht in elk oog een klein beetje wit aan. Daarna deed ik een paar passen achteruit. 'Het is klaar.'
'Laat me eens kijken.' Celine kwam naar de ezel en tuurde naar het schilderij. 'Het is prachtig,' zei ze even later. 'Dank je, Ella.'
Ik was bang geweest dat Celine er op het schilderij gespannen en ongelukkig uit zou zien, maar ze zag er kalm en ontspannen uit, al straalde ze wel iets van vastberadenheid uit.
Ze hield haar hoofd schuin. 'Ik zie eruit alsof ik elk moment kan opstaan om ergens heen te gaan. Ik denk dat dat is wat de mensen ervan zullen zeggen.'

'Sommige mensen misschien wel, maar we zien allemaal wat anders. Dat is erg subjectief. Soms zien mensen dingen in mijn portretten die ik zelf niet eens heb opgemerkt.' Ik haalde een achtergebleven haar van het doek. 'Het duurt nog een paar weken eer het kan worden ingelijst, maar je kunt het in elk geval alvast ergens in het zicht zetten.'

Ze zoog haar onderlip naar binnen. 'Ik weet nog steeds niet goed waar, maar zeer zeker niet hier,' voegde ze eraan toe, en ik dacht aan haar boosheid op haar man toen hij had voorgesteld het boven de schoorsteenmantel te hangen. 'Misschien in de studeerkamer,' mijmerde ze. 'Zou je het daar trouwens voor me neer willen zetten?'

'Natuurlijk... Dat is een goede plek om het te laten drogen.' Ik pakte het portret van de ezel en liep achter Celine aan door de gang naar de studeerkamer, waar ik het op een tafeltje legde.

'Ik hoop dat Victor het mooi zal vinden,' zei ik toen we terugliepen naar de salon.

'Dat weet ik wel zeker.'

'Een portret is erg leuk om te hebben en kan heel lang bewaard blijven.' Ik begon mijn spullen in te pakken. 'Als er geen brand, een zware overstroming of een nucleaire aanval komt, ziet je portret er over twee- of driehonderd jaar nog steeds goed uit, Celine.'

Ze glimlachte. 'Dat plaatst veertig jaar wel in een ander perspectief.'

'Dat klopt.' Ik deed mijn penselen in de doos. 'En verheug je je al iets meer op je verjaardag?'

'Ja,' antwoordde ze bedachtzaam. 'Niet in het minst omdat ik een compromis heb bereikt met Victor. We geven wel een feestje, omdat we onze vrienden niet willen teleurstellen door het af te zeggen.'

Ik klapte mijn ezel dicht. 'Natuurlijk.'

'Maar ik heb gezegd dat hij geen diamanten ring voor me moet kopen.'

'Aha.'

'Dat is een veel te extravagant cadeau nu het tussen ons zo... verwarrend is. Ik heb hem gevraagd in plaats daarvan geld te schenken aan een goed doel.'

'Wat aardig,' zei ik terwijl ik het stoflaken opraapte. Ik richtte me weer op. 'Een specifiek goed doel?'

'Ja. Ik was vorige week bij een lunch aanwezig,' zei Celine, 'en naast me zat een man die de leiding heeft over een internationale instantie die voor schoon water zorgt, Well-Spring.'

'Max Viner?'

'Ken je hem?'

'Ja... Een beetje.' Ik was niet van plan te zeggen hoe. 'Hij is getrouwd met misdaadauteur Sylvia Shaw.'

'Hij wás met haar getrouwd,' corrigeerde Celine me. 'Hij vertelde me dat zijn vrouw en hij drie maanden geleden uit elkaar zijn gegaan en dat de echtscheidingsprocedure loopt.'

'Echt waar?' Ik vroeg me af of Chloë dat wist.

'Hij had het er heel kort over. Hij leek verdrietig, maar zei dat het met wederzijds instemmen was. Zij heeft nu kennelijk iets met haar uitgever.'

'Ik snap het.' De foto van Max die trots naast Sylvia stond tijdens de boeklancering kreeg hierdoor een ander aanzien.

'Hoe dan ook, ik was erg onder de indruk van wat hij me over de liefdadigheidsinstelling vertelde en nadat Victor zelf ook met Max had gesproken, heeft hij erin toegestemd een bedrag te doneren dat voldoende is voor veertig nieuwe handmatig gegraven bronnen in Mozambique.'

'Dat is geweldig. Wat een fantastisch verjaardagscadeau!'

'Dat is het zeker. Hij heeft gezegd dat hij me nog steeds graag iets voor mezelf wil geven. Iets memorabels, zegt hij, en dat is vreselijk lief van hem, maar ik kan niets bedenken.'

'Ik heb besloten dat ik ook iets ga doen voor mijn verjaardag, Celine. Die is half september. Ik wil een expositie houden van mijn recente portretten. Ik huur voor een paar dagen een galerie en ik zou dan graag je portret willen lenen, als je dat goedvindt. Verder zou ik het geweldig vinden als je ook kwam kijken, bij voorkeur in de kleren waarin ik je heb geschilderd. Wil je dat doen?'

Celine glimlachte. 'Met alle plezier.'

Ik was mijn aanstaande verblijf in Chichester gaan zien als een werkvakantie, maar uit verdere telefoongesprekken met de familie Berger werd me duidelijk dat het meer werk dan vakantie zou worden, omdat ze nu wilden dat hun volwassen zoon en dochter, hun drie honden en twee Siamese katten ook op het portret kwamen. Ik klaagde niet, want zo'n groot groepsportret zou mijn bankrekening behoorlijk spekken, maar het zou een hele uitdaging zijn om de klus in een week te klaren. Ik had er bovendien een groter doek voor nodig. Ik zat me net af te vragen hoe ik dat moest vervoeren toen Roy belde om te vragen of hij mijn telefoonnummer aan een collega mocht geven die zijn dochter wilde laten tekenen.

'Natuurlijk mag dat,' antwoordde ik, opgewekt bij het vooruitzicht van nog meer werk. 'Dan kan ik hem wat vertellen over de verschillende mogelijkheden, dus vraag maar of hij me belt... Bedankt, Roy.' Toen vertelde ik hem over mijn reis naar Chichester.

'Dat is een grote opdracht.'

'Ja, inderdaad... Met een even groot doek, en ik weet nog niet hoe ik het daar moet krijgen.'

'Je kunt het doek toch ook wel in Chichester kopen?'

'Dat zou kunnen, maar ik moet het eerst voorbehandelen en dan moet het twee dagen drogen, dus wil ik er een kant-en-klaar vanuit Londen meenemen. Ik zal maar een auto huren.'

'Je kunt de mijne wel lenen.'

'Heb je hem zelf niet nodig?'

'Ik hoef volgende week maar één dag naar het ziekenhuis en ik weet zeker dat ik dan die van je moeder wel mag lenen, en anders kan ze me even brengen, dus het is geen probleem.'

'Dat zou geweldig zijn.'

Dus ging ik op vrijdagochtend de auto ophalen. 'Dit is echt lief van je,' zei ik tegen Roy toen hij de garage opendeed.

Hij trok de groen geschilderde deuren open. 'Ik ben blij dat ik mijn topmeid kan helpen.' Hij liep naar binnen en reed zijn zilverkleurige Audi de oprit op, stapte uit en gaf me de sleutels. 'Kom je nog even koffie of thee met me drinken voor je gaat?'

'Eh...' Ik was bang dat als ik mam sprak, het op een scène zou uitdraaien. 'Is mam thuis?' vroeg ik schijnbaar achteloos.

'Nee. Ze is haar outfit voor de trouwerij ophalen. Die is vermaakt.'

Dat was een hele opluchting. 'Juist... Nou, ik lust wel even een kop koffie.'

We gingen het huis binnen. Het was voor het eerst dat ik hier was sinds mam me over Lydia had verteld. Ik ging op dezelfde plek aan de keukentafel zitten en herinnerde me haar ogen, waarin tranen blonken, haar gezicht, waar de pijn vanaf straalde.

Ik heb je nooit de waarheid willen vertellen, Ella, maar nu zal ik het je vertellen.

Ze had me niet de waarheid verteld, alleen haar verdraaide versie daarvan.

Wat jij je herinnert is de dag dat ik je vader zag met zijn... met zijn...

Echtgenote, dacht ik mismoedig.

'Is alles goed met je, Ella?' vroeg Roy. 'Je lijkt een beetje... bedrukt.'

'O, nee... Alles is in orde.' Ik kwam in de verleiding hem over mijn vaders e-mail te vertellen, maar dat leek me niet juist voordat ik de kans had gehad mijn moeder ermee te confronteren, en omdat ze het zo druk had, had ik geen idee wanneer dat zou kunnen.

Roy vulde de waterkoker. 'Ik zal een pinguïnpak moeten huren,' zei hij terwijl hij twee mokken pakte.

Ik vroeg me plotseling af wat ík aan zou trekken. Ik zag mezelf in begrafeniszwart.

De tuindeuren stonden open. Ik ging ervoor staan en keek naar het grote, weelderige gazon, omgeven door bloeiende vaste planten en met helemaal achterin, bij de wilde kastanje, Chloës speelhuisje, dat al heel lang werd gebruikt als schuurtje. Ik stelde me de grote witte tent met zijn luifels, koorden en draperieën voor. Ik stelde me de gasten voor die in en uit liepen in hun nette pakken en zijden jurken en grote hoeden, en de bende cateraars, muzikanten en entertainers, allemaal geregeerd door mijn moeder met haar ijzige charisma en heilige zelfvertrouwen.

Roy maakte de koffie. 'En, hoe vind je de tuin eruitzien?'

'Prachtig.'

'Ik doe het beetje bij beetje en ben eindeloos aan het maaien, bemesten en sproeien. Ik hoop maar dat er geen sproeiverbod komt.'

'Ik zal voor je duimen.'

'En geen windvlagen... We willen niet dat de tent ergens in een boom terechtkomt.'

'Dat zou inderdaad lastig zijn. Maar het wordt een groots feest.'

'Zeg dat wel,' zei Roy vermoeid. Hij zette onze mokken koffie op de tafel. 'Er komen honderdtáchtig mensen, en dan zijn nog niet eens alle reacties binnen.'

'Lieve hemel.'

Hij ging zitten en zuchtte. 'Het is te veel. Ik heb geprobeerd je moeder over te halen met de helft akkoord te gaan, maar ze zei dat ze een bruiloft wilde die iedereen zich nog lang zou herinneren, en die zal ze krijgen ook.'

We hebben een gigantische acteurslijst.

'Je zou denken dat het haar eigen trouwerij is die ze organiseert,' voegde hij er wrang aan toe.

Ik denk ook over confessie...

'Roy,' zei ik plotseling.

'Ja?'

Ik ging met bonkend hart tegenover hem zitten. 'Roy, er is iets wat ik je wil vertellen, ook al weet ik niet zeker of ik dat wel moet doen.'

Hij knipperde met zijn ogen. 'Wat moet je me vertellen?' Hij keek me fronsend aan. 'Weet je zeker dat alles in orde is, Ella?'

'Ja... Min of meer, maar...'

'Maar wat?'

'Nou, gewoon...' Ik realiseerde me plotseling dat ik Roy niet kon vertellen wat ik over mam wist. Ze was immers zijn vrouw, dus misschien wilde hij het wel helemaal niet horen. En was het aan mij om het hem te vertellen? 'Dat Max gaat scheiden,' flapte ik eruit.

'Dat heb ik gezien.' Roy dronk van zijn koffie. 'Het stond in de krant. Ik weet niet meer welke, maar het was in de roddelrubriek. Mijn oog viel op zijn naam.'

'Weet Chloë het?'

'Ja. Ik was natuurlijk niet van plan er iets over te zeggen, maar toen bracht ze het zelf ter sprake.' Hij haalde zijn schouders op. 'Ze zei dat ze het prima vond.'

'O, dat is... mooi.'

'Ze zei dat ze zich erop verheugt met Nate te trouwen. En zo hoort het ook,' besloot hij.

We dronken in kameraadschappelijk stilzwijgen onze koffie en daarna stond ik op. 'Ik kan maar beter gaan. Ik heb gezegd dat ik rond drie uur in Chichester zou zijn en ik moet eerst thuis mijn spullen nog gaan halen. Nogmaals bedankt voor de auto.'

We gingen door de voordeur naar buiten, ik stapte in Roys auto, zwaaide naar hem en reed weg.

Ik ging naar huis, pakte mijn spullen, mijn laptop en mijn koffer, zette alles achter in de auto, sloot het huis af en vertrok in de richting van de A3.

Toen ik twintig minuten later over de snelweg reed, voelde ik me vreselijk opgelucht dat ik een week buiten Londen zou doorbrengen. Het zou een welkome afwisseling van de voorbereidingen voor de trouwerij zijn. Ik merkte dat ik begon te ontspannen toen ik in de verte de South Downs zag. De meeste van mijn recente opdrachten waren op een of andere manier stressvol geweest, dus ik was blij dat ik er nu een had die redelijk ongecompliceerd zou zijn – als de honden en katten zich gedroegen.

Frank en Marion Berger woonden in Itchenor, dicht bij Chichestor Harbour. Ik reed door de met bomen omzoomde laan. Het met zeilbootjes bespikkelde water dat in de verte glinsterde benam me de adem. Toen zag ik het bordje WOODLANDS en ik reed hun oprijlaan op. Het was een edwardiaans huis, laag en breed, omgeven door een haag van fuchsia's vol roze bloemen. Het stond in een grote tuin waar ik achterin de lichtblauwe glans van een zwembad zag.

Toen de banden over het grind knarsten ging de voordeur open en kwamen de Bergers naar buiten, gevolgd door drie labradors die mijn komst aankondigden met hun goedmoedige geblaf.

Ik parkeerde op de plek die meneer Berger me aanwees, stapte uit, schudde hem de hand en begroette zijn vrouw. Ze waren grotendeels zoals ik ze me had voorgesteld: een gezellig uitziend stel van halverwege de vijftig. Ik wist al dat Frank huisarts was en dat Marion op het kantoor van de deken in de kathedraal werkte.

'Je logeert in het gastenhuis,' legde ze me uit terwijl haar man me hielp mijn spullen uit de achterbak te halen. 'Dan heb je alle privacy, maar we hopen wel dat je samen met ons zult eten.'

'Dank je, dat lijkt me heel fijn.'

Het gastenhuis had een benedenverdieping met weinig tussenmuren, waar ik mijn ezel neer kon zetten als dat nodig was, en een mooi ingerichte slaapkamer en badkamer boven aan een smalle trap. Vanuit de slaapkamer had ik uitzicht op de haven vol witte zeilboten en in de verte het glinsterende water van de Solent.

Frank zette mijn koffer neer. 'We hebben hier wifi, voor het geval je wilt e-mailen. Er is een radio, een kleine tv... een hele hoop boeken.' Hij knikte naar de planken. 'Maar laten we nu een kop thee gaan drinken.' Ik liep achter hem aan de trap af en terug naar het huis.

'Hebben jullie er al over nagedacht waar jullie geschilderd willen worden?' vroeg ik hem toen we in de zonnige keuken zaten.

'Misschien hier?' opperde Marion.

'Misschien.' Ik zou hen hier kunnen schilderen, zittend aan tafel, met de kinderen bij het fornuis. 'Zou ik de rest van het huis mogen zien?'

'Natuurlijk,' zei Frank. Zijn vrouw en hij gaven me een rondleiding en lieten me eerst de lege muur in de eetkamer zien, waar het portret zou komen te hangen. Daarna liepen we de zitkamer binnen.

'Je zou Frank en mij staand naast de open haard kunnen schilderen,' stelde Marion voor, 'en de kinderen op de bank.'

Ik keek naar de schoorsteenmantel en de grote spiegel erboven. 'Dat zou kunnen... Maar het is wel zwaar om zo lang te moeten staan, plus het zou er heel formeel uitzien. Is dat wat jullie willen?'

'Nee,' zei Frank toen een van de katten door de open tuindeur naar binnen kwam en om Franks benen heen begon te kronkelen. 'We willen er ontspannen en informeel uitzien. Nietwaar, Katisha?' koerde hij tegen de kat terwijl hij die oppakte.

'Kunnen we even buiten gaan kijken?' vroeg ik. Ik liep achter de Bergers aan door de tuindeuren het terras op, waar de andere kat op een lage stenen muur in de zon lag. 'Wat vinden jullie van het zwembad?' opperde ik toen we daar, met de honden naast ons, heen liepen.

'Meen je dat?' vroeg Frank.

'Ja hoor. Ik heb weleens een gezin in hun zwembad geschilderd en ze vonden het geweldig. Er staat een foto van het schilderij op mijn website, dus je kunt het bekijken.'

Marion trok een grimas. 'Ik geloof niet dat ik in mijn badpak geschilderd zou willen worden, maar wat vind je van de boot? Hij ligt hier in de haven en je zou je ezel op de kade kunnen zetten.'

'Dat kan lastig worden door de beweging van het water, en zouden de honden en katten meewerken?'

'O, nee. Vergeet het maar,' zei ze lachend.

We besloten uiteindelijk dat Marion en Frank op een smeedijzeren tuinbank zouden gaan zitten, de katten op hun schoot, en de kinderen met de honden ervoor op het gras, en de haven op de achtergrond.

'Dat gaat vast prachtig worden,' zei Marion. 'En hoelang duurt elke sessie?'

'Nou, als het portret in een week klaar moet zijn, hebben we drie uur per dag nodig.'

'Dat is prima,' zei Frank. 'We praten gewoon wat, of we kijken naar de boten.'

Ik begon diezelfde middag. Ik bond het doek aan de ezel vast omdat het een beetje waaide en gaf alvast de hoofdvormen aan met houtskool. Het was plezierig werken in de zon, met de wind in de bomen en het uitzicht op de velden die afliepen naar de zee.

De kinderen van de Bergers – een tweeling van drieëntwintig – arriveerden die avond. Hannah, een knap meisje met rood haar, was grafisch ontwerper. Henry, een lange jongen met bruine krullen, werkte in de ICT. Ze hadden maar drie dagen de tijd, dus we spraken af dat ik hen eerst zou schilderen.

De week ging snel voorbij doordat ik zo intensief werkte. Soms waaide er distelpluis op het doek en moest ik dat er met een pincet afhalen. Een paar keer moest ik een lieveheersbeestje of een vlieg uit de verf halen, en ik moest oppassen voor de kwispelende staarten van de honden. Afgezien daarvan liep het werk als een trein. Het was een opluchting om even niet de emotionele intensiteit te ervaren van het schilderen van een enkel model.

's Middags werkte ik aan het landschap op de achtergrond. 's Avonds was ik zo uitgeput dat ik vroeg in bed kroop en ging liggen lezen. Tussen de oude boeken op de planken stond een bundel gedichten, waarin ik 'De ochtendgroet' aantrof. Ik was vergeten hoe mooi het was: een tedere aubade waarin 'een kamertje' voor de geliefden 'het heelal' is.

Ik gaf mezelf ook een paar uur vrij. Op een middag reed ik Chichester in en bezocht de kathedraal. Een andere middag wandelde ik naar het strand en ging ik in de duinen onder de blauwe hemel naar de bootjes en windsurfers liggen kijken die voorbijkwamen.

Op mijn laatste avond at ik samen met de Bergers in de eetkamer en dronken we champagne om te vieren dat het portret klaar was. Ze zouden het een week voor hun zilveren bruiloft laten inlijsten.

Marion kon haar ogen niet van het schilderij afhouden, dat tegen de muur stond. 'Het is vol warmte en geluk.'

'Dat komt doordat jullie gezin zo is,' zei ik tegen haar. 'Ik schilder gewoon wat ik zie.'

Naderhand ging ik terug naar het gastenhuis en ging bij het slaapkamerraam zitten om de lucht te zien verkleuren van oranje naar rood en naar diep indigo, waaraan de eerste sterren verschenen. Ik dacht aan Celine, die nu in het Dorchester volop aan het feesten zou zijn. Ik vroeg me af of ze echt bij Victor weg zou gaan en, als ze dat deed, hoe haar leven zou verlopen. Ik was benieuwd hoe het met Mike ging, en met Iris. Toen opende ik mijn laptop om te kijken of ik mail had. Er was er eentje van Chloë om te zeggen dat Nates laatste sessie uitgesteld moest worden omdat hij weer naar Stockholm moest. *Ik kan niet wachten tot ik het portret te zien krijg*, had ze er in een PS aan toegevoegd. Ik stuurde haar een antwoord en wilde het programma al afsluiten, maar klikte toen op NIEUWE E-MAIL en in het vakje AAN typte ik *John Sharp*.

II

'En heb je het naar je zin gehad?' vroeg Roy de volgende middag toen ik zijn auto terugbracht. Hij deed de garage op slot.

'Zeker. Het was een heerlijke onderbreking en het waren erg leuke mensen.' Ik gaf hem de sleutels. 'Ik heb de tank gevuld.'

'Dat is fijn.'

'Het is wel het minste dat ik kon doen. Hoe gaat het hier allemaal?'

'Goed.' Hij trok een grimas. 'Of eigenlijk niet... Er zijn wat ruzies geweest.'

'Waarover?'

'O, over de tafelschikking natuurlijk, over de keuze van kerkliederen en of er wel of niet vuurwerk moet komen. Je moeder wil dat omdat het de volgende dag de vierde juli is, maar ik wil het absoluut niet, omdat we geen ruimte hebben om het veilig af te steken. Er is gekibbeld over de vraag of er witte hoezen over de stoelen moeten komen. Chloë vindt dat een leuk idee, maar je moeder niet.'

'Op die manier.'

'Maar goed, ik ben blij dat je van je week hebt genoten. Wat deed je 's avonds?'

'Naar de radio luisteren en lezen. Ik had mijn laptop bij me. Er is trouwens iets wat ik je wil vertellen.'

Roy keek me ongerust aan. 'Wat dan?'

'Nou...' Mijn hart begon te bonken. 'Ik heb besloten dat ik toch wel contact wil opnemen met John.'

Roys gezicht kleurde rood.

'Ik heb erover nagedacht en gisteravond heb ik hem een korte e-mail gestuurd. Dat wilde ik je vertellen, en ik wil zeggen dat ik hoop dat je het goedvindt.'

'Ja.' Hij haalde zijn schouders op. 'Natuurlijk.'

'Want zie je...'

'Het is al goed. Je hoeft het me niet uit te leggen.'

'Ik vind van wel, omdat ik tegen je had gezegd dat ik geen contact met hem zou opnemen en ik het nu toch heb gedaan.'

Roy stak zijn handen op. 'Dus je bent van gedachten veranderd, Ella. Dat is prima.'

'Maar dat ik van gedachten ben veranderd heeft een reden, namelijk...'

'Ella,' zei Roy, 'je bent vijfendertig, je hoeft je niet te verantwoorden omdat je contact wilt met... met je...' Zijn stem stokte.

Ik voelde mijn keel samentrekken. 'Er zijn dingen die ik niet wist,' zei ik zacht, 'en nu ik ze wel weet, heeft dat mijn kijk veranderd op wat er is gebeurd. Op bepaalde punten in elk geval,' ging ik snel verder. 'Want zie je...'

'Ik wil er niet over praten,' zei Roy. 'Dus doe wat je wilt doen, Ella, maar vertel het mij alsjeblieft niet.' Tot mijn ontzetting blonken er tranen in zijn ogen.

Ik voelde ook tranen in mijn ogen prikken. 'Je zei dat je me zou steunen.'

Roy keek plotseling heel terneergeslagen. 'Dat heb ik inderdaad gezegd,' gaf hij toe. 'Maar... het is niet gemakkelijk. De waarheid is dat ik hier altijd bang voor ben geweest. Ik heb gelezen dat het heel moeilijk is voor adoptiefouders als hun kinderen op zoek gaan naar hun biologische ouders, ook als ze hen daar zelf toe hebben aangemoedigd. Nu sta ik op het punt te gaan ontdekken hoe moeilijk dat precies is.'

'Kijk, mam heeft me nooit het hele verhaal verteld,' ging ik door, 'en nu ken ik dat wel, en het punt is dat...' Ik verstarde en zweeg.

Roy keek me aan. 'Dat ze wat?'

Over Roys schouder zag ik mam met uitgestoken armen naar ons toe komen. 'El-la,' koerde ze.

'Zeg niets tegen haar,' fluisterde ik. 'Alsjeblieft.'

Roy schonk me een verbaasde glimlach, maar knikte toen.

'Wat heerlijk om je te zien, lieverd.' Mam legde haar handpalm tegen mijn wang. Die was koud en ik rilde. 'Waar hadden jullie het over?' vervolgde ze speels. 'Jullie leken helemaal ergens in verdiept.'

'Ik... vertelde Roy net over Chichester.'

'Is het goed gegaan?' Mams ijsblauwe ogen scanden mijn gezicht. 'Je bent in de zon geweest, lieverd.'

'Ja, een beetje. Ik heb buiten geschilderd.'

'En *plein air*? Wat leuk. Kom mee naar binnen en vertel mij er ook alles over... Ik heb net een pot koffie gezet.'

We waren al halverwege naar de voordeur. Ik trok mijn hand weg. 'Nee... Dank je, mam. Ik moet terug. Ik moet wat dingen regelen.'

'Dat is jammer,' antwoordde ze. 'Maar ik wilde je net een e-mail sturen om te vragen of je volgende week zondag kunt komen om Roy in de tuin te helpen. Ik heb dan zelf een repetitie van het zomerballet van mijn leerlingen, waar ik de hele dag bij moet zijn, maar er moet hier op het laatste moment nog heel veel gebeuren. Wil je alsjeblieft zo lief zijn om Roy te komen helpen?'

'Ja... natuurlijk.' Dat zou me de gelegenheid geven alleen met hem te praten.

De week ging snel voorbij. Ik bracht Mikes portret naar de lijstenmaker en vond in de kledingzaak ertegenover een geschikte jurk voor de bruiloft. Ik ging naar Peter Jones en kocht daar een bijpassende hoed en tas, en ging toen naar boven om de soepterrine te bestellen die Chloë en Nate op hun verlanglijstje hadden staan. Daarna wandelde ik naar Waterstone's om de biografie van Whistler op te halen en kocht ik de speciale uitgave van de verzamelde gedichten van John Donne om uit voor te lezen in de kerk.

Op weg naar huis kwam ik langs Café de la Paix. Ik ging naar binnen, kocht een *latte* en ging toen als klein blijk van boetedoening aan het tafeltje zitten waar mijn vader naar buiten had zitten kijken. Toen pakte ik mijn telefoon en las zijn opgetogen reactie op mijn e-mail opnieuw.

De paar dagen daarna werkte ik veel aan het portret van Grace, dat dankzij Mikes filmpje een kracht en vitaliteit had die er eerder aan hadden ontbroken. Op vrijdag ging ik weer naar Iris om haar te schilderen. Ze vertelde me dat ze een idee had voor de achtergrond van het portret. En op zaterdagochtend kwam Nate voor zijn laatste sessie.

Hij was erg stil, wat me prima uitkwam omdat ik bang was dat als we praatten, we onvermijdelijk zouden flirten en plagen en dat zou te verleidelijk zijn. Vandaag leek bij ons allebei echter het onuitgesproken besef aanwezig dat de zeepbel van exclusiviteit waarin we ons hadden bevonden op het punt stond uiteen te spatten.

Ik doopte mijn fijnste penseel in titaniumwit en bracht daar een klein beetje van in Nates pupillen aan. Het was alsof je een schakelaar omzette: zijn gezicht kwam plotseling tot leven.

Ik ging een paar passen achteruit. 'Ik geloof dat het klaar is.'

Nate stond op en kwam naar de ezel, maar keek er nauwelijks naar en zei simpelweg dat het 'heel goed' was.

Ik veegde mijn met verf bespatte handen af aan een oude lap. 'Nou,' zei ik glimlachend, 'dat was het dan.'

'Ja.' Nate knikte. '*Finita la comedia*,' voegde hij er zacht aan toe.

Ik deed mijn schort af en we liepen naar beneden. Ik hoopte dat Nate het afscheid niet weer zo zou rekken als vorige keer. Dat had een melancholieke pijn bij me veroorzaakt die nog dagen was blijven hangen.

'Nou,' zei ik toen ik de voordeur opende, 'bedankt dat je zo'n goed model was.'

Hij glimlachte wat treurig. 'Grappig te bedenken dat je me aanvankelijk haatte.'

'Ik haatte je niet.'

'Goed dan... Verafschuwde.'

'Eh... Laten we zeggen dat ik je niet zo erg mocht.'

'Oké... Daar kan ik wel mee leven,' zei hij.

'Maar het was allemaal een misverstand.'

'Dat was het.'

'En we zijn nu vrienden, Nate, nietwaar?'

'Dat zijn we. Dat mag ook wel,' voegde hij eraan toe, 'na twaalf uur samen. Nee... vijftien met onze lunch erbij,' zei hij schrander.

'Vijftien uur,' herhaalde ik. 'Dat is meer dan een halve dag.' Als je het zo stelde, leek het niet veel. 'Maar goed... Ik verheug me erop je op jullie trouwdag te zien.'

Hij knikte.

'Dus,' zei ik met een glimlach ten afscheid, 'tot dan, Nate.'

'Tot dan, Ella.' De sessies, met hun bitterzoete intimiteit, waren voorbij. 'Dag,' fluisterde Nate. Hij kuste me, hield zijn wang net iets te lang tegen de mijne gedrukt en liep toen snel weg.

Op zondag trok ik laat in de ochtend oude kleren aan en fietste ik naar Richmond. Toen ik door Fulham Broadway fietste, zag ik dat er misschien wel twintig nieuwe boeketten aan het hek waren gebonden. Ik realiseerde me dat het op de dag af zes maanden geleden was dat Grace was overleden en dat haar familie en vrienden al hier geweest moesten zijn om daar uiting aan te geven. Het gele bord dat om informatie vroeg was verdwenen.

Ik fietste over Wandsworth Bridge, door Roehampton en daarna door Richmond Park. In mijn fietsmand lag de kaart die ik voor Roy had gekocht, en een grote doos van zijn favoriete Belgische bonbons.

Ik zette mijn fiets naast de garage op slot en hing mijn helm aan het stuur. Tot mijn opluchting stond mams auto er niet. Ik liep achterom en zag Roy achter in de tuin zitten, omringd door trays vol planten. Hij keek op en zwaaide toen ik dichterbij kwam.

'Fijne Vaderdag.' Ik gaf hem de bonbons en de kaart.

'Dank je, Ella. Je vergeet het nooit. Vroeger schilderde je altijd een kaart voor me.'

'Dat weet ik nog.'

Hij ging op het bankje zitten dat rondom de wilde kastanje zat en haalde het cellofaan van de doos. 'Ik heb ze allemaal bewaard, weet je dat?'

'Echt waar?'

'Natuurlijk.' Hij grinnikte. 'Ik wist dat ze op een dag veel waard zouden zijn.' Hij hield me de doos bonbons voor. 'Tast toe, voordat we moeten gaan graven,' zei hij met een blik op alle planten.

Ik pakte een bonbon en at hem op.

Toen zette Roy de doos neer en opende de kaart. *Ik heb de beste vader van de hele wereld.* 'Dat is... heel lief,' zei hij, en zijn stem brak.

'Het is waar. Dat ben je gewoon. Heeft Chloë je iets gegeven?'

'Nee, maar dat is niet erg. Ze heeft nu wel genoeg aan haar hoofd.'

'Komt ze ook nog helpen?'

'Vandaag niet. Ze heeft gisteren wel wat gedaan, toen jij Nate aan het schilderen was. Ga jij maar een paar laarzen aantrekken, die staan in het speelhuisje, en tuinhandschoenen.'

'O, mijn handen zitten altijd onder de verf, dus wat modder kan vast geen kwaad.'

Toen ik het speelhuisje binnen stapte, herinnerde ik me dat Chloë en ik hier als kinderen uren hadden doorgebracht. Ze had haar speelgoedfornuis hier staan en ik moest ineengedoken aan een klein tafeltje in haar restaurantje zitten en met veel smaak punten plastic chocoladetaart eten.

Ik naam een paar rubberlaarzen mee naar buiten, keek of er geen spinnen in zaten en trok ze aan. 'Oké, ik heb laarzen aan. Wat kan ik doen?'

'We moeten twintig witte lavendelstruiken planten.' Roy wees naar de trays. 'Er staan ook nog twintig floxen, dertig stuks duizendblad, veertig akeleien en vijfentwintig sedumplanten. Aan deze kant blijft de tent open, tenzij het hard regent, dus deze border moet een lust voor het oog worden.'

Ik keek naar de massa riddersporen, pioenen en acanthussen. 'Hij ziet er nu al prachtig uit.'

'Nou, dit is het laatste wat er nog in moet.' Hij gaf me een schepje. 'Oké. Laten we maar beginnen. Hou de markeerstokjes maar aan die ik in de grond heb gestoken, en pas op voor de doorns van de rozen.'

Het had die nacht geregend, dus de grond was in elk geval gemakkelijk te bewerken. Ik begon aan de ene kant van de border en Roy aan de andere en we werkten naar het midden toe.

'Het gaat goed,' zei hij na ongeveer een uur. Hij ging rechtop staan en haalde zijn hand langs zijn voorhoofd. 'Laten we even stoppen om te lunchen.'

'Ik ben blij dat je het zegt.'

We lieten onze laarzen buiten staan en gingen de keuken in. Roy waste zijn handen, trok toen de koelkast open en haalde er wat ham en een kom salade uit terwijl ik de tafel dekte.

We aten eerst een poosje zwijgend, maar toen verbrak Roy de stilte. 'Ella, het spijt me dat ik vorige week een beetje... overgevoelig reageerde, toen je me over John vertelde.'

'Het is al goed.' Ik ademde uit. 'Ik wilde je niet van streek maken, maar ik wilde het je wel vertellen, omdat... Nou ja, het was allemaal niet zoals het ons is voorgespiegeld.'

Roy fronste. 'Wat bedoel je?'

En eindelijk vertelde ik Roy over de lange e-mail die mijn vader me had gestuurd. Ik vertelde hem over de vele brieven die John me had geschreven toen ik klein was, over de advertentie die hij in *The Stage* had geplaatst en over de cheques die hij had gestuurd.

Roy bleef heel stil zitten tot ik klaar was. Hij schoof zijn bord opzij. 'Dat is dus heel anders dan je moeder altijd heeft volgehouden.'

Ik knikte. 'Ze heeft altijd gezegd dat hij deed alsof we nooit hadden bestaan. Maar er is nog meer, Roy. Iets wat ik nooit heb geweten, of zelfs maar vermoed.' Ik vertelde het hem.

Hij zei een poosje niets. Hij knipperde alleen maar met zijn ogen, alsof hij iets probeerde uit te vogelen. 'Nou...' zei hij ten slotte. 'Ik begrijp nu dingen die me al jaren hebben verbaasd.'

'Dat is precies wat ik ook had toen ik het had gelezen. Ik had het gevoel dat ik... alles moest herberekenen.'

Hij sloeg zijn armen over elkaar. 'Ik herinner me wel dat je moeder er tijdens het adoptieproces erg op gebrand leek te zijn dat ik onze huwelijksakte niet onder ogen kreeg.'

'Omdat er "ongehuwd" op zou hebben gestaan in plaats van "gescheiden"?'

Hij keek me aan. 'Ja. Ze stond erop de akte zelf naar de rechtbank te brengen, ook al was dat eigenlijk mijn verantwoordelijkheid. Ik herinner me ook dat ze altijd vaag deed over de manier waarop er een eind was gekomen aan haar eerste huwelijk. Ze zei altijd heel verbitterd dat je vader jullie in de steek had gelaten om bij "die andere vrouw" te zijn.'

'Maar je hebt nooit de waarheid vermoed?'

'Nee...' Roy kneep zijn ogen tot spleetjes. 'Je moeder was erg overtuigend. En eerlijk gezegd wílde ik niet over haar relatie met John praten, omdat ik wist dat ze veel van hem had gehouden. Maar te bedenken dat je bijna dertig jaar met iemand samen kunt leven zonder diegene echt te kennen...' Hij lachte verbijsterd. 'En zoals ze altijd is tekeergegaan tegen overspel.' Hij haalde zijn schouders op. 'Ik neem aan dat het bij de poppenkast hoorde... Ik weet echt niet wat ik hiervan vind. Ik geloof dat ik vooral medelijden met haar heb.'

'Dat was ook mijn reactie, maar ik ben ook boos.'

Roy zuchtte. 'Tja, ze heeft heel veel voor je verborgen gehouden. En ze heeft tegen je gelogen. Het is alsof ze een heel web rond haar relatie met John heeft geweven... Een heel ingewikkeld web,' voegde hij er mismoedig aan toe.

'De enige reden dat ik je dit vertel, is dat ik hoop dat het je zal helpen begrijpen waarom ik van gedachten ben veranderd wat contact met John betreft.'

'Ja, dat begrijp ik,' zei Roy. 'Dit... verandert de zaak helemaal.'

'Want zie je, hij is hier geweest.'

Roy keek me aan. 'Hier?'

'Ja. Hij was naar Londen gekomen... om mij te zien.'

'Heb je hem ontmoet?'

'Nee, nee, dat heb ik niet.' Ik legde hem uit waarom.

Roys mond viel open. 'Bedoel je dat je met de taxi langs dat café reed, hem zag zitten en niet naar binnen ging?'

'Dat klopt,' zei ik bedeesd. Ik kreeg een brok in mijn keel.

Roy sloot zijn ogen. 'Arme man.'

Ik knikte gedeprimeerd. 'Het enige wat hij wilde was een paar minuten met me aan tafel zitten en zeggen dat het hem speet. Maar omdat ik hem daarvoor de kans niet gaf, heeft hij me geschreven, niet beseffend dat ik nooit de waarheid over hem en mam had gehoord.'

'En voelt wat hij heeft gedaan nu... beter?'

'Niet veel, maar het maakt het wel gemakkelijker te begrijpen. Ik zie hem niet meer zoals mam hem altijd heeft afgeschilderd – harteloos en berekenend. Hij was alleen zwak en in de war.'

In de war? Als je mannen toestaat 'in de war' te raken, geef je ze een excuus om allerlei vrouwen aan het lijntje te houden, zonder ze ook maar iets te geven.

'En hoe past zijn vrouw in het plaatje?'

'Niet meer... Ze is afgelopen december overleden en heeft Lydia pas een jaar geleden over mijn bestaan verteld. John is toen naar me op zoek gegaan en zag toevallig dat artikel in *The Times*.' Ik haalde mijn schouders op. 'De rest weet je.'

'Dus je hebt nu contact met hem via e-mail?'

'Ja. Ik heb hem uitgelegd dat ik het meeste van wat hij me had verteld nooit heb geweten. En dat ik zelfs pas sinds mijn elfde weet waar hij was.'

'Heb je hem over je moeder verteld?'

Ik schudde mijn hoofd. 'Ik heb gezegd dat ik een zus heb die op het punt staat te gaan trouwen. En ik heb hem verteld dat ik een fantastische vader heb, die Roy heet.'

Roy bloosde en zijn ogen blonken.

'Je hoeft je geen zorgen te maken,' vervolgde ik. 'John zal nooit meer mijn pa worden, zelfs niet als ik jou niet had gehad. Daar is het veel te laat voor, en bovendien woont hij hier vijftienduizend kilometer vandaan, maar... ik zou hem graag van tijd tot tijd mailen. Als jij dat goedvindt.'

Roy aarzelde. 'Nee. Dat vind ik niet goed.'

Ik voelde me terneergeslagen.

'Ik vind namelijk dat je meer moet doen,' vervolgde Roy.

Ik keek hem aan. 'Meer? Wat bedoel je? Hem bellen? Ik heb zijn nummer, dus ik denk wel...'

'Nee. Ik bedoel dat je naar hem toe moet gaan, naar hén toe moet gaan.'

Mijn hart maakte een salto.

'Als je het je niet kunt veroorloven, zal ik met alle plezier...'

'Nee, ik kan het me wel veroorloven, dank je. Maar laten we het stap voor stap doen,' voegde ik er bedeesd aan toe. 'Het is allemaal nog zo... nieuw.'

'Natuurlijk. Je moet ernaartoe groeien. Stuur eerst nog wat e-mails. Maar luister... Ben je van plan hier met je moeder over te gaan praten?'

'Ja, dat moet ik wel doen, maar pas na de bruiloft, want het gesprek zal ons allebei van streek maken. Vertel haar dus alsjeblieft niet wat je nu weet.'

'Ik zeg niets tegen haar,' beloofde Roy.

De paar dagen daarna gingen snel voorbij. Ik ging naar twee of drie kunstgaleries met het idee een ervan in september voor een week te huren, en koos voor de Eastcote Gallery, halverwege King's Road. Het zou me misschien wat aandacht van de pers opleveren, bedacht ik. Het zou zelfs tot een of twee nieuwe opdrachten kunnen leiden, maar bovenal zou het leuk zijn mijn modellen bij elkaar te zien en een feestje te vieren.

Er was ruimte voor ongeveer twintig portretten, dus nam ik contact op met iedereen die ik de afgelopen drie jaar had geschilderd. Ik legde hen allemaal uit dat ik de portretten persoonlijk zou komen ophalen, ze zou verzekeren en veilig terug zou brengen.

Ik vertelde Celine er alles over toen ik haar portret ging ophalen om het naar de lijstenmaker te brengen.

'*Alors...*' Ze opende haar agenda. 'De vijftiende september...' Ze bladerde door naar die datum. 'Dat is een woensdag.' Ze schreef het op. 'Dan ben ik wel terug.'

Ik vroeg me af waarvan.

'Hoe laat?'

'Het is van halfzeven tot halfnegen. Ik wil Victor ook uitnodigen.'

'Natuurlijk.'

'En... Hoe was je verjaardagsfeestje?'

Ze glimlachte. 'Het was geweldig. Victor hield een heel lieve toespraak en Philippe zei ook een paar woorden. Mijn familie en vrienden waren er allemaal. Het was heel fijn.'

'Daar ben ik blij om.'

'En ik krijg een fantastisch cadeau van Victor.'

'Echt waar?'

'Ik kon niets bedenken wat ik wilde hebben, maar gisteren had hij opeens een briljant idee. Hij zei dat hij me een reis van precies veertig dagen cadeau geeft, in mijn eentje, waarin ik overal heen mag waar ik heen wil. Ik ben nu mijn reisschema aan het samenstellen.'

'Wat spannend.'

'Het zal bevrijdend zijn. Ik heb vriendinnen in de Verenigde Staten, in Argentinië, in Cambodja, Ghana en Griekenland. Ik ga bij hen allemaal op bezoek met mijn wereldreisticket, en ik eindig mijn reis in Venetië, waar Victor en Philippe dan op me wachten. Dan brengen we daar nog drie dagen door alvorens we weer naar Engeland vliegen om op tijd voor Philippes school te zijn.'

'Klinkt geweldig!' We hoorden de deurbel. 'Dat zal mijn taxi zijn, dus ik kan maar beter je portret inpakken.' Het schilderij lag nog in de studeerkamer op het bureau. Ik klikte het in de doekdrager die ik had meegebracht en liep toen naar buiten.

Het was dezelfde chauffeur als altijd, want ik had om hem gevraagd. Ik legde het doek zorgvuldig op de achterbank, stapte in en zwaaide naar Celine, die in de deuropening stond.

'Is het schilderij klaar?' De chauffeur keek ernaar. 'Het is prachtig.' Hij wierp een blik op Celine. 'Het lijkt precies op haar.' Hij startte de auto. 'En niet vergeten, hè...'

'Ik weet het. Maar als ik u ga schilderen... Hoe heet u, trouwens?'

'Rafael.'

'Nou, u zou naar mijn atelier moeten komen en in totaal minstens twaalf uur moeten poseren.'

'O...' Hij reed de oprit af. 'Dat zie ik mezelf eerlijk gezegd niet doen. Ik zit al meer dan genoeg in mijn taxi. Kunt u het niet van foto's doen, net als met dat arme –'

'Nee,' onderbrak ik hem. 'Dat gaat echt niet. Ik schilder alleen naar het leven.'

'Ze hebben de auto trouwens gevonden.'

'O ja?'

'Het was geen zwarte BMW. Het was een donkerblauwe Range Rover, maar de kentekenplaat was zo vies dat ze hem niet konden lezen. Het blijkt dat die arme drommel geen idee had wat er was gebeurd. Hij had haar helemaal niet geraakt, maar was wel nogal dicht langs haar gereden. Ze was uitgeweken, in een gat gefietst en gevallen.'

'Arme meid...'

'Ik weet niet zeker of ik wel geschilderd wil worden,' zei Rafael toen we over Hammersmith Bridge reden. 'Misschien kunt u me tekenen.'

'Dat kan... In houtskool, potlood of met pen en inkt.'

'En wat kost dat dan?'

'Nou... Misschien kunnen we ruilen? Dat deed ik ook toen ik pas begon. Ik heb ooit mijn loodgieter geschilderd in ruil voor een boilerreparatie. Dus...'

'Goed dan, u krijgt een paar gratis taxiritten van me... Dat wil zeggen, binnen het centrum van Londen.'

'Prima. En hoeveel ritten hebt u ervoor over?'

'Eh... Is tien voldoende?'

'Tien is prima.' Hij kon me helpen de portretten op te halen voor het feest. 'Afgesproken.'

Op zaterdag bracht de collega van Roy zijn dochter voor haar sessie. Ze was een intelligent uitziend meisje van tien met lang, glanzend donker haar. Haar vader bleef erbij terwijl ik haar met rood krijt op bruin papier schetste. Die dinsdag ging ik terug naar Iris. Haar portret was bijna klaar. Ze zag er gedistingeerd en sereen uit en de achtergrond die ze had gekozen, voegde extra diepte en bezieling toe.

En nu was het nog maar twee dagen tot de bruiloft.

Op donderdagmiddag fietste ik naar mijn ouderlijk huis om de tafelkaartjes te gaan schrijven. Op de oprit stond een grote witte vrachtwagen met PAVILLIONED IN SPLENDOUR op de zijkant. In de tuin waren mannen bezig metalen palen in elkaar te schuiven en grote lappen wit canvas uit te rollen.

Roy kwam naast me staan en we zagen de tent omhoogkomen. 'Nou, het gaat gebeuren,' zei hij. 'Nates familie is trouwens ook aangekomen.'

Ik keek hem aan. 'Wanneer ontmoet je ze?'

'Zaterdag pas. Vanavond eten ze bij Nate en morgen zijn je moeder en ik hier de hele dag heel druk bezig. Daarna hebben we een rustige avond samen met Chloë. Ze wil nog één keer in haar oude slaapkamer slapen.'

'Natuurlijk. En hoe voelt ze zich?'

Roy haalde zijn schouders op. 'Helemaal prima.'

Ik draaide me om en zag mijn moeder naar ons toe komen lopen, haar hand boven haar ogen tegen de felle zon. Ze knikte de mannen toe. 'Ik hoop dat ze voorzichtig zijn met de planten.'

'Ik hou ze scherp in de gaten,' verzekerde Roy haar. 'Ik laat niemand mijn akeleien kapot trappen.'

'Ik maak me zorgen over roken,' zei mam. 'Ik weet zeker dat Gareth Jones er een paar zal opsteken. Hij zit volgens Eleanor nog steeds op veertig per dag.'

'Dan zal dat inderdaad wel,' zei ik.

'Laten we hopen dat hij er in de kerk geen opsteekt,' plaagde Roy.

Mijn moeder negeerde ons en dacht over het probleem na. 'Ik denk dat ik tegen iedereen zeg dat roken is toegestaan, maar dan alleen een sigaartje na het diner. Ik bestel wel een grote doos Romeo y Gulietta's.'

Roy kreunde. 'Daar gaat weer vijfhonderd pond.'

Mam keek hem verwijtend aan. 'Bij zo'n gelegenheid moet je niet krenterig zijn.'

'Maar het zijn wel *míjn* krenten,' mompelde hij.

Mam wendde zich tot mij. 'Ella, wil je nu de tafelkaartjes komen schrijven? Ze liggen allemaal klaar op de keukentafel.'

'Ja, hoor.' Ik liep achter haar aan naar binnen. In de keuken opende ze de doos met goudomrande witte kaartjes en gaf me de gastenlijst. Ik pakte mijn kalligrafeerpen en ging aan de slag. 'Ik voel me echt de officiële schrijver.'

'Je helpt ons er erg mee,' zei ze. 'Maar het loopt tot dusver allemaal heel vlotjes. Morgenochtend hebben we de repetitie.'

'Heb je mij daarbij nodig?'

'Nee, het gaat er vooral om dat de sopraan even kan oefenen en dat Chloë en Nate de passen kunnen doornemen. 's Middags komen de cateraars en ga ik de tafels dekken.' Ze zoog haar onderlip naar binnen. 'Kun je me daar misschien een handje mee helpen, lieverd?'

'Nee, het spijt me, dat kan niet. Chloë komt naar het portret kijken.'

'O, oké dan.' Ze fronste. 'Maar heeft ze dat dan nog niet gezien?'

'Nee, ze wilde het pas zien wanneer het klaar was, dus komt ze morgenmiddag naar mijn atelier.'

Mam glimlachte. 'Dat wordt dus het moment van de waarheid!'

Om vijf over drie de volgende dag ging de bel. Ik liep snel naar beneden.

'Ella!' Chloë keek me stralend aan en draaide zich toen om naar de elegant geklede grijze dame die achter haar stond. 'Dit is Nates moeder... mevrouw Rossi. Ze wilde het portret ook graag zien. Ik hoop dat je dat niet erg vindt.'

'Natuurlijk niet,' zei ik. Ik stak mijn hand uit en Nates moeder pakte die beet. 'Hallo, mevrouw Rossi.'

'Zeg alsjeblieft gewoon Vittoria.' Mevrouw Rossi klonk erg Italiaans en was minder frêle dan ik me haar had voorgesteld. Ze had mooie, beweeglijke gelaatstrekken en grote groengrijze ogen die me aan die van Nate deden denken.

'Nate lijkt op u,' zei ik toen ze naar binnen stapte.

Ze knikte. 'Si... Meer dan op zijn papa.'

'Mijn atelier is op zolder. Ik kan het schilderij naar beneden halen als u...'

'Nee, nee,' zei ze. 'Ik kan wel naar boven.' Ze kwam achter Chloë en mij aan de trap op.

'Nate was een goed model,' zei ik tegen Vittoria toen we de eerste overloop hadden bereikt. 'Hij zat goed stil.'

'Ach... Nou ja, het is een goeie jongen.'

Even later stapten we mijn atelier binnen. Vittoria glimlachte waarderend toen ze de schilderijen aan de muur zag.

'Hoe was de repetitie?' vroeg ik Chloë.

'Prima. Ik denk dat het allemaal heel goed zal gaan, morgen. Ben jij blij met het stuk dat je moet voorlezen?'

'Ja. Ik heb al geoefend.'

'Mooi. Nou...' Ze klapte stralend in haar handen. 'Laat dat portret maar eens zien!' Ze wendde zich tot Vittoria. 'Ik vind het zo spannend!'

'Het is inderdaad spannend,' zei Vittoria.

Ik liep naar het rek, haalde Nates doek eruit en zette het op de ezel.

Chloë en haar toekomstige schoonmoeder gingen naast elkaar voor het portret staan.

In de stilte die volgde was ik me bewust van het zachte gonzen van het verkeer en het verre gejank van een sirene. Toen er een paar seconden waren verstreken, bedacht ik dat het leuk zou zijn als ze iets zeiden. Natuurlijk lagen de normen van Vittoria, omdat ze uit Florence kwam, erg hoog; maar hoewel ik niet zou beweren dat ik met Raphael of Leonardo kon wedijveren, was ik er toch vrij zeker van dat ik goed werk had afgeleverd. Het voortdurende zwijgen van Vittoria en Chloë leek echter alleen maar te bevestigen dat ze teleurgesteld waren. De moed zonk me in de schoenen.

Vittoria hield haar hoofd schuin terwijl ze het schilderij bestudeerde. '*Piacevole*,' zei ze ten slotte.

Plezierig, vertaalde ik in stilte. Ze vindt het portret 'plezierig'.

'*Molto piacevole*,' vervolgde Vittoria.

Erg plezierig. Nou, geweldig, dacht ik.

'*E un buon ritratto*, een goed portret. *Brava*, Ella,' besloot ze en toen glimlachte ze naar me.

Ik keek naar Chloës profiel terwijl zij het portret bestudeerde. 'Ik ben het met Vittoria eens,' zei ze even later. 'Het is een... goed portret. Heel goed,' voegde ze eraan toe. 'Dus, dank je, Ella. Maar... We moeten nu gaan.'

'Willen jullie niet een kopje thee?'

'Eh... Nee,' zei Chloë. 'Ik vrees dat we daar geen tijd voor hebben. Ik moet Vittoria terugbrengen naar het hotel, daarna moet ik spullen ophalen uit mijn flat en naar Richmond toe. En vanavond wil ik natuurlijk graag vroeg naar bed. Maar... dank je,' zei ze nogmaals, met een lichtelijk stug, waardig air dat helemaal niet bij Chloë paste. Zenuwen voor haar trouwdag, dacht ik. Ze draaide zich om naar de deur.

'Neem je het portret niet mee?' vroeg ik haar. 'Ik dacht dat je het morgen aan Nate wilde geven.'

Chloë keek weer naar het portret en bloosde toen. 'O... Nee. Ik denk dat ik maar... wacht.'

'Tot het is ingelijst, bedoel je?'

'Ja. Ja... Dat is goed.'

'Prima.' We liepen naar beneden. Ik deed de voordeur open en glimlachte ten afscheid. 'Nou, dan zie ik jullie morgen wel.'

'*A domani*,' antwoordde Vittoria. Ze pakte mijn hand en gaf er een kneepje in, alsof ze me wilde troosten, leek het wel. Daarna glimlachte ze opgewekt. '*Brava*, Ella. Heel leuk om kennis met je te maken. *Arrivederci*.'

'*Arrivederci*,' zei ik en toen gingen ze weg.

Ik werd de volgende morgen vroeg wakker en bleef nog even in bed liggen. Ik was niet zomaar triest bij de gedachte dat Nate vandaag zou gaan trouwen, maar vreselijk terneergeslagen, alsof er iemand een stapel stenen op mijn borst had gelegd. Ik probeerde wat afleiding te zoeken door te gaan werken. Ik maakte de tekening van de dochter van de arts af, daarna stuurde ik Chloë een sms'je om haar te feliciteren met haar verjaardag. Vervolgens keek ik weer naar Nates portret, dat nog op de ezel stond. *Piacevole*, dacht ik mismoedig. Vittoria's oordeel deed me verdriet, en Chloës reactie was nauwelijks enthousiaster geweest.

Ik ging douchen, föhnde mijn haar en deed make-up op en toen ik de laatste restjes verf van mijn handen had geschrobd, lakte ik mijn nagels en ging me aankleden.

Om kwart voor één hoorde ik Polly claxonneren. Ze had me een lift aangeboden. Ik rende naar beneden, opende de deur en zwaaide terwijl zij haar zilverkleurige Golf parkeerde.

Ze stapte uit en opende de achterklep, zodat ik mijn hoed op de hoedenplank kon leggen. 'Prachtige jurk,' zei ze met een blik op mijn nauw aansluitende zijden jurk met plooitjes aan de voorkant. 'Ik hou van mintgroen.'

'Nou... Hij is gepast fris en vrolijk.' Niet dat ik me zo voelde. 'Jij ziet er ook prachtig uit, Pol.' Ze droeg een roze linnen pakje met zilverkleurige platte sandalen, waar haar volmaakte tenen met zuurstokroze gelakte nagels prima in uitkwamen. Ik glimlachte naar Lola, die achterin zat in een hemelsblauwe linnen jurk, haar lange blonde haren in een knot. 'Je ziet er erg volwassen uit, Lola.'

'Elf is ook best wel volwassen,' zei ze op serieuze toon.

Ik liep terug naar binnen om mijn tas en de gedichtenbundel te pakken. Daarna sloot ik af en liet me, rekening houdend met mijn strakke jurk, voorzichtig op de voorstoel van Polly's auto zakken.

Ze trok haar rijhandschoenen aan. 'Het is er een prachtige dag voor,' merkte ze op toen we wegreden.

Toen we door Putney reden, vertelde ik Polly over het bezoek van Chloë en Vittoria.

'Ze vonden het portret vast prachtig,' zei ze.

'Eh... Ik geloof het niet.'

Polly keek me van opzij aan. 'Wat bedoel je?'

'Nou... Chloë zei dat het erg goed was.'

'Dat is toch prima? Ik weet zeker dat het fantastisch is,' voegde ze er loyaal aan toe.

'Maar Nates moeder zei dat het *piacevole* was – wel aardig – alsof ze vond dat ik hem geen recht had gedaan.'

Polly zette haar richtingwijzer aan. 'Luister eens, Ella, ze is zijn moeder. Ze zou dat waarschijnlijk ook hebben gezegd als Michelangelo in eigen persoon hem had geschilderd.'

'Daar zit wat in. Ik ben gewoon te overgevoelig.'

'Dat mag... Je bent een kunstenaar.'

Het was opvallend rustig op de weg, dus we waren goed op tijd in Richmond. Polly parkeerde, verwisselde haar rijhandschoenen voor een paar witte kanten exemplaren en toen stapten we uit. Ze opende de achterklep en gaf me mijn hoed.

'Laten we gauw even in de tuin kijken,' zei ik.

De tent zag er prachtig uit, het canvas was maagdelijk wit, het 'plafond' was van lichte bedrukte katoen en bezaaid met kleine spiegeltjes. De tentstokken waren met crèmekleurige voile omwikkeld en behangen met lange slierten zomerjasmijn. Porselein en kristal stonden te blinken op de met linnen gedekte tafels, met elk een reusachtig centerpiece van witte amaryllissen.

Polly floot zachtjes. 'Het ziet er spectaculair uit, vind je niet, Lola?'

Lola knikte. 'Wat veel bloemen...'

Voor elk couvert lag een met gouden kwastjes versierd menu en een zakje van zijdegaas, met roze en witte gesuikerde amandelen erin. Ik vroeg me af of Chloë en Nate nog een glas kapot zouden gooien.

Door de open zijde van de tent zag ik vier geüniformeerde cateraars het gazon oversteken met een reusachtige ijssculptuur in de vorm van een zwaan, nerveus gevolgd door mijn moeder. Ze kwamen de tent in en zetten de ijszwaan op de grote zijtafel vanwaar de drankjes zouden worden geserveerd.

Mam keek op en zag ons. 'Polly,' riep ze zacht. 'En Lola... Je bent gegroeid sinds ik je voor het laatst zag. En wat een prachtige outfit, Ella. Jullie zien er allemaal fantastisch uit.'

'Jij ook, Sue,' zei Polly. 'Het is allemaal prachtig.'

Mam schonk Polly een dankbare glimlach. 'Dank je. Ik moet zeggen dat de intensieve voorbereidingen de moeite lonen.'

'Ik dacht dat je Chloë zou helpen zich aan te kleden,' merkte ik op.

Mam lachte wat vreemd. 'Ze zei dat ze dat niet wilde. Maar aangezien haar kapster erbij is en iemand die haar make-up doet, dacht ik dat ik het wel aan hen kon overlaten. Dan kan ik hier verder. Maar ik loop dadelijk wel met Chloë en Roy naar de kerk.'

Ik keek op mijn horloge. 'Ik denk dat wij ook maar beter kunnen gaan.'

'We zien jullie daar,' zei Polly tegen mam.

Ik zette mijn hoed op en we wandelden de hoek om naar St Matthews.

Nate stond buiten en hij zag er zo knap uit in zijn jacket en donkergrijze vestje, dat mijn hart een slag oversloeg. Hij glimlachte toen hij me zag, dus ik liep naar hem toe om hem te feliciteren en stelde daarna Polly en Lola aan hem voor.

'Wat leuk om kennis met jullie te maken,' zei hij tegen hen. 'Dit is mijn getuige, James,' vervolgde hij toen James bij hem kwam staan.

Ik glimlachte naar hem. 'Ik heb gehoord dat je een geweldige toespraak hebt geschreven.'

'O, dat wordt een klapper.' Hij klapte in zijn handen. 'Ik heb er zin in... Je hebt me hier immers lang genoeg op laten wachten, kerel,' plaagde hij Nate, die goedmoedig glimlachte.

'Je krijgt in elk geval veel publiek,' zei ik tegen James.

Hij knikte. 'Er komen vreselijk veel mensen.'

Die mensen kwamen nu in groepjes van twee en drie de hoek om en stelden zich voor de kerk op. Een vrouw met een camcorder en een grote zwarte tas over haar schouder filmde ons terwijl een man in een crèmekleurig pak foto's maakte.

'Zullen we naar binnen gaan?' vroeg ik Polly.

'Laten we dat maar doen.'

Toen we de kerk binnen stapten, hoorden we de organist 'Jesu, Joy of Man's Desiring' spelen. Ik zag Honeysuckle in een zwart-wit pied-de-poule-pakje en een breedgerande zwarte hoed met Kay staan praten, die een jurk droeg met een blauw-witte bloemenprint. Ik glimlachte naar hen en hoopte maar dat ze mijn nogal gespannen gedrag tijdens het verlovingsfeestje vergeten waren. Honeys echtgenoot Doug, een van de ceremoniemeesters, gaf Polly, Lola en mij een boekje en we liepen naar voren.

Aan het eind van elke bank hingen ruikertjes lathyrus, maar ik hapte naar adem toen ik de bloemen op het altaar zag: een reusachtige massa pioenen, verschillende soorten tuberozen en sneeuwballen, waarvan de overweldigende geur me aan mijn moeders parfum deed denken.

'Waar moeten Lola en ik gaan zitten, Ella?' fluisterde Polly.

'Naast mij,' antwoordde ik. 'Na negenentwintig jaar hoor je bij de familie.'

Dus ging we gedrieën in de tweede rij aan de linkerkant zitten en lieten we de eerste rij vrij voor mijn moeder en Roy. De sopraan, Katarina, zat daar ook al haar muziek door te bladeren. De zon scheen door de glas-in-loodramen en wierp gekleurde schaduwen op de vloer en de muren.

Nate kwam binnen en nam zijn plaats voor het altaar in.

'Zo,' zei Polly toen ze naar hem keek. 'Je had wel gezegd dat hij aantrekkelijk was.' Ze keek me aan. 'Je hebt er zeker wel van genoten hem te schilderen, hè?'

'Ja, inderdaad,' zei ik op neutrale toon.

'Hij ziet er zenuwachtig uit,' merkte Lola op.

'Dat is waar,' mompelde Polly.

Nate keek niet zozeer zenuwachtig als wel zorgelijk, dacht ik.

Aan de andere kant van de gang nam een aantal vrouwen met hun echtgenoten en kinderen plaats van wie ik aannam dat het Nates zussen waren: ik hoorde hen in een mengeling van Italiaans en Engels praten.

– *che bella chiesa.*

– ik heb last van een jetlag.

– *e che belle fiori.*

– *si, sono magnifici.* Ik had moeten lunchen.

– *mamma dice che il ritratto è un disastro.*

'Is dat allemaal familie van hem?' vroeg Polly verbaasd.

'Ik denk het wel.' Ik probeerde te bedenken waarom Nates moeder het portret een *disastro* zou vinden. Het wás geen ramp, maar een goed, krachtig portret. Chloë en zij hadden de compositie kennelijk niet mooi gevonden. Ik zag nu zijn moeder arriveren, gekleed in een smaragdgroen tweedelig pakje met een donkerblauwe hoed en schoenen. Ik glimlachte naar haar toen ze in haar bank stapte. Ze glimlachte terug en keek toen naar het altaar. Ik keek even snel achterom. Het middengedeelte van de kerk zat al vol.

Een vriendin van Chloë kwam voorbij op zwarte stiletto's van vijftien centimeter hoog. Heel even zag het ernaar uit dat ze zou vallen.

'Ze heeft steunwieltjes nodig,' mompelde ik tegen Polly, 'of misschien een rollator.'

Polly knikte. 'In de zeventiende eeuw droegen de aristocraten zulke hoge hakken dat ze moesten worden geflankeerd door twee bedienden die hen overeind hielden.'

'Heel verstandig.' Ik opende de gedichtenbundel.

Polly keek ernaar. 'Ben je zenuwachtig?'

'Heel erg. Ik heb niet meer in het openbaar voorgelezen sinds ik op school zat. Hoe gaat het trouwens met de leuke vader?'

'Prima.' Polly glimlachte. 'Hij komt morgen lunchen.'

'Dat is mooi. Heb je hem al verteld wat je doet voor de kost?'

'Dat heb ik, en het is geen probleem. Het is zelfs...'

Het orgel zweeg plotseling en het geroezemoes verstomde. Dominee Hughes stond op het altaar. Hij hief zijn handen en we stonden allemaal op.

Hij glimlachte. 'De gratie van onze Heer Jezus Christus, de liefde van God en het verbond van de Heilige Geest met u allen...'

'En met u,' dreunden we op.

Ik draaide me om en zag tussen de zee van hoeden door Chloë bij de westelijke deur van de kerk staan, met Roy naast haar, en achter haar mijn moeder, die nog snel wat aan Chloës jurk schikte. Toen klonk 'De aankomst van de koningin van Sheba' en kwam Chloë naar voren.

Terwijl Chloë langzaam aan Roys arm door het middenpad liep, liep mijn moeder snel langs de linkerkant naar voren en ging toen voor ons zitten. Chloë liep ons nu voorbij, prachtig in haar met vergeet-mij-nietjes bestrooide tule, een omslagdoek van organza om haar smalle schouders, haar haren opgestoken in een chignon en getooid met een enkele gardenia. In haar hand hield ze een eenvoudig boeket witte rozen. Nates nichtje Claudia liep kort achter hen in een lichtblauwe jurk met bijpassende ballerina's.

Ik keek naar Nates gezicht toen Chloë het altaar naderde. Ik had mezelf vaak gekweld door me zijn blijdschap en trots tijdens dit moment voor te stellen, maar ik zag alleen spanning en angst in zijn ogen. Hij glimlachte toen Chloë naast hem kwam staan, maar die glimlach bereikte zijn ogen niet. Als Chloë dat al gemerkt had, liet ze het niet blijken. Met een uitdrukking van onuitsprekelijke sereniteit gaf ze haar bloemen aan Claudia. Die nam het boeket aan en klom naast haar ouders in de derde bank terwijl Roy naast mam ging staan.

De muziek van Händel bereikte een daverend slot. De dominee wachtte tot de laatste weerklanken verstomd waren en verwelkomde ons toen allemaal in St Matthew's Church, om getuige te zijn van het huwelijk tussen Chloë en Nathan, en om God om Zijn zegen voor hen te vragen en aan hun vreugde deel te nemen. Vervolgens kondigde hij het eerste gezang aan: 'Prijs mijn ziel, de Hemelkoning'. Terwijl we zongen klonk Katarina's prachtige stem boven die van ons allemaal uit. Tijdens het laatste couplet zag ik dat Nate zijn ogen opsloeg naar het altaar. Chloë keek heel ernstig. Toen was het lied ten einde en gingen we allemaal zitten.

'En dan zal nu de zus van Chloë, Gabriella, een gedicht voorlezen,' zei dominee Hughes.

Met bonkend hart stapte ik de bank uit en liep naar de lessenaar, die de vorm van een arend had. Ik legde het boek erop.

'"De ochtendgroet",' zei ik. 'Van John Donne.' Ik hief mijn hoofd.

De zee van gezichten was wazig. 'Voorwaar, ik vraag me af hoe gij en ik, toch leefden eer wij minden? Aan de dot?...' Terwijl ik verder las, zag ik Nate naar me kijken, maar was ik me ervan bewust dat Chloë recht voor zich uit staarde. 'Nu begroeten we onze zielen die ontwaken, en niet uit angst steeds naar elkander kijken. Want liefde maakt ons blind voor and're zaken, en doet in 'n kamertje 't heelal ontluiken...' Ik pauzeerde even. 'In elkanders oog hebben we ons gelaat gevonden...' Daarop zag ik Chloë naar me kijken. 'In 't gelaat elkanders hart: het trouwste en beste. Waar vinden we twee betere halfronden, zonder scherp noorden of zich neigend westen?'

Ik las door tot het eind en keerde toen met knikkende knieën terug naar de bank.

Polly legde haar hand op de mijne. 'Goed gedaan,' fluisterde ze.

De dominee zei nu dat het geschenk van het huwelijk een manier van leven was die door God heilig was gemaakt, en een teken van eenheid en trouw was dat iedereen zou moeten eren en hooghouden. 'Niemand,' vervolgde hij, 'zou daar lichtvaardig of zelfzuchtig in moeten stappen, maar respectvol en verantwoordelijk in het aangezicht van God.' Hij hief zijn handen. 'Eerst moet ik vragen of er iemand aanwezig is die een reden weet waarom deze twee mensen niet in de echt zouden moeten worden verbonden. Laat hem dat dan nu zeggen.'

Ik keek naar mijn moeder. Ze glimlachte sereen, maar haar kaak was strakgespannen. Toen niemand iets zei, ontspande ze echter.

De dominee keek naar Chloë en Nate. 'De geloften die jullie gaan afleggen,' zei hij, 'zullen worden afgelegd in aanwezigheid van God, die over allen oordeelt en alle geheimen van ons hart kent, dus als een van jullie beiden nu een reden kent waarom jullie niet met elkaar in de echt verbonden zouden moeten worden, zeg dat dan nu.'

Het bleef stil en toen legde de dominee de handen van Nate en Chloë in elkaar. 'Nathan,' zei hij, 'neem jij Chloë tot je echtgenote? Zul je haar liefhebben, troosten, eren en beschermen, alle andere vrouwen verzaken en haar trouw blijven, tot de dood jullie scheidt?'

Nate antwoordde niet en ik voelde een plotselinge golf hoop, gevolgd door een steek van schaamte. 'Ik...' begon hij. 'Ik...' haperde hij weer. Toen ademde hij zacht uit, alsof hij tegen glas aan ademde en hoorde ik hem fluisteren: 'Ja.'

De dominee wendde zich tot Chloë. 'Chloë, neem jij Nathan tot je echtgenoot? Zul je hem liefhebben, troosten, eren en beschermen, alle andere mannen verzaken en hem trouw blijven, tot de dood jullie scheidt?'

Chloë aarzelde ook. Ik besloot dat het moest zijn omdat Nate geaarzeld had en ze niet al te gretig wilde lijken, of om te laten merken dat ze goed naar de vraag had geluisterd en er nog over nadacht. Er waren echter al tien seconden verstreken sinds de vraag was gesteld, toen vijftien, toen twintig... De stilte in de kerk was dieper en zwaarder geworden tot die leek te gonzen. Er was nu minstens een minuut voorbij en de banken kraakten doordat de mensen onrustig werden.

'Nou?' probeerde dominee Hughes nog eens. Zijn gezicht zag rood, maar Chloë antwoordde nog niet. Ze stond daar maar, doodstil, het hoofd gebogen. Mensen strekten hun hals uit om te zien wat er aan de hand was. Plotseling begonnen Chloës schouders te schokken. Ze giechelde – ze was hysterisch geworden door de emoties, dacht ik. Toen realiseerde ik me dat ze niet giechelde. Ze huilde.

De dominee, die duidelijk wel gewend was aan huilende bruiden, negeerde haar tranen. 'Chloë, neem je Nathan tot je echtgenoot?' vroeg hij weer. 'Zul je hem liefhebben, troosten, eren en beschermen, alle andere mannen verzaken en hem trouw blijven, tot de dood jullie scheidt?'

Chloë ademde haperend in. Toen volgde weer een stilte die zich heel lang leek uit te strekken. 'Nee,' fluisterde ze.

De hele kerk hapte naar adem. Mijn moeders hand vloog naar haar mond.

'Maar... Chloë?' Er stonden nu zweetdruppels op het gezicht van de dominee.

Ze keek hem smekend aan en toen vertrok haar gezicht. 'Ik... kan het niet,' snikte ze, en toen keek ze naar Nate, die haar met open mond aanstaarde. Ze liet zijn hand los. 'Het... spijt me, Nate.'

Dominee Hughes fluisterde hun beiden iets toe en ze knikten. Ik hoorde Chloë snotteren. Nate reikte naar zijn borstzak en gaf haar zijn lichtgrijze zakdoek, die ze tegen haar gezicht drukte. Dominee Hughes schraapte luidruchtig zijn keel en richtte zich toen tot ons. 'Er is een lichte wijziging in de plannen,' verkondigde hij. 'Juffrouw Katarina Sopuchova zal nu het "Ave Maria" zingen, terwijl ik me met Chloë en Nate in de sacristie terugtrek, voor een kort gesprek. Dank u voor uw geduld.'

De organist speelde de eerste klanken van de versie van Bach-Gounod terwijl Katarina de trap naar het altaar op liep.

A-ve Ma-ri-a... zong ze terwijl Chloë en Nate achter de dominee aan liepen. *Gratia plena...* Chloë bleef plotseling staan, draaide zich tot mijn verbazing naar me om en wenkte me mee te komen.

Dominus te-cum...

Ik stond op, en mam ook, maar Roy fluisterde haar toe dat ze moest blijven zitten, wat ze met duidelijke tegenzin deed.

Benedicta tu in mulierbus...

Ik ging achter Chloë en Nate aan via een korte gang links van het altaar naar de sacristie.

Et benedictus fructus...

Op de tafel lag het dikke, in leer gebonden huwelijksregister open, wachtend op de handtekeningen van Chloë en Nate. Chloë ging zitten, haar wangen nat van de tranen. Nate nam naast haar plaats en keek haar verbijsterd aan.

...ventris tui, Iesus...

Ik sloot de dikke eiken deur en Katarina's gezang zwakte af.

'Chloë,' zei de dominee, 'wil je me alsjeblieft vertellen wat er aan de hand is?'

Ze gaf geen antwoord.

Hij wendde zich tot Nate. 'Weet jij het?'

Nates gezicht was asgrauw. Hij schudde langzaam zijn hoofd. 'Ik heb geen idee.'

'Zijn het gewoon de zenuwen?' vroeg dominee Hughes haar.

Chloë schudde haar hoofd.

'Maar gisteren na de repetitie vertelde je me nog dat je je erop verheugde met Nate te trouwen, dus...' Hij draaide zijn handpalmen naar boven. 'Ik begrijp het niet.'

Chloë haalde het zakdoekje onder haar ogen door. 'Het spijt me,' zei ze schor.'Het spijt me. Ik had het gisteravond moeten afblazen, of zelfs vanochtend nog, maar ik durfde niet. Ik hield mezelf voor dat het te laat was en dat ik er gewoon maar mee moest doorgaan en daarna beslissen wat ik moest doen. Maar nu ik hier ben en ik die woorden moet uitspreken voor al mijn vrienden en familie, om over God nog maar te zwijgen, nu kán ik het gewoon niet.'

De dominee kneep zijn ogen iets dicht. 'Waarom niet?'

'Omdat...' Chloë snufte. 'Omdat... ik gisteren iets te weten ben gekomen.' Ze slikte moeizaam. 'Ik ben iets te weten gekomen over mijn moeder, iets wat...'

We hoorden plotseling voetstappen. De deur zwaaide met piepende scharnieren open en mam kwam binnen, met Roy vlak achter haar.

Sancta Maria... hoorden we.

'Chloë!' Mams ogen schoten vuur.

Sanc-ta Ma-ri-a...

Roy deed de deur dicht.

'Waar ben je mee bezig, Chloë?' vroeg mam schor.

Chloë keek haar woedend aan. 'Ga weg! Jij hebt al genoeg schade aangericht!'

Mam week achteruit alsof ze geslagen was, maar herstelde zich toen. 'Nee,' zei ze kalm, 'ik ga niet weg... want deze trouwdag heeft veertigduizend pond gekost –'

'Hou op, Sue,' onderbrak Roy haar, maar mam negeerde hem.

'...en ik heb me te pletter gewerkt om er een onvergetelijke dag van te maken.'

'Dat wordt het nu zeker wel,' zei Roy somber.

'Wat denk je wel niet, Chloë?' ging mam hardnekkig door.

Chloë kneep met beide handen in de zakdoek. 'Ik zal je vertellen wat ik denk.' Ze knipperde een traan weg. 'Ik denk aan hoe jij hebt ingegrepen, mam, en gemanoeuvreerd en... gemanipuleerd!'

Mam kneep haar lippen op elkaar. 'Het woord dat je zou moeten gebruiken is "geholpen". Je hebt duidelijk geen idee wat –'

'Alstublieft, mevrouw Graham,' onderbrak de dominee haar. Hij wendde zich weer tot Chloë. 'Chloë, kun je alsjeblieft uitleggen wat er gisteravond is gebeurd waardoor je dit nu doet?'

'Goed dan,' zei Chloë met een somber knikje en ze drukte de zakdoek weer tegen haar ogen. 'Wat er is gebeurd, is dat ik gisteravond iets te weten ben gekomen over mijn moeder, iets wat... Nou ja, het verandert alles.'

Roy kreunde zacht toen ze dat zei.

'Wat bedoel je, Chloë?' vroeg de dominee.

'Ik was ooit heel gelukkig met iemand,' antwoordde Chloë ernstig. 'Hij heette Max en ik hield van hem... en hij hield van mij.'

'Niet genoeg!' gooide mam eruit.

Chloë negeerde haar. 'En mijn moeder was daar vreselijk op tegen, zoals u net hebt kunnen zien. Ze bleef maar zeggen dat ik het moest uitmaken met Max, omdat hij zijn vrouw nooit zou verlaten en omdat wat ik deed heel erg fout was en ik sowieso mijn tijd verspilde, omdat het nooit, nooit, maar dan ook nooit iets zou worden.'

'Dat was ook zo!' zei mam triomfantelijk.

'Dat was inderdaad zo,' stemde Chloë droevig met haar in. 'Maar het zou wel iets geworden zijn als jij me gewoon met rust had gelaten, want nu zijn Max en Sylvia uit elkaar en gaan ze scheiden.'

Dat wist Chloë echter al enkele weken. Roy had me verteld dat het haar niets deed, dus waarom zat dat haar nu dan wel dwars?

Chloë keek de dominee aan. 'Ik verwacht niet dat u dit zult goedkeuren,' zei ze zacht. 'Ik probeer alleen uit te leggen...'

Dominee Hughes fronste. 'Dus je vindt dat het door je moeder komt dat je niet met Max samen bent.'

'Dat is zo.' Chloës ogen vulden zich opnieuw met tranen. 'Omdat zij me heeft overgehaald een eind aan de relatie te maken... En dat brak mijn hart.'

'Hoe oud was je toen, Chloë?' vroeg hij haar.

'Zevenentwintig... Dus ja, het was extra idioot van me om op die leeftijd nog naar haar te luisteren. Maar ik vertrouwde haar en geloofde dat ze alleen maar het beste met me voorhad.'

'Dat had ik ook!' protesteerde mam. 'Natuurlijk had ik dat.'

Chloë schudde haar hoofd. 'Maar gisteravond heb ik iets over mijn moeder gehoord wat me deed beseffen dat ze helemaal niet het beste met me voorhad.'

Mam deinsde terug. 'Waar heb je het over?'

Chloë schonk haar een kille blik en wendde zich toen weer tot de dominee. 'Gisteravond tijdens het diner hadden mam en ik woorden. Ze zei opnieuw hoe blij ze was met mijn huwelijk, en hoe dankbaar ze was dat ik "het licht had gezien" over mijn "afschuwelijke relatie" met Max, en ze praatte heel onbeschoft over hem. Ik raakte erg van streek. Nadat ze naar bed was gegaan, probeerde pap me te kalmeren. En hij vertelde me waar mams obsessieve houding vandaan komt. Hij zei dat het komt doordat zij zelf een langdurige affaire heeft gehad met een getrouwde man – Ella's vader John.'

Mam keek Roy ontzet aan.

'Maar mam deed het altijd voorkomen alsof zij de arme, in de steek gelaten echtgenote was.'

Mam liet zich op een stoel neerzakken. 'Wat heb je gedaan, Roy?' fluisterde ze.

'Wat heb *jij* gedaan, Sue,' pareerde hij rustig, 'door al die jaren niet eerlijk tegen ons te zijn? Ella is er pas onlangs achter gekomen, door een e-mail van John. Hij had geen idee dat ze het niet wist. Ze heeft het mij een paar dagen geleden verteld. En gisteravond heb ik het Chloë verteld.' Hij sloot zijn ogen. 'Ik wou nu dat ik dat niet had gedaan.'

'Ik ben blij dat je het me hebt verteld,' zei Chloë.

Dominee Hughes slaakte een lichtelijk geïrriteerde zucht. 'Ik begrijp nog steeds niet waarom dit van invloed zou moeten zijn op vandaag, Chloë.'

Ze keek hem wanhopig aan. 'Omdat gisteravond alles op z'n plaats viel. Ik begreep eindelijk waarom mam zo vreselijk negatief was geweest over Max. Dat was omdat mijn relatie met hem haar herinnerde aan haar mislukte relatie met Ella's vader. Ze bracht al haar opgekropte verbittering over John op hém over.'

'Nee!' zei mam. 'Ik probeerde je te beschermen.'

'Ik was volwassen!' pareerde Chloë. 'Ik had je bescherming niet nodig, en nu realiseer ik me hoeveel schade je "bescherming" heeft toegebracht. Niet alleen omdat je me ervan weerhield bij degene te zijn van wie ik hield, maar ook omdat je zo vreselijk op dit huwelijk hebt aangedrongen.' Ik zag dat Nate zijn hoofd liet zakken.

Mam snoof. 'Je hoefde er toch niet mee akkoord te gaan, wel dan?'

Chloë keek haar aan. 'Dat is waar, maar je bent zo vreselijk overtuigend, en Nate is een erg lieve man en ik probeerde wanhopig Max te vergeten en door te gaan met mijn leven, dus liet ik me meeslepen door je plannen, en ik wou bij God dat ik dat niet had gedaan,' jammerde Chloë. 'Want dan hadden we tenminste voldoende tijd gehad om de... ellende te voorkomen waar ik me nu in bevind!' Ze begroef haar gezicht in haar handen.

'Je hebt van Max gehoord,' zei mam zacht. 'Daar gaat dit allemaal over.'

Chloë knikte.

Mam perste haar lippen op elkaar. 'Wanneer?'

Chloë keek op, haar gezicht nat van de tranen. 'De avond van ons verlovingsfeest,' antwoordde ze. 'Hij belde me om te zeggen dat Sylvia en hij eindelijk uit elkaar waren.'

Ik realiseerde me dat Chloë daarom zo van streek geweest moest zijn toen ze me die avond uitliet.

'Max wist dat ik verloofd was, maar wilde me ontzettend graag weerzien voor het te laat was. Dus heb ik met hem afgesproken...' Chloe keek Nate aan. 'Het was toen jij in Finland zat, Nate. We hebben alleen gepraat,' voegde ze eraan toe. 'Verder niets.' Ze draaide de zakdoek rond haar vingers. 'Maar toen ik Max weer zag, wilde ik dat ik wel bij hem kon zijn.'

Dat was dus toen Chloë de bibbers had gehad, dacht ik.

'Ik voelde me verscheurd,' vervolgde ze. 'Dus ontmoette ik Max nog een keer. Dat was die zondag dat jij Ella was tegengekomen, Nate. Ik had gezegd dat ik naar mijn ouders ging, maar ik was bij Max. Ik vond het vreselijk om tegen je te liegen, maar ik wist dat ik hem nog een keer moest zien om een beslissing te kunnen nemen. Ik vertelde hem dat het te laat was, omdat ik een verbintenis met jou was aangegaan.'

'Dat was je inderdaad,' zei mam.

Chloë negeerde haar. 'Ik dacht aan al Nates goede eigenschappen. Ik noemde ze telkens weer voor mezelf op en hield mezelf voor wat een geluksvogel ik was dat ik bij hem mocht zijn.'

De dominee fronste. 'Dat heb je gisteren nog tegen mij gezegd, Chloë. Na de repetitie.'

'Ja.' Chloë keek hem wanhopig aan. 'Dat klopt. Maar er was nog een groot probleem waar ik toen niets van wist. Het zit namelijk zo...'

De deur ging plotseling open en Nates moeder kwam binnen, met James en Honey.

'Weet u, het zit namelijk zo...' Chloë draaide haar handpalmen naar boven. 'Nate houdt niet van me.'

Mam snoof minachtend. 'Natuurlijk houdt Nate van je. Hij heeft je ten huwelijk gevraagd.'

'Nee.' Chloë schudde haar hoofd. 'Ik heb hém gevraagd. We zaten bij Quaglino's om mijn promotie te vieren. We hadden een fles champagne op en ineens zei ik: "Waarom trouwen we eigenlijk niet?" Het was eigenlijk een grapje – we kenden elkaar immers pas vier maanden – maar tot mijn verbazing zei Nate: "Oké... Waarom niet?" Die avond tijdens de veiling vertelden we het jou, mam, en voor we het wisten had je niet alleen de datum bepaald, maar ook al bijna alles geregeld. Jij hebt de leiding genomen over deze bruiloft, mam... Jij had de leiding over de hele show!'

'En waarom zou je niet trouwen?' sputterde mam tegen. 'Je bent negenentwintig, Nate is bijna zevenendertig! En liefde is niet alles aan het begin van een huwelijk. Liefde groeit.'

'Dat hield ik mezelf ook voor.' Chloë snufte. 'Maar ik wist dat ik voor Nate nog geen fractie voelde van wat ik ooit voor Max heb gevoeld.'

'Hoe kun je zulke kwetsende dingen zeggen waar Nate bij is?' vroeg mam.

'Omdat ik weet dat ik hem er niet mee kwets,' antwoordde Chloë kalm. 'En dat is niet alleen omdat, zoals ik al zei, Nate niet van me houdt.' Ze slikte. 'Het is omdat Nate van iemand anders houdt. En ik had daar tot gistermiddag geen idee van. Pas toen realiseerde ik me dat Nate houdt van...' Ze lachte verbijsterd. 'Nate houdt van...'

'Ella,' zei Vittoria. 'Nate houdt van Ella.' Ze keek hem aan. 'Nietwaar, Nate? *Tu ami Ella?*'

Nate gaf geen antwoord.

'Ik zag het,' ging Vittoria verder. 'Ik zag het in het *ritratto* – het portret – het is aan je ogen af te lezen, Nate, aan de manier waarop je naar Ella kijkt terwijl ze je schildert. Ik zag het meteen. En ik kon zien dat Chloë het ook had opgemerkt. Maar het is dan ook onmiskenbaar, het had niemand kunnen ontgaan.'

Mij was het wel ontgaan, besefte ik. Nate reageerde nog steeds niet.

'Ik had medelijden met Chloë,' zei Vittoria. 'Ik had ook medelijden met jou, Nate, omdat ik wist dat het een ramp zou zijn als je met Chloë trouwde terwijl je duidelijk verliefd was op haar zus. Maar dat kon ik niet zeggen, daar was het te laat voor.' Ze haalde haar schouders op. 'Maar je houdt echt van Ella.'

Mam wendde zich tot mij. 'Wat heb je gedaan, Ella?' vroeg ze me kil. 'Was je zo jaloers op Chloë dat je de sessies moest gebruiken om te proberen –'

'Ella heeft niets gedaan,' zei Nate fel. Het was voor het eerst dat hij zijn mond opendeed en we keken hem allemaal aan. 'Het enige wat ze deed was me schilderen en met me praten,' zei hij. 'En ja... we konden het goed met elkaar vinden.'

'Aha.' Mam schonk Nate een dodelijke blik. 'Waarom zette je het huwelijk met Chloë dan door als je van Ella houdt?'

'Omdat... ik geen klootzak ben,' antwoordde Nate. 'Ik was niet van plan mijn huwelijk af te blazen naar aanleiding van in totaal vijftien uur die ik met Ella heb doorgebracht... Vooral omdat ik geen idee had hoe zij over mij dacht!'

Er viel een stilte, en toen kuchte Honey zacht. 'Ze is gek op je, schat.' We keken allemaal naar Honey. 'Ik heb het je niet verteld,' ging Honey verder. 'Ik vond dat ik dat niet kon maken, omdat je op het punt stond met Chloë te trouwen. Maar ik heb het gezien, tijdens het verlovingsfeest: in de aandacht die ze had voor alles wat je had gezegd, en in de heimelijke blikken die ze je toewierp.'

Ik voelde mijn hart tekeergaan.

'En ik had medelijden met haar.' Honey wendde zich tot mij. 'Maar nu heb ik geen medelijden meer met je, Ella, want ik geloof dat alles nu toch goed gaat komen.'

'Nou...' zei dominee Hughes, 'ik neem aan dat de uitkomst van deze bespreking is dat Chloë en Nate niet met elkaar gaan trouwen.'

'Dat klopt,' zei Chloë zacht. 'Hè, Nate?' Ze draaide zich naar hem om en hij knikte.

Mams gezicht leek te verfrommelen. 'Er zitten daar honderdnégenentachtig mensen.' Het was de 'negen' die haar het meest leek dwars te zitten.

Roy rechtte zijn schouders. 'Dan moeten we ze maar gaan vertellen wat er aan de hand is.'

Hij sprak even met dominee Hughes en toen gingen we allemaal terug de kerk in, waar Katarina inmiddels klaar was met 'Panis Angelicus' en halverwege Rossini's 'Stabat Mater'. De organist werkte het stuk af en Katarina liep terug naar de voorste bank, haar gezicht roze van inspanning door het onverwacht lange recital.

De dominee schraapte zijn keel. 'Het spijt ons dat we u allemaal hebben laten wachten,' zei hij, 'maar we hebben een heel belangrijk gesprek gevoerd, waarvan de conclusie is dat Chloë en Nate hebben besloten toch niet met elkaar te gaan trouwen.' Er werd van alle kanten fluisterend op het nieuws gereageerd. 'Ze realiseren zich allebei dat het huwelijk een te diepgaande verbintenis is om aan te gaan als er sprake is van twijfels,' vervolgde dominee Hughes. 'Roy heeft me echter gevraagd u erop te wijzen dat het vandaag Chloës verjaardag is en dat hij hoopt dat jullie allemaal, zoals gepland, mee naar hun huis gaan, om in elk geval dat feit te vieren.'

Iedereen zat te schuiven en te draaien in de banken. Sommigen lachten, anderen waren geschokt.

'Wat is er gebeurd?' fluisterde Polly toen iedereen opstond om te vertrekken. 'Heeft Chloë de zenuwen?'

'Nee, er zit meer achter... Ik vertel het je straks, Pol.'

Toen ik de kerk uit en het heldere zonlicht in liep, kwam Vittoria naar me toe. Ze raakte even mijn arm aan. 'Nu kan ik je vertellen wat ik werkelijk van je portret van Nate vind,' zei ze zacht. 'Ik vind het... *fantastico!*'

Ik kon haar wel zoenen, maar schonk haar alleen een dankbare glimlach. Ik keek naar Honey, die ik ook wel wilde zoenen. Toen keek ik naar Nate, en ik voelde dat mijn hart zich opende. Ik liet hem echter rustig naar huis lopen met Honey en James, die teleurgesteld leek te zijn dat hij zijn toespraak niet mocht houden. Mijn moeder liep naast Roy en deed haar best een air van waardigheid op te houden, maar haar gezicht was een masker van geschoktheid en ontzetting.

Thuis aangekomen ging mam niet met alle anderen mee de tuin in. Ze ging door de voordeur naar binnen en deed die achter zich dicht. Door het raam naast de voordeur zag ik haar langzaam, steunend op de leuning, de trap op lopen.

Ik ging de tent binnen, waar Roy al champagne stond in te schenken. Naast hem stond de ijszwaan te druppen. Daarna liep ik de keuken in om de verbijsterd kijkende cateraars te helpen. Chloë stond bij de tuindeuren, naast de trolley met de vijf verdiepingen hoge bruidstaart. Ze keek naar de gasten die de tent in en uit liepen, liep toen naar het dressoir en pakte de telefoon. Zodra ze een nummer in begon te toetsen, wist ik wie ze belde. En ik wist ook waarom ze de jurk met vergeet-mij-nietjes had gekozen: omdat ze zich aangetrokken had gevoeld tot het verhaal van een liefde die was verbroken en weer hersteld.

Epiloog

15 september 2010

Ik ben in de Eastcote Gallery aan King's Road en leg de laatste hand aan mijn tentoonstelling, die over vijf minuten zal openen. De vijfentwintig schilderijen hangen allemaal aan de witte muren. De meeste heb ik opgehaald met de hulp van Rafael, wiens rode krijtportret naast dat van David Walliams hangt. Er zijn schilderijen van P.D. James, Cecilia Bartoli en – met dank aan de National Portrait Gallery – de hertogin van Cornwall. Het grootste schilderij is dat van de familie Berger, dat bijna de hele achterwand beslaat. Er hangen ook portretten bij van Polly en Lola, van Roy en mam, van Celine, Mike, Chloë, en nog een stuk of twaalf andere. Omringd door hun gezichten heb ik het gevoel dat het feest al is begonnen.

De galeriemedewerkster, een knappe vrouw met donker haar die Lucy heet, schenkt de wijn in. Net op tijd, want mijn eerste gast arriveert. Iris staat, leunend op haar stok, in de deuropening; ze draagt haar blauwe pakje en haar kralenketting van lapis lazuli.

Ik loop over de lichthouten vloer naar haar toe en begroet haar met een kus.

'Nog vele jaren, Ella,' zegt ze. 'Heel hartelijk gefeliciteerd!'

'Dank je, Iris. Ik ben blij dat jij er als eerste bent. Het was immers jouw idee, weet je nog?'

'Ik weet het nog.' Ze kijkt om zich heen. 'Wat een prachtige schilderijen. Ik zal er met veel plezier naar kijken en de mensen erachter ontmoeten.'

'Jij hangt daarginds, aan de andere kant van dat scherm.' Ik neem Iris mee naar haar portret, dat ik gisteren bij de lijstenmaker heb opgehaald.

Terwijl we het bestuderen, houdt Iris haar hoofd schuin. 'Ik vind het mooi. Ik heb echt het gevoel dat ik het ben. Ik heb ervan genoten te worden geschilderd,' vervolgt ze. 'Het heeft me ertoe aangezet na te denken over wie ik ben, en hoe ik heb geleefd. En ik heb niet gehuild, hè?'

'Nee. Maar ik wel.'

'Dat is waar,' zegt Iris peinzend. 'Ik ben blij dat je me tijdens onze latere sessies hebt verteld waarom.'

Lucy brengt ons allebei een glas wijn. Ze kijkt naar Iris en dan naar het doek. 'Het is een goede gelijkenis, en u ziet er heel gedistingeerd uit.'

'Dank u,' zegt Iris.

'Maar wat is dit?' Lucy wijst naar de hoek van een schilderij dat in de achtergrond van haar portret is opgenomen.

'Dat,' zegt Iris, 'is een fragment van een schilderij van mijn zus en mij toen we klein waren.'

Lucy bekijkt het wat nader. 'Dus dat meisje dat achter die hond aan rent... dat bent u?'

'Ja, dat klopt.'

'Wie heeft dát schilderij dan gemaakt?'

'Mijn vader... Zijn naam was Guy Lennox.'

'O, ik heb wel over hem gehoord,' zegt Lucy. 'Dus het is een manier om hem in uw portret bij u te hebben?'

Iris glimlacht. 'Precies.'

Lucy kijkt naar de deur. 'Er komen nog meer mensen. Neem me niet kwalijk, ik moet mijn werk doen.'

Polly komt binnen met Lola, die een zilverkleurige ballon vasthoudt.

'Gefeliciteerd met je verjaardag, Ella.' Polly omhelst me en dan stel ik haar en Lola aan Iris voor. Polly trekt haar jas uit en onthult het groene T-shirt dat ze op het portret ook draagt. 'Ik vrees dat Lola uit de gele jurk is gegroeid die ze droeg toen je haar tekende, maar ze heeft iets aangetrokken dat er veel op lijkt.'

Lola bindt de ballon aan een stoelleuning vast en gaat naar haar rode krijttekening kijken, die ik tegenover die van de dochter van de arts heb gehangen.

Lucy biedt Polly een glas wijn aan.

Polly neemt het aan en proeft. 'Dit is lekker,' zegt ze. 'Wat is het? Prosecco?'

'Een sprankelende chardonnay,' antwoordt Lucy.

'Van de Blackwood Hills-wijngaard in West-Australië,' voeg ik daaraan toe.

'Dus hij is van John, nietwaar?' zegt Polly.

Ik knik. 'Ik had hem over het portretfeest verteld en toen hebben Lydia en hij me zes kratten gestuurd.'

'Wat lief,' zei Iris. 'Tijdens onze laatste sessie zei je dat je misschien naar hem toe zou gaan.'

'Dat gaat door... Volgende maand. Het is de bedoeling dat ik daar een week blijf.'

'Ga je alleen?' vraagt Iris.

'Nee. Nate gaat met me mee.'

Polly kijkt om zich heen. 'Waar is hij eigenlijk?'

'Op weg van het vliegveld naar hier. Hij zou hier nu gauw moeten zijn... O, daar is Chloë. Hoi!'

Chloë omhelst me en geeft me het cadeautasje dat ze bij zich heeft. 'Gefeliciteerd, zus.'

'Dank je. Ik zal wat te drinken voor je halen.'

'Een half glas maar,' zegt ze als Polly en Lola verder praten met Iris. 'Ik kan niet lang blijven. Max houdt bij de Wellcome Trust een lezing over zijn liefdadigheidsinstelling. Hij laat zich verontschuldigen,' voegt ze eraan toe terwijl we naar de tafel met drank lopen. 'Hij was er heel graag bij geweest.'

'Dat is jammer... Maar het geeft niet.' Ik geef haar een glas wijn.

Ze neemt een slokje en kijkt om zich heen. 'En... Waar hang ik? Ik hoop dat je me naast iemand hebt gehangen die ik aardig vind.'

'Je hangt naast Cecilia Bartoli.'

'Dat is leuk... Misschien zingt haar portret nog wel voor het mijne. Als het maar niet het "Ave Maria" is.' Chloë trekt een grimas. 'Ik geloof niet dat ik dat ooit nog wil horen.' We lachen allebei en lopen dan naar Chloës schilderij. Chloë houdt haar hoofd schuin. 'Grappig om het in een andere context te zien. Maar ik kijk wel vreselijk gedeprimeerd, vind je niet?'

'Je wás ook erg gedeprimeerd.'

Chloë knikt. 'Ik wilde zo graag bij Max zijn dat ik dacht dat ik krankzinnig werd. Ik zie er krankzinnig uit,' voegt ze er opgewekt aan toe.

'Ik wilde je zo niet schilderen, weet je nog?'

'Dat weet ik, maar ik wilde het per se. Maar ik heb eens nagedacht... Ik zou toch wel willen dat je me opnieuw schildert, Ella.'

'O, met alle plezier. Ik zou jou en Max samen kunnen schilderen... Gratis, natuurlijk. Ik ben je immers nog een portret schuldig, nietwaar?' Ik knik naar mijn portret van Nate, dat Chloë gezien de omstandigheden niet had willen houden.

Haar gezicht klaart op. 'Goed dan... afgesproken. We zouden voor je kunnen poseren wanneer je terug bent uit Australië. O, daar is pap.'

Roy loopt binnen in hetzelfde tweed jasje, geruite shirt en blauwe gespikkelde strikdasje als waarin ik hem twee jaar geleden heb geschilderd. Hij kijkt ons stralend aan. 'Mijn twee meisjes!'

'Hoi, pap,' zegt Chloë.

Hij kust Chloë en daarna mij. 'Gefeliciteerd met je verjaardag, Ella.' Hij kijkt de galerie rond. 'Dit is echt leuk. En... Waar hang ik?'

Ik lach. 'Dat is het eerste dat iedereen wil weten. Je hangt hier.' Ik breng Roy naar zijn portret.

Hij gaat ernaast staan. 'Zoek de verschillen!' daagt hij ons uit.

'Nou.' Chloë knijpt haar ogen tot spleetjes. 'Je haar is wel wat grijzer, pap, en je bent wat dikker geworden rond je middel.'

'Oké,' zegt hij goedmoedig. 'Daar had ik om gevraagd. Maar dit is erg leuk, Ella. Ik stel me voor dat alle portretten met elkaar gaan babbelen als wij straks weg zijn. En daar is je moeder.' We lopen naar het schilderij. 'Het is prachtig,' zegt hij.

'Dank je. Komt ze ook? Ze wilde niets toezeggen toen ik het haar gisteren vroeg.'

'Ik denk het niet,' antwoordt hij.

'En... Hoe gaat het?' vraag ik zacht.

'Het gaat vooruit. We, eh... Ik geloof dat de uitdrukking "we bouwen bruggen" luidt.'

'Zo luidt die inderdaad,' zegt Chloë, 'maar met mij wil ze nog steeds niet praten.'

'Ach... Ze komt er wel overheen,' zegt Roy.

Ik denk aan de verpeste bruiloft en aan hoe vreselijk van streek mam was door Chloës beschuldigingen. Ze was een week niet buiten geweest. En daarna, toen er van de tent niets meer over was dan een grote gele rechthoek op het gras, had ik eindelijk alles tegen haar gezegd wat ik wilde zeggen.

'Je hebt mijn vaders brieven voor me verzwegen,' had ik gezegd toen we aan de keukentafel zaten. 'Tientallen. En je hebt tegen me over hem gelogen, en over Lydia... Je hebt jarenlang gelogen.'

Ze had haar lippen getuit. 'Soms is het vriendelijker om te liegen. Ik beschermde je, Ella.'

'Nee, mam... Je beschermde jezelf. Je relatie met John was op niets uitgelopen en daarom wilde je niets meer met hem te maken hebben... en dat begrijp ik best. Maar dat betekende dat je mij de kans ontnam om contact te houden met mijn eigen vader en in elk geval te weten dat hij wel om me gaf, ook al kon hij niet bij me zijn.'

'Hij was degene die je dat ontnam,' had mam geantwoord, 'door voor hén te kiezen in plaats van voor ons.'

Daarna had ik mam verteld dat ik van plan was John in oktober op te zoeken.

Ze had even haar blik afgewend en toen gemompeld: 'Arme Roy.'

'Roy is blij voor me. Hij stelt zich heel edelmoedig op, anders dan jij, mam.'

'Nou... Ga maar als je wilt. Maar ik wil er niets over horen.'

'Goed.' Ik had een gefrustreerde zucht geslaakt. 'Weet je, mam, ik zou graag willen denken dat je spijt hebt van de manier waarop je de zaak hebt aangepakt, maar ik geloof niet dat dat zo is.'

'Het spijt me als ik je ooit ongelukkig heb gemaakt,' zei mam, en ik wist dat dat de enige verontschuldiging was die ik ooit van haar zou krijgen. Daarna was ze opgestaan en haar dansstudio binnen gegaan voor het dagelijkse ritueel van rekken en strekken.

In de galerie geeft Lucy Roy nu een glas wijn en hij glimlacht dankbaar. 'Het komt mettertijd allemaal wel goed,' zegt Roy tegen Chloë en mij. 'Hopelijk voordat je moeder zestig wordt, want we willen natuurlijk wel een leuk feestje voor haar geven. En hoe is het met Max, Chloë?'

Ze glimlacht. 'Prima. Ik ga straks naar hem toe.'

'Je beseft toch zeker wel dat het bruiloftspotje leeg is, hè?' zegt Roy gemaakt ernstig.

Chloë grinnikt. 'Nou, als wij ooit in het huwelijksbootje stappen, dan zou het voor de burgerlijke stand zijn, met twee getuigen.' Ze kijkt mij aan. 'Misschien jij en Nate,' oppert ze met een lach.

'Dat zouden we met plezier doen,' zeg ik.

'Ik mag Nate heel graag,' zegt Chloë, 'maar ik hou van Max... Dat heb ik altijd al gedaan.' Ze knikt naar Nates portret iets verderop. 'En het is vreselijk duidelijk van wie Nate houdt.'

Ik omhels Chloë en herinner me dan het gesprek dat ik twee dagen na de bruiloft met haar heb gehad.

'Zag je het echt niet?' had ze me in haar huiskamer in Putney verbaasd gevraagd.

'Nee,' had ik geantwoord. 'Ik zag het echt niet... Misschien omdat ik er zo dichtbij stond. Maar nu snap ik waarom je zo vreemd op het schilderij reageerde.'

Chloë had geknikt. 'Het was een vreselijke schok. Ik voelde me zó vernederd en van streek... Vooral omdat Nates moeder erbij was. Ik wist dat Vittoria het had gezien en deed mijn uiterste best haar niet te laten merken dat ik het ook had gezien. Ik was vertwijfeld. Ik stond daar en bedacht dat niemand het schilderij ooit zou mogen zien. Ik dacht dat ik het zou moeten verbranden, zoals Churchills vrouw een portret van hem verbrandde dat ze niet mooi vond.'

'Maar... als je wist dat Nate verliefd was op mij, waarom zette je dan toch alles door?'

Ze had haar handen omhoog gegooid. 'Omdat het nog minder dan vierentwintig uur zou duren voor het zover was! Toen ik je atelier verliet, probeerde ik mezelf ervan te overtuigen dat je Nate misschien niet goed had geschilderd en het er per ongeluk had laten uitzien alsof hij verliefd op je was. Maar ik wist dat het dat niet kon zijn, omdat je een heel goede kunstenares bent. Dus hield ik mezelf voor dat je misschien fantaseerde dat hij verliefd op je was en dat je dat op het portret had geprojecteerd. Ik kon gewoon de waarheid niet onderkennen, omdat dat betekende dat ik de trouwerij zou moeten afzeggen en dat kon ik gewoon niet.'

'En die avond vertelde pap je over mam.'

Chloë had haar ogen gesloten. 'Daar viel ik steil van achterover. Ik lag de hele nacht wakker en probeerde alles op een rijtje te zetten, en toen realiseerde ik me wat mam werkelijk had proberen te doen. Ze had niet geprobeerd mij te beschermen...'

'Op een bepaalde manier wel, denk ik,' had ik gereageerd. 'Ze is je moeder... Ze houdt van je.'

'Oké,' had Chloë toegegeven. 'Maar ik denk ook dat ze gewoon haar eigen verleden herbeleefde. Ik heb me zelfs afgevraagd of ze jaloers op me was. Zij had immers de liefde van haar leven niet kunnen krijgen, dus misschien gunde ze mij de mijne ook niet.

Mijn gedachten gingen van hot naar haar. Toen de zon opkwam, dacht ik alleen nog maar dat ik de trouwerij wel door móést laten gaan. Het was te laat om het af te blazen. Maar toen ik daar voor het altaar stond, wilden de woorden gewoon niet komen.'

De galerie loopt vol nu iedereen arriveert. Chloë kijkt op haar horloge en drinkt haar glas leeg. 'Ik moet weg, anders ben ik te laat bij Max.' Ze omhelst me. 'Dag, Ella. Dag, pap.' Ze blaast hem een kus toe.

Hij glimlacht. 'Dag, meisje.' Dan gaat Roy met Polly en Lola praten en naar hun portretten kijken. Terwijl ik door de menigte loop, hoor ik mijn modellen met elkaar praten.

– Ze heeft je glimlach echt goed weergegeven.

– niet zeker van mijn haren.

– zwaar om model te zitten, vind je niet?

– wel iets van therapie.

– het gevoel dat ik mezelf beter heb leren kennen.

Ik voel een tikje op mijn schouder en draai me om. 'Mike!' Ik glimlach. 'Wat leuk dat je er bent.'

'Het is leuk om hier te zijn... Ik heb er zelfs aan gedacht de blauwe trui aan te trekken.'

Ik wijs naar zijn portret. 'Daar hang je.'

Mike kijkt er echter niet naar, heeft het niet eens opgemerkt... omdat hij naar dat van Grace kijkt. We lopen naar haar schilderij toe. Ik zou de ouders van Grace nooit hebben gevraagd of ik het mocht lenen, maar toen haar oom in *Time Out* over mijn expositie las, belde hij me om te vragen of het portret van Grace erin opgenomen mocht worden. Ik zei dat ik dat heel fijn zou vinden.

Grace heeft een hand onder haar kin, en ze glimlacht.

'Je hebt echt haar uitstraling weten weer te geven,' zegt Mike. 'Haar innerlijk licht.'

'Als dat zo is, heb ik dat aan jou te danken.' Ik kijk hem aan. 'Ben je naar de herdenkingsdienst geweest?'

Hij knikte. 'Die werd op haar school gehouden. Ze hadden je

portret vooraan op het podium gezet. Ik hoorde de ouders van Grace tegen iemand zeggen dat ze er heel veel troost uit putten.'

'Nou... Daar ben ik blij om. En ik hoop dat het met jou wat beter gaat, Mike.'

'Het gaat wel.' Hij zucht. 'Maar Sarah en ik zijn uit elkaar, dus...' zegt hij schouderophalend, 'ik hou mezelf bezig. Dat is het enige wat ik kan doen.'

'Ik zal een glas wijn voor je halen.' We lopen naar de dranktafel. 'Lucy, dit is –'

'Mike Johns,' onderbreekt ze me lachend. 'Dat is het leuke van deze expositie: je hoeft niemand aan elkaar voor te stellen, alleen de persoon met het schilderij te verbinden. Hallo, Mike.' Ze schenkt hem een warme glimlach. 'Ik ben Lucy. Ik werk in deze galerie.'

Ik laat Mike bij Lucy achter, want ik zie Celine binnenkomen in haar blauwe linnen jurk, met Victor. Ze is bruin geworden en haar haren zijn kort. 'Gefeliciteerd met je verjaardag, Ella!'

'Dank je. Wat leuk dat jullie er zijn. Ik vond het jammer dat je niet thuis was toen ik je portret kwam halen. Maar vertel eens... Hoe was je reis?'

'Het was heerlijk. Vooral Venetië,' voegt ze er met een glimlach naar Victor aan toe. 'Maar nu terug naar het echte leven. Ik ga terug naar school... Ik ga een opleiding tot lerares Frans volgen. Er is in Roehampton een postdoctorale opleiding waarvoor ik me heb aangemeld.'

'Dat klinkt fantastisch.'

'Nou... Waar hang ik?' Ze kijkt om zich heen. 'Aha... daar.'

We lopen naar Celines portret, maar voor we er zijn wordt Celine afgeleid door een ander, veel kleiner schilderij. 'En dat ben jíj, Ella,' zegt Celine. 'Wat een mooi zelfportret.'

'Dank je. Ik heb het vorige maand gemaakt. Ik had al meer dan vijfentwintig jaar geen zelfportret meer geschilderd, dus ik dacht dat ik het nog maar eens moest proberen.'

'En deze knappe kerel?' Celine kijkt naar het portret van Nate, dat ik naast het mijne heb gehangen. 'O, hij is verliefd, hè? Tot over zijn oren.' Ze lacht plotseling. 'Maar natuurlijk, wat stom van me, hij is verliefd op jou! Ik hoop dat jij net zo dol op hem bent, Ella.'

'Ja, dat ben ik.'

'Dus... Is dit de man over wie je me verteld hebt?' voegt ze er zacht aan toe. 'De man die... bezet was?'

'Ja. Maar dat is allemaal veranderd.'

Celine glimlacht. '*Très bien!*'

Nu hoor ik Polly tegen Iris praten. 'Mijn voeten hebben model gestaan voor alle grote schoenontwerpers,' legt ze uit. 'Ik doe ook handen... Ik ben de handen geweest van Helena Bonham Carter, van Twiggy en van Joan Collins, wat eigenlijk belachelijk is omdat ze veel ouder is dan ik.' Dan hoor ik haar Iris vertellen over haar nieuwe vriend, Ian. 'We hebben elkaar bij Lola's school ontmoet. Hij is uitgever en ik ga een boek voor hem schrijven.'

'Wordt het een roman?' vraagt Iris.

'Nee, een cultuurhistorisch werk over schoeisel van de bronstijd tot nu. Het wordt prachtig geïllustreerd en vol fascinerende feiten over schoenen. Dat past dus precies in mijn straatje. Het idee is het boek zowel in schoenwinkels als in boekwinkels te verkopen. O... daar is David Walliams. Ella zei dat hij had beloofd langs te komen.'

Nu komt Honeysuckle binnen met Doug, James en Kay. Ze kijken naar de schilderijen en komen dan naar mij toe.

'Dus nu krijgen we eindelijk Nates portret te zien,' zegt Doug terwijl hij ernaar kijkt. Hij houdt zijn hoofd schuin. 'Het is heel treffend, Ella, maar is het een geweldig portret?'

'Ik weet het niet... Ik kan alleen zeggen dat ik er blij mee ben. Heel blij,' voeg ik eraan toe als ik Nate in de deuropening zie staan. Hij baant zich een weg door de menigte naar mij toe en ik kan opeens wel huilen van pure vreugde.

'Je hebt ons verteld dat een geweldig portret iets van het model onthult dat hij zelf nog niet eens wist,' zegt Doug. 'Wat is het dat

Nate niet wist?' Hij glimlacht. 'Dat hij verliefd was op de vrouw die hem schilderde?'

Nate staat nu naast me. 'Dat wist ik wel,' zegt hij. Hij slaat zijn arm om me heen. 'Ik wist het vanaf het begin.'

Terwijl Nate me tegen zich aan trekt, denk ik terug aan de avond van de bruiloft. We hadden allebei afstand bewaard, maar toen iedereen was vertrokken, had hij me opgezocht. Ik zat op de bank bij de kastanjeboom.

Hij was naast me komen zitten, had mijn hand vastgepakt en was die gewoon blijven vasthouden. 'Het is fijn om dit te kunnen doen,' had hij gezegd. 'Dat wilde ik al zo lang.'

'Maar waarom...' Ik had een zucht geslaakt. 'Waarom heb je...?'

'Het huwelijk niet afgeblazen?' vroeg hij en ik knikte. 'Omdat ik niet wist wat jij voor mij voelde. En omdat ik dacht dat Chloë met mij wilde trouwen en ik geloofde dat het haar te veel pijn zou doen als ik eruit stapte. En toen liepen de voorbereidingen opeens zo snel en gesmeerd... Het leek wel een heel grote vrachtwagen die voortdenderde.'

'Dankzij mam,' zei ik mismoedig.

'Ja.'

'Nou ja... Ze wilde vuurwerk,' zei ik, 'en dat heeft ze gekregen. Had je echt het gevoel dat Chloë van je hield?'

Nate zuchtte. 'Ze leek... graag bij me te zijn. Er waren twee of drie weken dat ze een beetje afstandelijk was. en ik weet nu waarom. Maar toen was ze plotseling weer vol van de bruiloft en ging zich met de voorbereidingen bezighouden, vertelde me voortdurend hoe fantastisch het allemaal zou worden en hoe gelukkig we samen zouden zijn. Nu weet ik dat ze vooral zichzelf probeerde te overtuigen.'

'Was je verliefd op haar?'

'Ik... mocht haar heel erg graag,' zei hij voorzichtig. 'Ik was van haar gecharmeerd. We verloofden ons in een roes, eigenlijk bijna per ongeluk. Ik raakte eerst in paniek, maar bedacht toen dat ik zesendertig was dus... waarom zou ik niet trouwen? Dus overtuigde ik mezelf ervan dat ik gelukkig zou kunnen zijn met Chloë. Maar toen leerde ik jou kennen. En ik werd verliefd op je, Ella. Ik stond vreselijk in tweestrijd, wist niet wat ik moest doen en kon jou niet vertellen hoe ik me voelde omdat dat een vreselijk slechte indruk van mij zou geven. Maar je moet beseft hebben hoe ik me voelde.'

'Dat... dat klopt.'

'Maar je liet helemaal niets merken.'

'Hoe kon ik? Je ging met mijn zus trouwen! Ik wilde haar geluk niet verpesten... of haar publiekelijk te schande maken door haar verloofde van haar af te pakken. En ik wilde niet riskeren dat ze weer zo instortte als met Max. En daarbij hadden jij en ik maar zo weinig tijd samen doorgebracht. Nog niet eens een dag.'

'Nou...' Nate keek me aan. 'We hebben nu alle tijd die we willen.' En dus bleven we daar naast elkaar onder de boom naar elkaar zitten kijken. Nate glimlachte. 'Wat doe je? Mijn wimpers tellen?'

'Nee. Ik weet al hoeveel je er hebt. Honderdtweeënzestig op het bovenste ooglid...'

'Echt waar?'

'En vierenzeventig op het onderste... Maar maak je niet druk, dat is volkomen normaal.'

'Gelukkig. Ik begon me al zorgen te maken.'

We zaten nog steeds naar elkaar te kijken. 'Ik zie mezelf,' zei ik.

'In mijn ogen,' mompelde hij. 'Ik zie mezelf ook.'

'In elkanders oog...'

Nate drukte zijn lippen zacht tegen de mijne. Ik smolt vanbinnen. 'Je kust met je ogen open,' zei hij.

'Ik wil niet ophouden naar je te kijken. Ik vind het heerlijk om naar je te kijken, Nate.' Zijn lippen raakten weer de mijne en zijn handen omvatten mijn gezicht.

'Honey!' roept Nate vol warmte. 'Kay, Doug, James. Wat fijn om jullie allemaal te zien.'

Ik sla mijn arm om hem heen. 'Je bent hier,' zeg ik blij.

'Natuurlijk.' Nate kust me. 'Fijne verjaardag, Ella.'

'We hadden het net over je schilderij,' zegt Kay. Ze kijkt naar Nate, dan naar zijn portret. 'Je bent het ten voeten uit.'

Honey kijkt ernaar met haar hoofd schuin. 'Inderdaad. Je hebt hem echt... te pakken, Ella.'

Nate kust me weer. 'Dat heeft ze zeker.'

Nawoord

De roman *Op het tweede gezicht* is fictief, maar de inspiratie voor het verhaal van Guy Lennox vond ik toen ik las dat er een schilderij van portretschilder Sir Herbert Gunn werd geveild. Het heette *Design for a Group Portrait*, was geschilderd in 1929 en het portretteerde de drie kinderen van Sir Herbert van wie hij na zijn echtscheiding was vervreemd. Verder moet ik bekennen dat ik mij een paar vrijheden heb veroorloofd wat betreft de geschiedenis van het Northern Ballet Theatre, tegenwoordig het Northern Ballet, dat *Giselle* niet in 1979 maar in 1978 uitvoerde.

De onderstaande boeken waren handige informatiebronnen tijdens mijn research voor en het schrijven van dit boek:

Northern Ballet Theatre: 40 Years in the Making, uitgegeven door Biskit Ltd.
Portraiture: Facing the Subject, onder redactie van Joanna Woodall, uitgegeven door Manchester University Press.
Portraiture van Richard Brilliant, uitgegeven door Reaktion Books.
Painting People van Charlotte Mullins, uitgegeven door Thames and Hudson.
A Face to the World van Laura Cumming, uitgegeven door HarperPress.
Changing Face: Contemporary Portraiture van Peter Monkman, uitgegeven door Watts Gallery.